BLANC 2

McDOUGAL LITTELL

Discovering FRENCH Nouveau!

Unit 7 Resource Book

Components authored by Jean-Paul Valette and Rebecca M. Valette:

- Workbook
- Communipak
- Assessment Program
- Video Program
- Audio Program

Components authored by Sloane Publications:

- Family Letter, *Patricia Smith*
- Absent Student Copymasters, *E. Kristina Baer*
- Family Involvement, *Patricia Smith*
- Multiple Choice Test Items, *Patricia Smith*

Other Components

- Video Activities, *T. Jeffrey Richards, Philip D. Korfe, Consultant, Patricia Menard*
- Comprehensive (Semester) Tests, *T. Jeffrey Richards*
- Activités pour tous, *Patricia Menard*

ISBN: 0 - 618 - 29893 - 2

1 2 3 4 5 6 7 8 9 — MDO — 07 06 05 04 03

Table of Contents

Unité 7. Soyez à la mode!

To the Teacher v

LEÇON 25 Le français pratique: Achetons des vêtements! 1

Workbook TE 1
Activités pour tous TE 9
Lesson Plans 12
Block Scheduling Lesson Plans 14
Family Letter 17
Absent Student Copymasters 18
Family Involvement 22
Video Activities 24
Videoscripts 29
Audioscripts 31
Lesson Quiz 40

LEÇON 26 Armelle compte son argent 43

Workbook TE 43
Activités pour tous TE 49
Lesson Plans 52
Block Scheduling Lesson Plans 54
Absent Student Copymasters 57
Family Involvement 61
Video Activities 63
Videoscripts 71
Audioscripts 72
Lesson Quiz 77

LEÇON 27 Corinne a une idée 79

Workbook TE 79
Activités pour tous TE 85
Lesson Plans 88
Block Scheduling Lesson Plans 90
Absent Student Copymasters 92
Family Involvement 96
Video Activities 98
Videoscripts 104
Audioscripts 105
Lesson Quiz 110

LEÇON 28 Les vieilles robes de Mamie 113

Workbook TE 113
Activités pour tous TE 117
Lesson Plans 120
Block Scheduling Lesson Plans 122
Absent Student Copymasters 126
Family Involvement 128
Video Activities 130
Videoscripts 137
Audioscripts 138
Lesson Quiz 144

Communipak 147
Activités pour tous, Reading TE 169
Workbook TE Reading and Culture Activities 173
Lesson Plans for *Images* 185
Block Scheduling Lesson Plans for *Images* 187
Assessment
- Unit Test Form A 189
- Unit Test Form B 194
- Listening Comprehension Performance Test 199
- Speaking Performance Test 201
- Reading Comprehension Performance Test 205
- Writing Performance Test 208
- Multiple Choice Test Items 211
- Comprehensive Test 2 Form A 216
- Comprehensive Test 2 Form B 229
- Test Scoring Tools 242
- Audioscripts 246

Answer Key 254

To the Teacher

The Unit Resource Books that accompany each unit of *Discovering French, Nouveau!–Blanc* provide a wide variety of materials to practice, expand on, and assess the material in the *Discovering French, Nouveau!–Blanc* student text.

Components

Following is a list of components included in each Unit Resource Book, correlated to each **Leçon:**
- Workbook, Teacher's Edition
- *Activités pour tous*, Teacher's Edition
- Lesson Plans
- Block Scheduling Lesson Plans
- Family Letter
- Absent Student Copymasters
- Family Involvement
- Video Activities
- Videoscripts
- Audioscripts
- Lesson Quizzes

Unit Resources include the following materials:
- Communipak
- *Activités pour tous* Reading, Teacher's Edition
- Workbook Reading and Culture Activities, Teacher's Edition
- Lesson Plans for *Images*
- Block Scheduling Lesson Plans for *Images*
- Assessment
    - Unit Test
    - Listening Comprehension Performance Test
    - Speaking Performance Test
    - Reading Comprehension Performance Test
    - Writing Performance Test
    - Multiple Choice Test Items
    - Comprehensive Test
    - Test Scoring Tools
- Audioscripts
- Videoscripts for *Images*
- Answer Key

Component Description

Workbook, Teacher's Edition

The *Discovering French, Nouveau!–Blanc* Workbook directly references the student text. It provides additional practice to allow students to build their control of French and develop French proficiency. The activities provide guided communicative practice in meaningful contexts and frequent opportunity for self-expression.

Activités pour tous, Teacher's Edition

The activities in *Activités pour tous* include vocabulary, grammar, and reading practice at varying levels of difficulty. Each practice section is three pages long, with each page corresponding to a level of difficulty (A, B, and C). A is the easiest and C is the most challenging.

Lesson Plans

These lesson plans follow the general sequence of a *Discovering French, Nouveau!–Blanc* lesson. Teachers using these plans should become familiar with both the overall structure of a *Discovering French, Nouveau!–Blanc* lesson and with the format of the lesson plans and available ancillaries before translating these plans to a daily sequence.

Block Scheduling Lesson Plans

These plans are structured to help teachers maximize the advantages of block scheduling, while minimizing the challenges of longer periods.

Family Letter and Family Involvement

This section offers strategies and activities to increase family support for students' study of French language and culture.

Absent Student Copymasters

The Absent Student Copymasters enable students who miss part of a **Leçon** to go over the material on their own. The Absent Student Copymasters also offer strategies and techniques to help students understand new or challenging information. If possible, make a copy of the CD, video, or DVD available, either as a loan to an absent student or for use in the school library or language lab.

Video Activities and Videoscript

The Video Activities that accompany the Video or DVD for each module focus students' attention on each video section and reinforce the material presented in the module. A transcript of the Videoscript is included for each **Leçon.**

Audioscripts

This section provides scripts for the Audio Program and includes vocabulary presentations, dialogues, readings and reading summaries, audio for Workbook and Student Text activities, and audio for Lesson Quizzes.

Lesson Quizzes

The Lesson Quizzes provide short accuracy-based vocabulary and structure assessments. They measure how well students have mastered the new conversational phrases, structures, and vocabulary in the lesson. Also designed to encourage students to review material in a given lesson before continuing further in the unit, the quizzes provide an opportunity for focused cyclical re-entry and review.

Communipak

The Communipak section contains five types of oral communication activities introduced sequentially by level of challenge or difficulty. Designed to encourage students to use French for communication in conversational exchanges, they include *Interviews*, *Tu as la parole*, *Conversations*, *Échanges*, and *Tête à tête* activities.

Assessment

Unit Tests

The Unit Tests are intended to be administered upon completion of each unit. They may be given in the language laboratory or in the classroom. The total possible score for each test is 100 points. Scoring suggestions for each section appear on the test sheets. The Answer Key for the Unit Tests appears at the end of the Unit Resource Book.

There is one Unit Test for each of the eight units in *Discovering French, Nouveau!–Bleu*. Each test is available in two versions: Form A and Form B. A complete Audioscript is given for the listening portion of the tests; the recordings of these sections appear on CDs 9–12.

Listening Comprehension Performance Test

The Listening Comprehension Test is designed for group administration. The test is divided into three parts, *Scènes et Situations*, *Conversations*, and *Contexte*. The listening selections are recorded on CD, and the full script is also provided so that the teacher can administer the test either by playing the CD or by reading the selections aloud.

Speaking Performance Test

These tests enable teachers to evaluate students' comprehension, ability to respond in French, and overall fluency. Designed to be administered to students individually, each test consists of two sections, *Conversations* and *Tu as la parole*.

Reading Comprehension Performance Test

These tests allow for evaluation of students' ability to understand material written in French. The Reading Comprehension Performance Test is designed for group administration. Each test contains several reading selections, in a variety of styles. Each selection is accompanied by one to four related multiple-choice questions in English.

Writing Performance Test

The Writing Performance Test gives students the opportunity to demonstrate how well they can use the material in the unit for self-expression. The emphasis is not on the production of specific grammar forms, but rather on the communication of meaning. Each test contains several guided writing activities, which vary in format from unit to unit.

Multiple Choice Test Items

These are the print version of the multiple choice questions from the Test Generator. They are contextualized and focus on vocabulary, grammar, reading, writing, and cultural knowledge.

Answer Key

The Answer Key includes answers that correspond to the following material:

- Video Activities
- Lesson Quizzes
- Communipak Activities
- Unit Tests
- Comprehensive Tests
- Performance Tests
- Multiple Choice Test Items

Unité 7. Soyez à la mode!

LEÇON 25 Le français pratique: Achetons des vêtements!

LISTENING/SPEAKING ACTIVITIES

Section 1. Culture

A. Aperçu culturel: Les jeunes Français et la mode

Allez à la page 370 de votre texte. Écoutez.

Partie A	vrai	faux	Partie B	vrai	faux
1.	☑	❑	6.	❑	☑
2.	❑	☑	7.	☑	❑
3.	☑	❑	8.	❑	☑
4.	☑	❑	9.	☑	❑
5.	❑	☑	10.	☑	❑

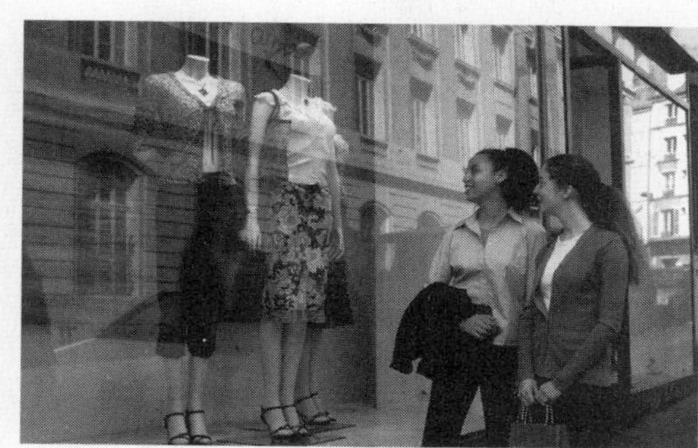

Section 2. Vie pratique

B. La réponse logique

▶ Quelle est ta couleur préférée?

a. Le coton. **(b.) Le rouge.** **c. Un collier.**

1. a. Oui, je suis à la mode. b. Dans une boutique de vieux livres. (c.) Dans un grand magasin.

2. (a.) Oui, il est en solde. b. Non, il est moche. c. Oui, il est joli.

3. (a.) Je fais du 38. b. C'est affreux. c. Oui, il me plaît.

4. a. Oui, elle est bleu foncé. b. Non, je voudrais un pantalon. (c.) Non, elle est trop étroite.

5. (a.) Non, elles sont en cuir. b. Non, elles sont noires. c. Non, elles sont en velours.

Nom ______________________

Classe ______________ Date ______________

Discovering FRENCH Nouveau!

BLANC

6. a. Des collants. b. Une cravate. (c.) Une bague.

7. (a.) Il pleut. b. Il fait chaud. c. Je reste chez moi.

8. a. Un portefeuille. (b.) Des tennis. c. Des chaussettes.

9. a. Un maillot de bain. b. Une ceinture. (c.) Un manteau.

10. (a.) Un costume bleu foncé. b. Un chemisier à rayures. c. Un tailleur en laine.

C. Le bon choix

▶ —Est-ce que Julien porte un tee-shirt ou une chemise?
—**Il porte une chemise.**

1. Elle porte une jupe.
2. Il achète un manteau.
3. Il met un blouson.
4. Elle met des collants.
5. Elle achète un maillot de bain.
6. Il porte un survêtement.
7. Il porte un chapeau.

8. Elle a des boucles d'oreilles.
9. Elle va prendre son parapluie.
10. Elle achète une bague.
11. Elle essaie un tailleur.
12. Il choisit une cravate unie.
13. Elle met un chemisier à pois.
14. Il est trop court.
15. Elle est trop étroite.

D. Dialogues

DIALOGUE A

Sophie demande à Philippe où il va.

SOPHIE: Dis, Philippe, où vas-tu?

PHILIPPE: Je vais au Mouton à 5 Pattes.

SOPHIE: Qu'est-ce que c'est?

PHILIPPE: C'est une boutique de soldes.

SOPHIE: Qu'est-ce que tu vas acheter?

PHILIPPE: Un blouson.

SOPHIE: Est-ce que je peux venir avec toi? J'ai besoin d'un imper.

PHILIPPE: Oui, bien sûr!

DIALOGUE B

Dans une boutique de vêtements. Le vendeur parle à Bernard.

LE VENDEUR: Vous désirez?

BERNARD: Je cherche une veste.

LE VENDEUR: En laine ou en coton?

BERNARD: En coton!

LE VENDEUR: Quelle est votre taille?

BERNARD: Je fais du 36.

LE VENDEUR: Qu'est-ce que vous pensez de la veste marron?

BERNARD: Elle est jolie, mais elle est trop étroite.

LE VENDEUR: Voulez-vous essayer cette veste bleue?

BERNARD: Elle me va bien. Combien coûte-t-elle?

LE VENDEUR: 150 euros.

BERNARD: Hm, c'est un peu cher. Je vais réfléchir.

LE VENDEUR: À votre service.

Nom ______________________________

Classe ______________________ Date ______________________

Discovering FRENCH Nouveau!

BLANC

E. Répondez, s'il vous plaît!

▶ —Qu'est-ce que Jérôme achète?
—Il achète une veste.

1. Elle achète un pantalon.
2. Elle va acheter des chaussures. (des sandales)
3. Elle va mettre une robe.
4. Je vais prendre un parapluie.

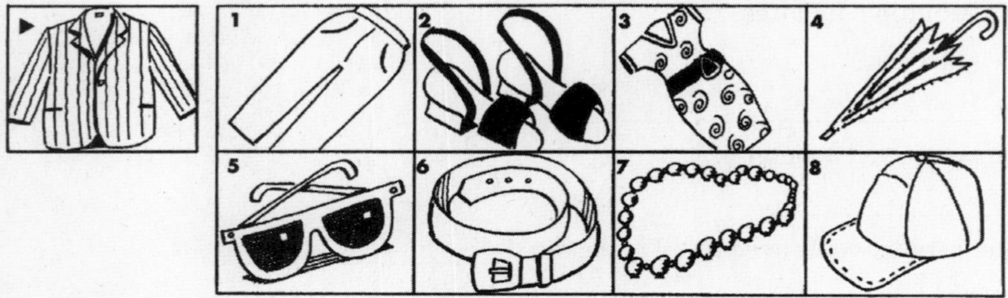

5. Je vais acheter des lunettes de soleil.
6. Je vais lui donner une ceinture.
7. Elle a acheté un collier.
8. Je porte une casquette.

Questions personnelles

? 9	? 10	? 11	? 12	? 13

9. J'achète mes vêtements sur Internet.
10. J'ai acheté une casquette.
11. Ma couleur favorite est le rouge.
12. Je porte des sandales à la plage.
13. Je porte un manteau quand il fait froid.

F. Situation: Le manteau de Sophie

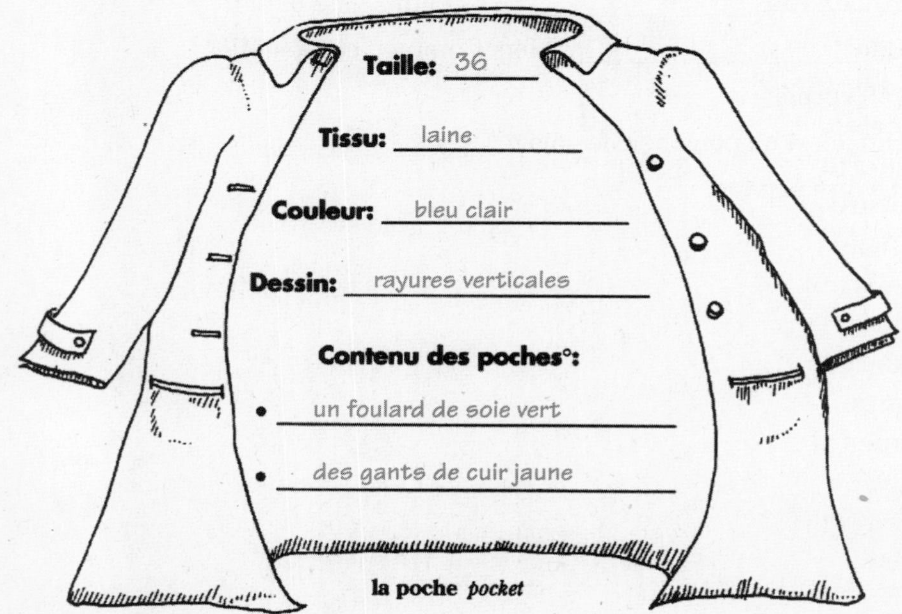

la poche *pocket*

Nom ______________________________

Classe ____________________ Date ____________

Discovering FRENCH *Nouveau!*

B L A N C

WRITING ACTIVITIES

A/B/C 1. L'intrus *(The intruder)*

Dans chaque groupe, il y a un élément qui n'appartient pas *(does not belong)* à cette catégorie. C'est l'intrus! Trouvez l'intrus et rayez-le *(cross it out)*.

▶	bleu	vert	~~joli~~	rouge
1.	chemise	~~tennis~~	polo	tee-shirt
2.	blouson	~~velours~~	imper	manteau
3.	pantalon	veste	~~portefeuille~~	pull
4.	jupe	robe	chemisier	~~parapluie~~
5.	chaussures	~~chaussettes~~	bottes	sandales
6.	bague	collier	~~fourrure~~	boucles d'oreilles
7.	noir	violet	~~cuir~~	bleu foncé
8.	jaune	blanc	rose	~~soie~~
9.	carreaux	rayures	~~lunettes~~	fleurs
10.	or	~~toile~~	argent	platine
11.	laine	coton	~~chapeau~~	velours côtelé
12.	rose	toile	velours	soie

A/B/C 2. Classements (sample answers)

Classez les objets de la liste suivant la partie du corps où on les porte. Puis ajoutez *(add)* un ou deux objets à chaque groupe.

bague
boucles d'oreilles
bracelet
casquette
ceinture
chapeau
chaussettes
collier
foulard
gants
jupe
pantalon
tennis
veste

boucles d'oreilles	casquette	chapeau
collier	foulard	
lunettes de soleil		

bague	bracelet	ceinture
gants	veste	chemise
pull		

jupe	pantalon	jean
short		

chaussettes	tennis	chaussures
sandales		

Nom ______________________

Classe ______________ Date ______________

Discovering FRENCH Nouveau!

BLANC

A/B/C/D 3. Shopping (sample answers)

A. Articles de cuir

1. Dans quel rayon du grand magasin se passe la scène?

   La scène se passe dans le rayon des accessoires.

2. Quels vêtements porte la cliente?

   La cliente porte un chapeau, un chemisier à fleurs et une jupe à pois.

   Elle tient un parapluie.

3. Quels bijoux porte la vendeuse?

   La vendeuse porte des boucles d'oreilles, un collier, des bagues et un bracelet.

4. Que veut acheter la dame? Selon vous, pourquoi veut-elle acheter cet objet?

   La dame veut acheter un sac. Elle veut acheter cet objet pour mettre son argent.

5. Quels articles est-ce qu'il y a dans la vitrine *(display case)*?

   Dans la vitrine il y a d'autres sacs, des portefeuilles, une ceinture, des gants

   et deux montres.

B. Soldes

1. Où se passe la scène?

   La scène se passe dans un magasin de vêtements.

2. Qu'est-ce que le client essaie?

   Le client essaie une veste et un pantalon.

3. Quel est le dessin de la veste? et du pantalon?

   La veste est une veste à carreaux. Le pantalon est un pantalon à rayures.

4. Quel est le problème avec la veste? et avec le pantalon?

   La veste est trop grande. Le pantalon est trop court.

5. Combien coûte la veste? et le pantalon?

   La veste coûte 140e. Le pantalon coûte 80e.

6. Selon vous, qu'est-ce que le client va faire?

   Le client va essayer une autre taille de veste et de pantalon.

URB p. 7

Nom ______________________________

Classe ____________________ Date ____________

Discovering FRENCH Nouveau!

BLANC

4. Communication (sample answers)

A. Joyeux anniversaire!

Pour votre anniversaire, votre oncle Paul, qui habite à Québec et qui est riche, vous a promis de vous acheter cinq vêtements ou accessoires de votre choix. Ecrivez-lui une lettre où vous faites une liste des cinq objets que vous voulez. Donnez des détails sur chaque objet (couleur? dessin? matière? . . .). Puis signez votre lettre.

Cher oncle Paul,
Merci de ton offre généreuse! Pour mon anniversaire je voudrais avoir ...

- un jean rouge
- un pull de coton noir
- une chemise de coton bleue
- des chaussettes grises
- une casquette de toile marron

Je t'embrasse,

B. Invitations

Ce week-end vous êtes invité(e) à quatre événements différents:

- une boum
- un pique-nique
- un mariage *(wedding)*
- l'anniversaire de votre oncle

Choisissez l'événement où vous voulez aller et décrivez en détail les vêtements et les chaussures que vous allez porter pour l'occasion. Pour chaque type de vêtement, vous pouvez, par exemple, décrire la couleur, le tissu, le style. (Si c'est nécessaire, utilisez une feuille de papier séparée.)

Je vais aller au mariage.
Pour cette occasion, je vais mettre une robe de soie jaune et des collants beiges.

Je vais aussi porter des chaussures blanches et des boucles d'oreilles d'or.

Unité 7. Soyez à la mode!

LEÇON 25 Achetons des vêtements!

A

Activité 1 Les vêtements et les accessoires

Ajoutez, dans chaque série, le mot qui la complète.

une bague	une chemise	un blouson	un blazer	des baskets

1. un blazer — un costume — un tailleur
2. des baskets — des tennis — des bottes
3. un blouson — un imper — un manteau
4. une bague — un collier — des boucles d'oreilles
5. une chemise — un chemisier — un pull

Activité 2 La couleur, le tissu et le dessin

Choisissez deux mots qui indiquent la couleur, le tissu ou le dessin de ces vêtements.

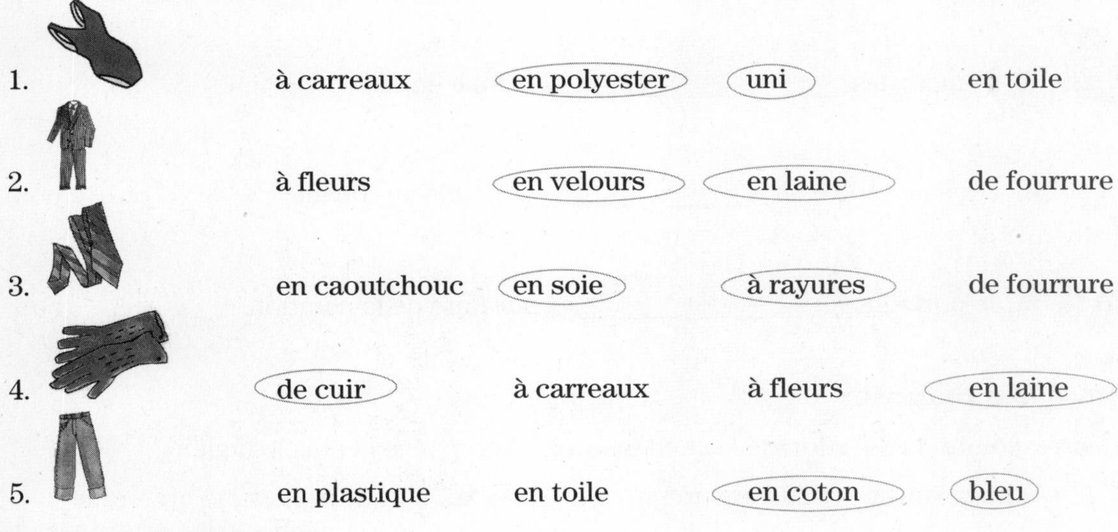

1. à carreaux — (en polyester) — (uni) — en toile
2. à fleurs — (en velours) — (en laine) — de fourrure
3. en caoutchouc — (en soie) — (à rayures) — de fourrure
4. (de cuir) — à carreaux — à fleurs — (en laine)
5. en plastique — en toile — (en coton) — (bleu)

Activité 3 Dialogues

Choisissez la meilleure réponse.

1. Est-ce que tu vas prendre la robe?
   a. Oui, parce qu'elle est affreuse.
   (b.) Oui, parce qu'elle est en solde.
2. Quelle est votre pointure?
   a. Elle me va bien.
   (b.) Je fais du 39.
3. Vous avez choisi?
   (a.) Non, je vais réfléchir.
   b. Je porte du 38.
4. Est-ce que le maillot de bain vous va?
   a. Non, il est trop cher.
   (b.) Non, il est trop étroit.

URB p. 9

Nom ______________________________

Classe ______________________ Date ______________

B

Activité 1 Les vêtements et les parties du corps

Quel vêtement n'est normalement pas associé avec la partie du corps donnée?

1. la tête — un chapeau — (un blouson) — une casquette
2. les jambes — (un imper) — un pantalon — des collants
3. les mains — (une cravate) — une bague — des gants
4. les pieds — des baskets — (une jupe) — des chaussettes
5. les bras — un sweat — un polo — (des tennis)

Activité 2 Les vêtements et les endroits

D'abord, complétez les phrases en identifiant les vêtements. Puis, décidez si les phrases sont logiques ou non.

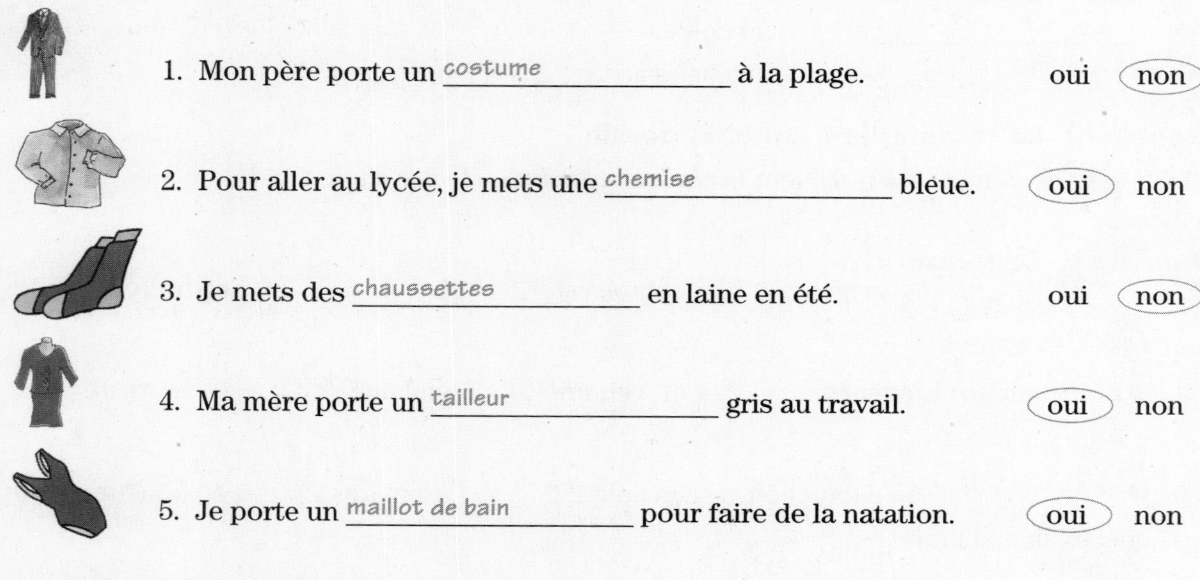

1. Mon père porte un costume à la plage. oui (non)
2. Pour aller au lycée, je mets une chemise bleue. (oui) non
3. Je mets des chaussettes en laine en été. oui (non)
4. Ma mère porte un tailleur gris au travail. (oui) non
5. Je porte un maillot de bain pour faire de la natation. (oui) non

Activité 3 Au magasin

Faites correspondre la question de la vendeuse avec la réponse la plus logique.

d 1. —Aimez-vous ce tissu à rayures?

c 2. —Quelle est votre pointure?

a 3. —Vous préférez les sandales en cuir ou en caoutchouc?

e 4. —Est-ce que ces chaussures vous vont?

b 5. —Qu'est-ce que vous pensez de ce pull en solde?

a. —Pour la plage, je préfère le caoutchouc.

b. —C'est un très beau pull.

c. —Je fais du 39.

d. —Oui, mais je préfère le tissu uni.

e. —Non, elles sont trop grandes.

URB p. 10

Nom ______________________________

Classe ______________________ Date ______________

Discovering FRENCH Nouveau!

B L A N C

C

Activité 1 Qu'est-ce qu'ils portent?

Écrivez le nom des vêtements et des accessoires que portent ces personnes dans les circonstances suivantes.

1. Marc va au stade. Il porte un short et une casquette.
2. Mme. Martin est au bureau. Elle porte un tailleur et des boucles d'oreilles.
3. Christine va à la plage. Elle porte un maillot de bain et des lunettes de soleil.
4. Philippe va à l'école. Il porte un jean et une chemise.
5. Je sors et il pleut. Je porte un imper et des gants.

Activité 2 La tenue (sample answers)

Décrivez, avec deux noms de vêtements ou d'accessoires, la tenue que vous associez avec les personnes suivantes.

1. le président des États-Unis — un costume et une cravate
2. une joueuse de tennis — une jupe et un polo
3. un jockey (à cheval) — un pantalon et des bottes
4. quelqu'un de Londres quand il pleut — un chapeau et un parapluie
5. une femme, le soir d'un bal — un collier et un bracelet

Activité 3 Au magasin (sample answers)

Vous cherchez un nouveau pantalon. Répondez aux questions de la vendeuse.

1. —Vous désirez? —Je cherche un pantalon noir.
2. —Quelle est votre taille? —Je fais du 40.
3. —Qu'est-ce que vous aimez, comme tissu? —J'aime le rayon.
4. —Est-ce que le pantalon vous va? —Non, il est trop court.
5. —Est-ce qu'il vous plaît? —Oui, il me plaît.

URB p. 11

LEÇON 25 Achetons des vêtements!, page 370

Objectives

Communicative Functions and Topics
To describe clothing, jewelry, and accessories
To discuss colors, fabric, design, and materials
To discuss what people are wearing
To talk about different types of clothing stores
To shop for clothing and be able to talk with sales clerks
To express opinions about size, looks, and price
To read a size chart

Linguistic Goals
To use adjectives

Cultural Goals
To learn about how French people dress
To compare French and American size charts

Motivation and Focus

- ❑ Discuss clothing and shopping using the photos on pages 368–369. Students can compare their favorite clothing stores, brands, and styles to those in the pictures. Read together the *Thème et Objectifs* on page 368 to preview the content of the unit.

Presentation and Explanation

- ❑ *Lesson Opener:* Talk about clothing styles in the photos, pages 370–371. Read *Aperçu culturel* . . . and encourage students to compare attitudes of French and American young people regarding clothing styles. Play **Audio** CD 4, Track 10 or read pages 370–371. Go over the CULTURAL NOTE on page 371 of the TE. Have students read and summarize the selection. Play **Video** 2 or **DVD** 2, Counter 15:49–28:15.
- ❑ *Vocabulary A:* To introduce clothing, use **Overhead Transparencies** 53 and 54. Model the expressions for discussing clothing on pages 372–373. Guide students to talk about what they are going to wear the next day or for an upcoming event. Listen to **Audio** CD 4, Track 11.
- ❑ *Vocabulary B:* Present jewelry and accessories, page 374, with **Overhead Transparency** 55. Talk about items students wear daily or for special occasions. Listen to **Audio** CD 4, Track 12.
- ❑ *Vocabulary C:* As you model questions and answers about clothing descriptions, page 375, use **Overhead Transparency** 56 to clarify meanings. Have students repeat the expressions and then describe their clothing using colors and materials. Listen to **Audio** CD 4, Track 13.
- ❑ *Vocabulary D:* Model the expressions for shopping for clothing, page 377. Clarify meaning with **Overhead Transparency** 57. Students can use the expressions to talk about the people on the transparency. Listen to **Audio** CD 4, Track 14

Guided Practice and Checking Understanding

- ❑ Check understanding of *Aperçu culturel!* . . . with QUESTIONS SUR LE TEXTE, page 371 of the TE.
- ❑ Practice talking about clothing and shopping for clothes with **Overhead Transparencies** 53–55 and the activities on page A138; **Transparency** 56 and the first two activities on page A140; and **Transparency** 57 and the activities on page A142.
- ❑ To check listening comprehension, use **Audio** CD 12, Track 1–6 or read from the **Audioscript** as students do **Workbook** Listening/Speaking Activities A–F on pages 229–232.
- ❑ Use COMPREHENSION: CLOTHES, page 372 of the TE, to practice identifying clothing items.
- ❑ Have students complete **Video Activities** 1–8, pages 25–28, as they watch the **Video** or listen to you read the **Videoscript**.

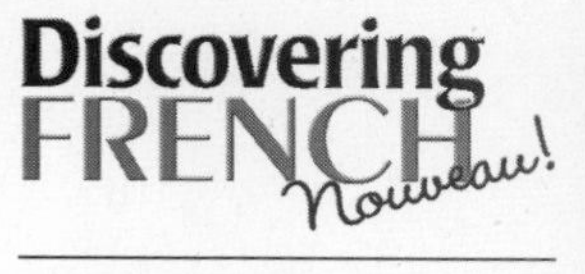

Independent Practice

- ❑ Model the activities on pages 373–378. Do 1–4 and 7–11 as PAIR PRACTICE. Assign 5 and 6 for homework.
- ❑ Have pairs of students do any or all of **Communipak** *Interviews* 1–4, *Tu as la parole* 1–2, *Conversations* 1–2, *Échange* 1, or *Tête à tête* 2 (pages 148–163).
- ❑ Have students do any appropriate activities in **Activités pour tous**, pages 141–143.

Monitoring and Adjusting

- ❑ Do the **Workbook** Writing Activities, pages 233–236, and Reading and Culture Activities, page 253.
- ❑ As students work on the practice activities, monitor language used to describe clothing and to talk about shopping. Refer them back to the vocabulary boxes on pages 372–377 as needed. Use the LANGUAGE NOTE and the EXPANSION ACTIVITY on page 373 of the TE, and the VOCABULARY NOTES on page 377 of the TE, to meet all students' needs.

Assessment

- ❑ Administer Quiz 25 on pages 40–41 after completing the lesson's activities. Adjust lesson quizzes to the needs of the class by using the **Test Generator**.

Reteaching

- ❑ Redo any appropriate activities from the **Workbook**.
- ❑ Students can use the **Video** to review portions of the lesson.
- ❑ Reteach clothing, colors, and materials with **Teacher to Teacher** pages 39–41.
- ❑ Do SPEAKING ACTIVITY: FASHION SHOW, page 375 of the TE, to review clothing descriptions.

Extension and Enrichment

- ❑ Play UN JEU: LOTO! (page 374 of the TE) or UN JEU: VINGT QUESTIONS (page 376 of the TE).
- ❑ Do the CULTURAL EXPANSION activity at the bottom of page 371 of the TE to familiarize students with other French fashions and fashion magazines.

Summary and Closure

- ❑ Have students prepare the "police report" described in the activity on page A28 of **Overhead Transparencies**, using **Transparency** S16. As they present their descriptions, ask others to summarize the communicative functions that they have learned in this lesson.

End-of-Lesson Activities

- ❑ *Au jour le jour:* Read the size charts on page 379. Help students find their sizes for clothing items using the French system. Model the role plays in Activity 12, page 379, and have students do them in pairs. For more practice with clothing sizes, use TAILLES ET POINTURES, page 379 of the TE. Assign *Documents*, **Workbook** pages 254–255.

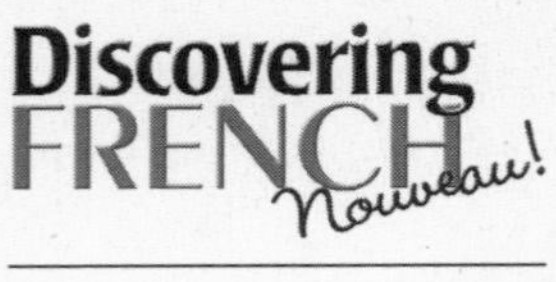

BLANC

LEÇON 25 Achetons des vêtements!, page 370

Block Scheduling (3 Days to Complete)

Objectives

Communicative Functions and Topics	To describe clothing, jewelry, and accessories To discuss colors, fabric, design, and materials To discuss what people are wearing To talk about different types of clothing stores To express opinions about size, looks, and price To shop for clothing and be able to talk with sales clerks To read a size chart
Linguistic Goals	To use adjectives
Cultural Goals	To learn about how French people dress To compare French and American size charts

Block Schedule

Fun Break Gather fashion magazines in French or cut out pictures from English fashion magazines. Have students make a collage, then label and describe items in French. ■

Day 1

Motivation and Focus

- ❑ Discuss clothing and shopping using the photos on pages 368–369. Students can compare their favorite clothing stores, brands, and styles to those in the pictures. Read together the *Thème et Objectifs* on page 368 to preview the content of the unit.

Presentation and Explanation

- ❑ *Lesson Opener:* Talk about clothing styles in the photos, pages 370–371. Go over *Aperçu culturel . . .* and encourage students to compare attitudes of French and American young people regarding clothing styles. Play **Audio** CD 4, Track 10 or read pages 370–371. Explain the CULTURAL NOTE on page 371 of the TE. Have students read and summarize the selection. Play **Video** 2 or **DVD** 2, Counter 15:49–28:15.
- ❑ *Vocabulary A:* To introduce clothing, use **Overhead Transparencies** 53 and 54. Model the expressions for discussing clothing on pages 372–373. Guide students to talk about what they are going to wear the next day or for an upcoming event. Listen to **Audio** CD 4, Track 11.
- ❑ *Vocabulary B:* Present jewelry and accessories, page 374, with **Overhead Transparency** 55. Talk about items students wear daily or for special occasions. Listen to **Audio** CD 4, Track 12.
- ❑ *Vocabulary C:* As you model questions and answers about clothing descriptions, page 375, use **Overhead Transparency** 56 to clarify meanings. Have students repeat the expressions and then describe their clothing using colors and materials. Listen to **Audio** CD 4, Track 13.
- ❑ *Vocabulary D:* Model the expressions for shopping for clothing, page 377. Clarify meaning with **Overhead Transparency** 57. Students can use the expressions to talk about the people on the transparency. Listen to **Audio** CD 4, Track 14.

Guided Practice and Checking Understanding

- ❑ Check understanding of *Aperçu culturel* . . . with QUESTIONS SUR LE TEXTE, page 371 of the TE.
- ❑ Practice talking about clothing and shopping for clothes with **Overhead Transparencies** 53–55 and the REVIEW AND PRACTICE activities on pages A134–A137; **Transparency** 56 and the first two activities on page A140; and **Transparency** 57 and the activities on page A142.
- ❑ To check listening comprehension, use **Audio** CD 12, Tracks 1–6 or read from the **Audioscript** as students do **Workbook** Listening/Speaking Activities A–F on pages 229–232.
- ❑ Use COMPREHENSION: CLOTHES, page 372 of the TE, to practice identifying clothing items.
- ❑ Have students complete **Video Activities** 1–8, pages 25–28, as they watch the **Video** or listen to you read the **Videoscript**.

Day 2

Motivation and Focus

- ❑ Have students read the *Aperçu culturel* on page 253 of the **Workbook**.
- ❑ Using **Overhead Transparency** 56, do the REVIEW AND PRACTICE activity on page A139.

Independent Practice

- ❑ Model the activities on pages 373–378. Do Activities 1 and 7–11 as PAIR PRACTICE: Assign Activities 2–6 as individual written work.
- ❑ Have pairs of students do any or all of **Communipak** *Interviews* 1–4, *Tu as la parole* 1–2, *Conversations* 1–2, or *Échange* 1 (pages 148–163).
- ❑ Have students do any appropriate activities in **Activités pour tous**, pages 141–143.

Monitoring and Adjusting

- ❑ Do the Writing Activities, **Workbook** pages 233–236.
- ❑ As students work on the practice activities, monitor language used to describe clothing and to talk about shopping. Refer them back to the vocabulary boxes on pages 372–377 as needed. Use the LANGUAGE NOTE and the EXPANSION ACTIVITY on page 373 of the TE, and the VOCABULARY NOTES on page 377 of the TE, to meet all students' needs.

Day 3

End-of-Lesson Activities

- ❑ *Au jour le jour:* Read the size charts on page 379. Help students find their sizes for clothing items using the French system. Model the role plays in Activity 12, page 379, and have students do them in pairs. For more practice with clothing sizes, use TAILLES ET POINTURES, page 379 of the TE.

Reteaching (as needed)

- ❑ Students can use the **Video** to review portions of the lesson.
- ❑ Reteach clothing, colors, and materials with **Teacher to Teacher** pages 39–41.
- ❑ Do SPEAKING ACTIVITY: FASHION SHOW, page 375 of the TE, to review clothing descriptions.

Extension and Enrichment (as desired)

- ❑ Use **Block Scheduling Copymasters**, pages 201–208.
- ❑ Play UN JEU: LOTO! (page 374 of the TE) or UN JEU: VINGT QUESTIONS (page 376 of the TE).

- ❑ Do the CULTURAL EXPANSION activity at the bottom of page 371 of the TE to familiarize students with other French fashions and fashion magazines.

Summary and Closure

- ❑ Have students prepare the role-play described in the activity on page A27 of **Overhead Transparencies**, using **Transparency** S15. As they present their conversations, ask others to summarize the communicative functions that they have learned in this lesson.
- ❑ Have students do the **Block Schedule Activity** at the top of page 14 of these lesson plans.

Assessment

- ❑ Administer Quiz 25 on pages 40–41 after completing the lesson's activities. Adjust lesson quizzes to the needs of the class by using the **Test Generator**.

Notes

Date:

Dear Family:

By now, your French student is well on his or her way to integrating new vocabulary and developing speaking skills. In class, we are learning to describe clothes and accessories—to talk about their color, design, fit, and fabric. Of course, fashion is an important aspect of French culture, and students are learning how French people dress and where French people buy their clothes. In addition, students are learning to rank items in a series, to make comparisons, and to ask people to make a choice.

We continue to practice all four skills—reading, writing, listening, and speaking—in French and to focus on real-life communication as well as authentic culture of France and the French-speaking world.

Please feel free to call me with any questions or concerns you might have as your student practices reading, writing, listening, and speaking in French.

Sincerely,

Nom ____

Classe ______________________ Date ______________

Discovering FRENCH *Nouveau!*

BLANC

LEÇON 25 Le français pratique: Achetons des vêtements!, pages 370–371

Materials Checklist

- ❑ **Student Text**
- ❑ **Audio** CD 4, Track 10; **Audio** CD 12, Track 1
- ❑ **Video** 2 or **DVD** 2, Counter 15:49–17:24
- ❑ **Workbook**

Steps to Follow

- ❑ Unit opener: Look at the photograph on pages 368–369. Where was this photograph taken? Describe what you see. What differences do you notice between this shop and a shop in your area? What is each person in the photograph doing? Do you and your friends go clothes shopping together?
- ❑ Before you watch the **Video** or **DVD**, or listen to the **CD**, read *Comparaisons culturelles* (p. 371). This will help you understand what you see and hear.
- ❑ Look at the photos on pages 370–371 while you read the text. Write down any unfamiliar words or expressions. Check meanings. Listen to **Audio** CD 4, Track 10.
- ❑ Watch **Video** 2 or **DVD** 2, Counter 15:49–17:24. Pause and replay if necessary.
- ❑ Do Listening/Speaking Activities, Section 1, Activity A in the **Workbook** (p. 229). Use **Audio** CD 12, Track 1.
- ❑ Answer the questions in *Et vous?* (p. 371).

If You Don't Understand . . .

- ❑ Watch the **Video** or **DVD** in a quiet place. Try to stay focused. If you get lost, stop the **Video** or **DVD**. Replay it and find your place.
- ❑ Listen to the **CDs** in a quiet place. If you get lost, stop the **CDs**. Replay them and find your place. Repeat what you hear. Try to sound like the people on the recording.
- ❑ On a separate sheet of paper, write down new words and expressions. Check meanings.
- ❑ Say aloud anything you write. Make sure you understand everything you say.
- ❑ Write down any questions so that you can ask your partner or your teacher later.

Self Check

Répondez aux questions suivantes.

1. Où est-ce que beaucoup de jeunes achètent leurs vêtements?
2. Quel est l'uniforme des jeunes en France?
3. À quoi est-ce que les jeunes Français font particulièrement attention?
4. Pourquoi est-ce que beaucoup de Français attendent la période des soldes?
5. Qu'est-ce que présentent les grands couturiers au printemps et en automne?

Answers

1. Beaucoup des jeunes achètent leurs vêtements dans des chaînes spécialisées dans la «mode-jeunes» ou dans la «mode-sport». 2. Le jean et le tee-shirt constituent l'uniforme des jeunes en France. 3. Les jeunes Français font particulièrement attention au choix de leurs chaussures. 4. Ils attendent la période des soldes parce que la mode est très chère, et pendant les soldes, les boutiques font des réductions de 30 à 50%. 5. Au printemps et en automne les grands couturiers présentent leurs nouvelles collections.

A. Vocabulaire: Les vêtements, page 372–373

B. Vocabulaire: D'autres choses que l'on porte, page 374

Materials Checklist

- ❑ **Student Text**
- ❑ **Audio** CD 4, Tracks 11–12
- ❑ **Video** 2 or **DVD** 2, Counter 15:49–21:13

Steps to Follow

- ❑ Study *Vocabulaire: Les vêtements* (pp. 372–373). Say the words and expressions aloud. Do you have the same or similar items of clothing? Which ones are different from those that you wear? Listen to **Audio** CD 4, Track 11.
- ❑ Study *Vocabulaire: D'autres choses que l'on porte* (pp. 374). Say the words and expressions aloud. Listen to **Audio** CD 4, Track 12.
- ❑ Watch **Video** 2 or **DVD** 2, Counter 15:49–17:24. Pause and replay if you get lost.
- ❑ Do Activities 1–3 in the text (pp. 373–374). Write the answers in complete sentences. Read your answers aloud.

If You Don't Understand . . .

- ❑ Reread activity directions. Put the directions in your own words.
- ❑ Read the model several times. Be sure you understand it.
- ❑ Say aloud everything that you write. Be sure you understand what you are saying.
- ❑ When writing a sentence, ask yourself, "What do I mean? What am I trying to say?"
- ❑ Listen to the **CD** in a quiet place. Try to stay focused. If you get lost, stop the **CD**. Replay it and find your place.
- ❑ Write down any questions so that you can ask your partner or your teacher later.

Self Check

Cherchez le vêtement qui n'appartient pas et écrivez-le sur une feuille de papier.

1. un blazer	une jupe	une veste	un blouson
2. un chemisier	une chemise	des chaussettes	un tee-shirt
3. des sandales	des baskets	un tailleur	des tennis
4. un polo	un tee-shirt	des collants	un sweat
5. un costume	un tailleur	une robe	un short
6. un bracelet	une ceinture	une bague	des boucles d'oreilles
7. un foulard	un chapeau	un portefeuille	des gants

Answers

1. une jupe 2. des chaussettes 3. un tailleur 4. des collants 5. un short 6. une ceinture 7. un portefeuille

Nom ______________________________

Classe ______________________ Date ______________

Discovering FRENCH *Nouveau!*

B L A N C

C. La description des vêtements, pages 375–376

Materials Checklist

- ❑ **Student Text**
- ❑ **Audio** CD 4, Track 13
- ❑ **Video** 2 **or DVD** 2, Counter 21:14–23:25
- ❑ **Workbook**

Steps to Follow

- ❑ Study *Vocabulaire: La description des vêtements* (p. 375). Write the model sentences. Say the model sentences aloud. Say the names of the colors aloud. Listen to **Audio** CD 4, Track 13.
- ❑ Watch **Video** 2 or **DVD** 2, Counter 21:14–23:25. Pause and replay if you get lost.
- ❑ Do Activities 4–6 in the text (pp. 375–376). Write the answers in complete sentences. Say the answers aloud.
- ❑ Do Activity 7 in the text (p. 376). Write complete sentences. Read both parts aloud.
- ❑ Do Activity 8 in the text (p. 376).
- ❑ Do Writing Activity A/B/C 1–2 in the **Workbook** (p. 233).

If You Don't Understand . . .

- ❑ Reread activity directions. Put the directions in your own words.
- ❑ Read the model several times. Be sure you understand it.
- ❑ Say aloud everything that you write. Be sure you understand what you are saying.
- ❑ Watch the **Video** or **DVD** in a quiet place. If you get lost, replay it and find your place.
- ❑ Listen to the **CD** in a quiet place. Try to stay focused. If you get lost, stop the **CD**. Replay it and find your place.
- ❑ Write down any questions so that you can ask your partner or your teacher later.

Self Check

Qu'est-ce qu'ils portent? Complétez les phrases suivantes, d'après le modèle.

▶ Pour aller dîner au restaurant, Marie met (une robe; un collier; un short; des chaussures).
Pour aller dîner au restaurant, Marie met une robe, un collier et des chaussures.

1. Pour aller à une boum, Alain met (un tee-shirt; un imperméable; un jean; des tennis)
2. Pour aller à son travail, Mme Bouleau met (une jupe; un chemisier; un maillot de bain; des sandales).
3. Pour aller à la plage, Josette met (un maillot de bain; des sandales; une robe; des lunettes de soleil).
4. Pour aller en ville quand il pleut, M. Labrosse porte (un parapluie; un imperméable; un short; un chapeau).

Answers

1. Pour aller à une boum, Alain met un tee-shirt, un jean et des tennis. 2. Pour aller à son travail, Mme Bouleau met une jupe, un chemisier et des sandales. 3. Pour aller à la plage, Josette met un maillot de bain, des sandales et des lunettes de soleil. 4. Pour aller en ville quand il pleut, M. Labrosse porte un parapluie, un imperméable et un chapeau.

Nom ______________________________

Classe ______________________ Date ______________

Discovering FRENCH *Nouveau!*

B L A N C

Unité 7 Leçon 25

Absent Student Copymasters

D. Où et comment acheter des vêtements, pages 377–378

Materials Checklist

- ❑ **Student Text**
- ❑ **Audio** CD 4, Track 11; **Audio** CD 12, Tracks 2–6
- ❑ **Video** 2 or **DVD** 2, Counter 23:26–28:15
- ❑ **Workbook**

Steps to Follow

- ❑ Study *Vocabulaire*: *Où et comment acheter des vêtements* (p. 377). Write the model sentences. Say them aloud. Listen to **Audio** CD 4, Track 11.
- ❑ Watch **Video** 2 or **DVD** 2, Counter 23:26–28:15. Pause and replay if you get lost.
- ❑ Do Listening/Speaking Activities, Section 2, Activities B–F in the **Workbook** (pp. 229–232). Use **Audio** CD 12, Tracks 2–6.
- ❑ Do Activity 9 in the text (p. 378). Write the answers in complete sentences. Say your answers aloud.
- ❑ Do Activity 10 in the text (p. 378). Write each dialogue in complete sentences. Underline the articles of clothing. Circle the adjectives.
- ❑ Do Activity 11 in the text (p. 378). Write your responses in complete sentences. Say them aloud.
- ❑ Do Writing Activity A/B/C/D 3 and 4 in the **Workbook** (pp. 234–236).

If You Don't Understand . . .

- ❑ Reread activity directions. Put the directions in your own words.
- ❑ Read the model several times. Be sure you understand it.
- ❑ Say aloud everything that you write. Be sure you understand what you are saying.
- ❑ When writing a sentence, ask yourself, "What do I mean? What am I trying to say?"
- ❑ Watch the **Video** or **DVD** in a quiet place. Pause and replay if you get lost.
- ❑ Listen to the **CDs** in a quiet place. Try to stay focused. If you get lost, stop the **CDs**. Replay them and find your place.
- ❑ Write down any questions so that you can ask your partner or your teacher later.

Self Check

Faites des phrases complètes suivant le modèle.

▶ Anne / acheter / vêtements / sur catalogue
Anne achète ses vêtements sur catalogue.

1. il / chercher / costume / chapeau / gants
2. il / faire / 42
3. le tailleur / vous / aller bien
4. le blouson / je / ne pas plaire / parce que / être / ridicule
5. le pull / elle / plaire / parce que / être / en solde

Answers

1. Il cherche un costume, un chapeau et des gants. 2. Il fait du 42. 3. Le tailleur vous va bien. 4. Le blouson ne me plaît pas parce qu'il est ridicule. 5. Le pull lui plaît parce qu'il est en solde.

Nom ______________________________

Classe ______________________ Date ______________

LEÇON 25 Le français pratique: Achetons des vêtements!

Les cadeaux

Ask a family member what he or she would like to receive as a present.

- First, explain your assignment.
- Next, help the family member pronounce the words. Model the pronunciation as you point to each picture.
- Then, ask the question, **Qu'est-ce que tu voudrais comme cadeau?**
- When you have an answer, complete the sentence below.

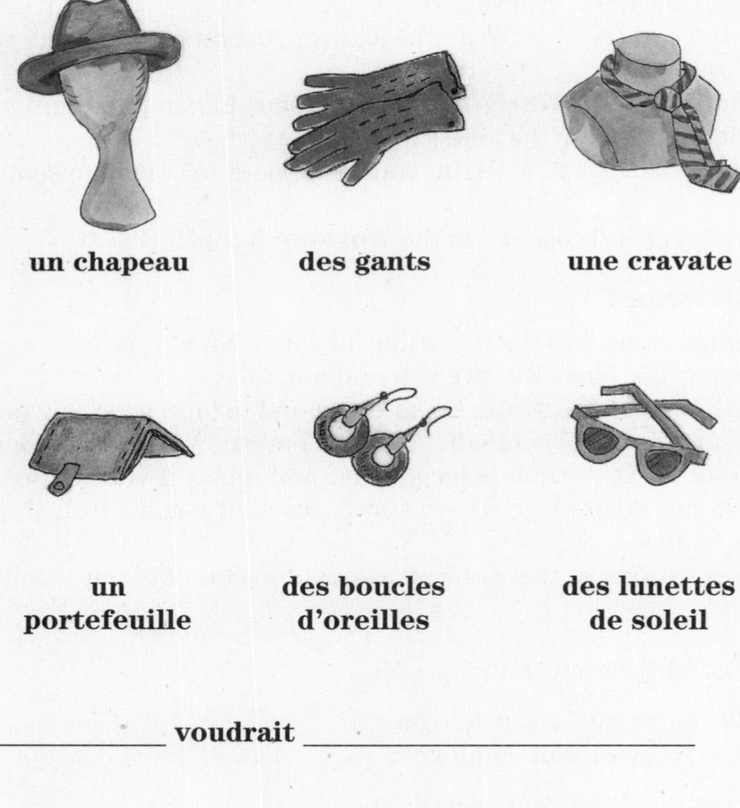

______________________ **voudrait** ______________________

comme cadeau.

Ton avis

Ask a family member his or her opinion. Ask him or her if your clothes look good on you.

- First, explain your assignment.
- Model the correct pronunciation of the two possible answers.
- Then, ask the question, **Est-ce que ces vêtements me vont bien?**
- When you have an answer, complete the sentence below.

Oui, ils te vont bien.

Non, ils ne te vont pas bien.

_______________________ **pense que ces vêtements**

____.

LEÇON 25 Le français pratique: Achetons des vêtements!

Cultural Commentary

- High school students often ride their bikes to school.
- Mariama's hair is in braids **(les tresses).**
- Among the sporting posters on the wall are some showing the French soccer player, Zinédine Zidane.
- Malik is wearing **un polo.**
- **Un foulard** is not only a bandana but also a scarf. This type of scarf is often made of silk, and is worn as an accessory around the neck. A scarf to keep you warm in winter is **une écharpe**.
- Charlotte's clothes are hanging in **un armoire,** a portable closet.
- Cocorico is a trendy store popular with young people. It is also the word used to describe the sound a rooster makes: cock-a-doodle-doo.
- A French size 40 is equivalent to an American size 12.

Nom ____

Classe ______________________________ Date ______________

Discovering FRENCH Nouveau!

BLANC

LEÇON 25 Le français pratique: Achetons des vêtements!

Activité 1. Anticipe un peu!

1. What kinds of clothes do you wear for various activities? How would you dress to go to a wedding? To hang out with friends?

____

____

2. What pieces of jewelry do you wear regularly? For special events?

____

____

3. Describe in detail your favorite outfit. What fabric is it made of? Is it solid or does it have a pattern? Where or when do you wear this outfit?

____

____

Activité 2. Vérifie!

Counter 16:05–18:37

1. Pour aller au travail, un homme porte ______.
   a. un maillot de bain   b. un tailleur   c. un costume
2. Pour aller au travail, une femme met ______.
   a. une chemise   b. un imperméable   c. un tailleur
3. Pour aller au lycée, les jeunes portent typiquement ______.
   a. un survêtement   b. un pull et un jean   c. un costume
4. On met une bague sur ______.
   a. le doigt   b. le bras   c. l'oreille
5. On met une casquette ______.
   a. autour du cou   b. sur les oreilles   c. sur la tête

Nom ______________________________

Classe ____________________ Date ____________

Discovering FRENCH Nouveau!

BLANC

Activité 3. Qui porte quoi?

Counter 16:05–17:24

Circle the two items in each row that fit most logically with the person and the situation.

1. un homme au bureau	**chemise**	**sac**	**cravate**	**survêtement**
2. une femme au bureau	**sac à dos**	**tailleur**	**chaussures**	**maillot de bain**
3. un garçon au lycée	**imperméable**	**jupe**	**jean**	**baskets**
4. une fille au lycée	**collants**	**pull**	**costume**	**manteau**
5. un garçon qui fait du sport	**survêtement**	**chemise**	**baskets**	**cravate**
6. une fille qui fait du sport	**sac**	**short**	**tailleur**	**tee-shirt**

Activité 4. Ça va où?

Counter 17:25–21:13

On what part of the body would you wear the following accessories?

a. sur la tête b. autour du cou c. sur la main ou le bras d. sur le corps

_____ 1. une bague
_____ 2. une boucle d'oreille
_____ 3. un bracelet
_____ 4. une ceinture
_____ 5. une chaîne avec une médaille
_____ 6. un chapeau
_____ 7. un collier
_____ 8. une cravate
_____ 9. un foulard
_____ 10. des gants
_____ 11. des lunettes
_____ 12. un portefeuille

Nom ______________________________

Classe ____________________ Date ______________

Discovering FRENCH Nouveau!

BLANC

Unité 7 Leçon 25

Video Activities

Activité 5. Vrai ou faux?

Counter 21:14–23:25

Decide whether the following statements are true or false according to the video and circle V or F.

V F 1. Charlotte va à un match de foot.

V F 2. Mariama lui prête des vêtements.

V F 3. Charlotte choisit la jupe en soie rose.

V F 4. Le chemisier à pois en polyester ne plaît pas à Mariama.

V F 5. Elle aime beaucoup le chemisier à carreaux bleus et verts.

V F 6. Finalement, elle choisit le chemisier à fleurs.

Activité 6. La réponse logique

Counter 23:26–28:15

Answer the question by selecting the correct response, according to the video.

1. Qu'est-ce que Malik a acheté?
   a. un blouson en cuir
   b. un blouson en laine
2. Combien est-ce qu'il a payé?
   a. 75 euros
   b. 65 euros
3. Est-ce que le blouson va à Nicolas?
   a. Oui, il lui va bien.
   b. Non, il est trop grand.
4. Quelle couleur cherche Yasmina?
   a. rouge
   b. jaune
5. Quelle est la taille de Yasmina?
   a. elle fait du 34
   b. elle fait du 40
6. Combien coûte la chemise?
   a. 20 euros
   b. 30 euros
7. Charlotte cherche un cadeau pour qui?
   a. son cousin
   b. sa cousine
8. Qu'est-ce qu'elle regarde?
   a. des bijoux
   b. des vêtements
9. Qu'est-ce que Mariama achète?
   a. un collier
   b. un bracelet

Nom ______________________________

Classe ____________________ Date ______________

Discovering FRENCH Nouveau!

BLANC

Activité 7. Sondage

First, write down how many you own and wear of each item listed below. Then ask ten people how many they own. What is the average? Do you have more or less than the average?

	vous	les autres				
1. des jeans	____	____	____	____	____	____
		____	____	____	____	____
2. des tee-shirts	____	____	____	____	____	____
		____	____	____	____	____
3. des pulls	____	____	____	____	____	____
		____	____	____	____	____
4. des blousons	____	____	____	____	____	____
		____	____	____	____	____
5. des casquettes	____	____	____	____	____	____
		____	____	____	____	____
6. des colliers / chaînes	____	____	____	____	____	____
		____	____	____	____	____

Activité 8. Une petite lettre

Your French pen pal is coming to visit for a week. Select a time of year and write to him or her, indicating what kind of clothes and accessories to pack for the activities you have planned.

LEÇON 25 Le français pratique: Achetons des vêtements!

Video 2, DVD 2

Section 1: Les vêtements pp. 370–373

Counter 15:49–16:04

MATTHIEU: Nous nous habillons différemment suivant nos activités. Regardez bien comment sont habillés ces gens.

Counter 16:05–16:48

Mini-scène 1.

MATTHIEU: Les Pasquier vont aller à leur travail. Monsieur Pasquier porte un costume gris, une chemise blanche, une cravate verte et des chaussures noires. Il a aussi un imperméable gris. Madame Pasquier a un tailleur bleu, un manteau beige et des chaussures noires. À la main, elle a un sac.

Counter 16:49–17:14

Mini-scène 2.

MATTHIEU: Trinh et Céline vont au lycée.
CÉLINE: Aujourd'hui je porte un pull, une jupe, des collants, des bottes, et j'ai aussi un sac à dos.
TRINH: Et moi, je porte un blouson, un jean, des chaussettes, des baskets, et je porte aussi une casquette. Salut!

Counter 17:15–17:24

Mini-scène 3.

MATTHIEU: Malik et Nicolas font du jogging.
MALIK: Je porte un survêtement.
NICOLAS: Et moi, je porte un short et un tee-shirt. Salut!

Section 2: Les accessoires, p. 374

Counter 17:25–18:37

Mini-scène 1.

MATTHIEU: Pour compléter notre habillement, nous mettons certains accessoires. Regardez bien.

MARIAMA: Voici une bague. Et voici un joli bracelet. Et maintenant, je vais mettre des boucles d'oreilles. Et aussi une chaîne avec une médaille. Non, je préfère mettre un collier. Et maintenant, je suis prête pour la soirée de ma copine. Au revoir.

Counter 18:38–21:13

Mini-scène 2.

MALIK: Qu'est-ce que c'est?
NICOLAS: Ça, ce sont des gants. Ça, ce sont des lunettes de soleil.
MALIK: Salut! Comment ça va?
NICOLAS: Ça, c'est un chapeau.
MALIK: Mais, il est trop petit pour moi!
NICOLAS: Ça, c'est une cravate.
MALIK: Oh là là, elle est super!
NICOLAS: Ça, c'est un foulard.
MALIK: Ça ne me va pas mal!
NICOLAS: Ça, c'est une ceinture.
MALIK: Oui, mais elle est trop grande!
NICOLAS: Ça, c'est un parapluie.
MALIK: Mais il ne pleut pas!
NICOLAS: Et ça, c'est mon portefeuille.
MALIK: Malheureusement, il est vide.

Section 3: La description des vêtements, p. 375

Counter 21:14–23:25

MATTHIEU: Charlotte va aller à une soirée ce soir. Mariama l'aide à choisir les vêtements qu'elle va porter.
CHARLOTTE: Quelle jupe est-ce que je vais mettre?
MARIAMA: Ça dépend? Quelles couleurs est-ce que tu as?
CHARLOTTE: Voilà, j'ai une jupe rose, une jupe violette, une jupe vert foncé, une jupe rouge foncé et une jupe bleu clair.
MARIAMA: Je choisirais la jupe bleu clair. Et maintenant, montre-moi tes chemisiers.

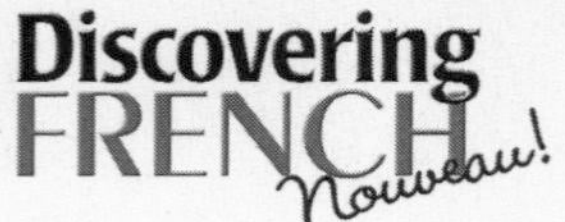

CHARLOTTE: Voilà un chemisier en soie rose.
MARIAMA: Hmm, il est pas mal.
CHARLOTTE: Ou à pois en polyester.
MARIAMA: Celui-là ne me plaît pas trop.
CHARLOTTE: Et celui-ci à carreaux bleus et verts?
MARIAMA: Oui . . . peut-être.
CHARLOTTE: Et qu'est-ce que tu penses de ce chemisier à fleurs?
MARIAMA: Oui, celui-là, j'aime beaucoup. . . . Comme ça, tu es parfaite!

Section 4: L'achat des vêtements, p. 377

Counter 23:26–24:32

Mini-scène 1.

NICOLAS: Salut, Malik.
MALIK: Salut.
NICOLAS: Dis donc, qu'est-ce que tu as acheté?
MALIK: Un blouson en cuir!
NICOLAS: Combien est-ce que tu l'as payé?
MALIK: Soixante-quinze euros, et il était en solde.
NICOLAS: Effectivement, c'est pas cher! Est-ce que je peux l'essayer?
MALIK: Oui, si tu veux.
NICOLAS: Il me plaît bien. Je le garde.
MALIK: Ah, mon pauvre Nicolas. Il ne te va pas du tout. Il est beaucoup trop grand pour toi.

Counter 24:33–25:48

Mini-scène 2.

SALESLADY: Vous cherchez, mademoiselle?
YASMINA: Je voudrais une chemise de cette couleur.
SALESLADY: Quelle est votre taille?
YASMINA: Je fais du 40.
SALESLADY: Voici quelque chose dans votre taille.
YASMINA: Elle me plaît bien. Je vais l'essayer. Je pense qu'elle me va.
SALESLADY: Oui, elle vous va très bien.
YASMINA: Combien coûte-t-elle?
SALESLADY: Trente euros.
YASMINA: Ça va. Ce n'est pas trop cher. Je la prends.

Mini-scène 3.

Counter 25:49–28:15

NARRATOR: Aujourd'hui Mariama est avec sa copine Charlotte qui cherche un cadeau pour l'anniversaire de sa cousine.
CHARLOTTE: Dis donc, il y a des tas de choses ici.
MARIAMA: Oui, il y a un grand choix. Tiens, regarde ce bracelet.
CHARLOTTE: Oui, il est pas mal, mais ma cousine a déjà des tas de bracelets.
MARIAMA: Et ces boucles d'oreilles?
CHARLOTTE: Elles sont originales, mais je ne sais pas si elles vont lui plaire.
MARIAMA: Et cette bague?
CHARLOTTE: Elle est trop petite.
MARIAMA: Et ce collier, il est joli, non?
CHARLOTTE: Oui, mais je ne suis pas décidée.
MARIAMA: Bon, et bien, puisque tu ne le prends pas, je vais l'acheter.

LEÇON 25 Le français pratique: Achetons des vêtements!

PE AUDIO

CD 4, Track 10

Aperçu culturel: Les jeunes Français et la mode

Les jeunes Français, filles et garçons, aiment avoir une bonne présentation. Ils font très attention à leur «look» et veulent être à la mode. Parce que leur budget est assez limité, ils n'achètent pas beaucoup de vêtements, mais quand ils achètent quelque chose de nouveau, ils insistent sur le style et la qualité. Beaucoup de jeunes achètent leurs vêtements dans des chaînes de magasins spécialisés dans la «mode-jeunes» ou dans la «mode-sports», où les prix sont raisonnables. Ils ajoutent une note personnelle à leur look en portant des accessoires intéressants: bagues, colliers, foulards, ceintures et boucles d'oreilles pour les filles, lunettes de soleil et sacs pour les garçons.

1. En France, comme aux États-Unis, le jean et le tee-shirt constituent l'uniforme des jeunes. Avec un tee-shirt on peut communiquer beaucoup de choses. On peut dire, par exemple, «Embrassez-moi! Je suis français!»
2. Les jeunes Français font particulièrement attention aux choix de leurs chaussures. D'accord, la pointure est importante, mais aussi la forme, le style et la couleur.
3. Chez les jeunes, le choix des vêtements est souvent le moyen d'affirmer sa personnalité.
4. En France, la mode est généralement très chère. Beaucoup de Français attendent donc la période des soldes pour acheter leurs vêtements. Pendant les soldes, les boutiques font des réductions de 30 à 50% sur le prix des vêtements. Légalement, les soldes ont lieu deux fois par an: en janvier et en juillet.
5. Saint-Laurent, Dior, Chanel … Ces grands noms ont fait la réputation de la mode française. Au printemps et en automne, tous les «grands couturiers» présentent leurs nouvelles collections à une clientèle internationale.

CD 4, Track 11

A. Vocabulaire: Les vêtements, p. 372

Regardez l'illustration. Écoutez et répétez.

Vocabulaire: Au rayon des vêtements
Pour hommes et femmes
un blazer #
une veste #
un pantalon #
un manteau #
un imper #
une chemise #
un blouson #
un pull #
un jean #
des chaussettes #

Pour hommes
un costume #

Pour femmes
un tailleur #
une robe #
un chemisier #
une jupe #
des collants #

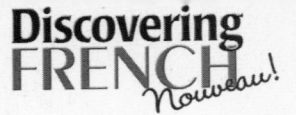

Au rayon des vêtements de sports
un polo #
un tee-shirt #
un short #
un maillot de bain #
un sweat #
un survêtement

Au rayon des chaussures
des sandales #
des bottes #
des baskets #
des tennis #

CD 4, Track 12

B. Vocabulaire: D'autres choses que l'on porte, p. 374

Écoutez et répétez.

Les accessoires et les articles personnels
un chapeau #
une casquette #
une cravate #
un foulard #
des gants #
une ceinture #
un portefeuille #
des lunettes de soleil #
un sac #
un parapluie #

Les bijoux
une bague #
des boucles d'oreilles #
un bracelet #
un collier #
une chaîne avec une médaille #

CD 4, Track 13

C. Vocabulaire: La description des vêtements, p. 375

Les couleurs: Écoutez le dialogue.
A: De quelle couleur est ton nouveau polo?
B: Il est bleu et vert.

Le dessin: Écoutez le dialogue.
A: Aimes-tu ce tissu à rayures?
B: Oui, il est assez joli, mais je préfère le tissu uni.

Répétez:
uni # à rayures # à carreaux # à fleurs # à pois #

Les tissus et les autres matières: Écoutez le dialogue.
A: Cette chemise est en coton?
B: Non, elle est en laine. C'est une chemise de laine.

Répétez:
le coton # le nylon # le polyester # le velours # le velours côtelé #
la laine # la toile # la soie #
l'argent # l'or # le cuir # le caoutchouc # le plastique #
la fourrure #

CD 4, Track 14

D. Vocabulaire: Où et comment acheter des vêtements, p. 377

Écoutez les conversations.

PREMIER DIALOGUE
Au rayon des vêtements

A: Vous désirez?
B: Je voudrais essayer cette veste.
A: Quelle est votre taille?
B: Je porte du 40.
A: Est-ce que cette veste vous va?
B: Non, elle ne me va pas. Elle est trop courte.
A: Est-ce que ce pull vous plaît?
B: Oui, il me plaît. Il est super!
A: Et est-ce que cette jupe vous plaît?
B: Non, elle ne me plaît pas. Elle est affreuse!

DEUXIÈME DIALOGUE
Au rayon des chaussures

A: Vous désirez?
B: Je cherche des sandales.
A: Quelle est votre pointure?
B: Je fais du 37.
A: Est-ce que ces sandales vous vont?
B: Oui, elles me vont bien.
A: Vous voulez acheter ces chaussures?
B: Je ne suis pas décidée. Je vais réfléchir. Merci.

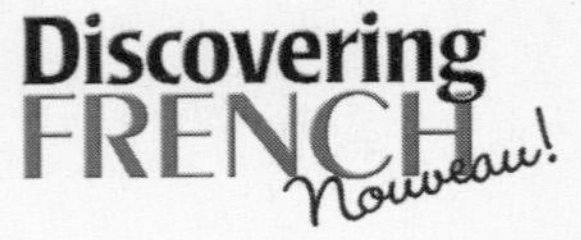

BLANC

WORKBOOK AUDIO

Section 1. Culture

CD 12, Track 1

Activité A. Aperçu culturel: Les jeunes Français et la mode, p. 370

Allez à la page 370 de votre texte. Écoutez le texte. De temps en temps vous allez entendre des phrases concernant ce texte. Écoutez chaque phrase et indiquez si elle est vraie ou fausse.

Partie A

Les jeunes Français, filles et garçons, aiment avoir une bonne présentation. Ils font très attention à leur «look» et veulent être à la mode. Parce que leur budget est assez limité, ils n'achètent pas beaucoup de vêtements, mais quand ils achètent quelque chose de nouveau, ils insistent sur le style et la qualité. Beaucoup de jeunes achètent leurs vêtements dans des chaînes de magasins spécialisés dans la «mode-jeunes» ou dans la «mode-sports», où les prix sont raisonnables. Ils ajoutent une note personnelle à leur look en portant des accessoires intéressants: bagues, colliers, foulards, ceintures et boucles d'oreilles pour les filles, lunettes de soleil et sacs pour les garçons.

1. En France, comme aux États-Unis, le jean et le tee-shirt constituent l'uniforme des jeunes. Avec un tee-shirt on peut communiquer beaucoup de choses. On peut dire, par exemple, «Embrassez-moi! Je suis français!»

Maintenant, écoutez les phrases. Est-ce que c'est vrai ou faux?

1. Les Français aiment être bien habillés. #
2. En matière de vêtements, les jeunes Français préfèrent la quantité à la qualité. #
3. Les jeunes Français achètent leurs vêtements dans des magasins de «mode-jeunes». #
4. Les jeunes Françaises aiment porter des colliers et des boucles d'oreilles. #
5. Les jeunes Français ne portent pas de tee-shirts. #

Partie B

2. Les jeunes Français font particulièrement attention aux choix de leurs chaussures. D'accord, la pointure est importante, mais aussi la forme, le style et la couleur.
3. Chez les jeunes, le choix des vêtements est souvent le moyen d'affirmer sa personnalité.
4. En France, la mode est généralement très chère. Beaucoup de Français attendent donc la période des soldes pour acheter leurs vêtements. Pendant les soldes, les boutiques font des réductions de 30 à 50% sur le prix des vêtements. Légalement, les soldes ont lieu deux fois par an: en janvier et en juillet.
5. Saint-Laurent, Dior, Chanel . . . Ces grands noms ont fait la réputation de la mode française. Au printemps et en automne, tous les «grands couturiers» présentent leurs nouvelles collections à une clientèle internationale.

Maintenant, écoutez les phrases. Est-ce que c'est vrai ou faux?

6. Pour les jeunes Français, le style des chaussures n'est pas important. #
7. Beaucoup de jeunes Français achètent leurs vêtements quand ils sont en solde. #
8. En France, il y a des soldes très souvent. #
9. Les «grands couturiers» sont des personnes qui créent des collections de vêtements très élégants. #
10. Dior est le nom d'un grand couturier français. #

Maintenant, vérifiez vos réponses.

Partie A

1. Les Français aiment être bien habillés. Vrai.
2. En matière de vêtements, les jeunes Français préfèrent la quantité à la qualité. Faux. C'est le contraire. Ils préfèrent la qualité.
3. Les jeunes Français achètent leurs vêtements dans des magasins de «mode-jeunes». Vrai.
4. Les jeunes Françaises aiment porter des colliers et des boucles d'oreilles. Vrai.
5. Les jeunes Français ne portent pas de tee-shirts. Faux. Les jeunes Français adorent porter des tee-shirts.

Partie B

6. Pour les jeunes Français, le style des chaussures n'est pas important. Faux. Au contraire, c'est très important.
7. Beaucoup de jeunes Français achètent leurs vêtements quand ils sont en solde. Vrai.
8. En France, il y a des soldes très souvent. Faux. Les soldes ont lieu seulement en janvier et en juillet.
9. Les «grands couturiers» sont des personnes qui créent des collections de vêtements très élégants. Vrai.
10. Dior est le nom d'un grand couturier français. Vrai.

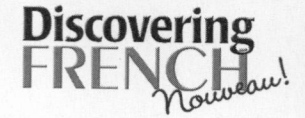

Section 2. Vocabulaire et Communication

CD 12, Track 2

Activité B. La réponse logique

Vous allez entendre une série de questions. Écoutez bien chaque question et choisissez la réponse logique à cette question. Marquez la lettre correspondante, a, b ou c, avec un cercle. Chaque question sera répétée.

Modèle: Quelle est ta couleur préférée?
La réponse logique est B:
Le rouge.

1. Où est-ce que tu as acheté cette robe? #
2. Ce pantalon est bon marché? #
3. Quelle est votre pointure? #
4. Cette veste vous va? #
5. Ces bottes sont en caoutchouc? #
6. Quel bijou est-ce que tu vas acheter à ta soeur pour son anniversaire? #
7. Pourquoi est-ce que tu prends ton parapluie? #
8. Qu'est-ce que tu vas acheter au rayon des chaussures? #
9. Qu'est-ce que tu portes quand il fait froid? #
10. Qu'est-ce que Monsieur Dupont porte aujourd'hui? #

Maintenant vérifiez vos réponses. You should have circled: 1–C, 2–A, 3–A, 4–C, 5–4 6–C, 7–A, 8–B, 9–C, and 10–A.

CD 12, Track 3

Activité C. Le bon choix

Répondez aux questions d'après les illustrations.

Modèle: Est-ce que Julien porte un tee-shirt ou une chemise?
Il porte une chemise.

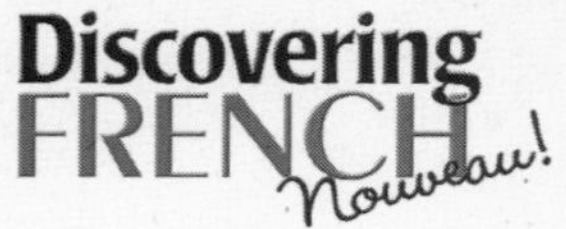

1. Est-ce que Véronique porte une jupe ou un pantalon? #
Elle porte une jupe.
2. Est-ce que François achète une veste ou un manteau? #
Il achète un manteau.
3. Est-ce que Paul met un pull ou un blouson?
Il met un blouson.
4. Est-ce que Cécile met des chaussettes ou des collants? #
Elle met des collants.
5. Est-ce que Pauline achète un short ou un maillot de bain? #
Elle achète un maillot de bain.
6. Est-ce que Marc porte un survêtement ou un costume? #
Il porte un survêtement.
7. Est-ce que Monsieur Durand porte un chapeau ou une casquette? #
Il porte un chapeau.
8. Est-ce que Madame Arnoud a un collier ou des boucles d'oreilles? #
Elle a des boucles d'oreilles.
9. Est-ce que Mademoiselle Bernard va prendre son imper ou son parapluie? #
Elle va prendre son parapluie.
10. Est-ce qu'Hélène achète une bague ou une chaîne? #
Elle achète une bague.
11. Est-ce que Nathalie essaie une robe ou un tailleur? #
Elle essaie un tailleur.
12. Est-ce que Philippe choisit une cravate unie ou une cravate à rayures? #
Il choisit une cravate unie.
13. Est-ce que Mélanie met un chemisier à pois ou un chemisier à rayures? #
Elle met un chemisier à pois.
14. Est-ce que le pantalon est trop long ou trop court? #
Il est trop court.
15. Est-ce que la veste est trop étroite ou trop large? #
Elle est trop étroite.

CD 12, Track 4

Activité D. Dialogues

Vous allez entendre deux dialogues. La première fois, écoutez attentivement le dialogue. La deuxième fois, écrivez les mots qui manquent dans votre cahier d'activités.

Dialogue A

Sophie demande à Philippe où il va.

SOPHIE: Dis, Philippe, où vas-tu?
PHILIPPE: Je vais au Mouton à Cinq Pattes.
SOPHIE: Qu'est-ce que c'est?
PHILIPPE: C'est une boutique de soldes.
SOPHIE: Qu'est-ce que tu vas acheter?
PHILIPPE: Un blouson.
SOPHIE: Est-ce que je peux venir avec toi? J'ai besoin d'un imper.
PHILIPPE: Oui, bien sûr!

Maintenant écoutez et écrivez.

Dialogue B

Dans une boutique de vêtements. Le vendeur parle à Bernard.

LE VENDEUR: Vous désirez?
BERNARD: Je cherche une veste.
LE VENDEUR: En laine ou en coton?
BERNARD: En coton!
LE VENDEUR: Quelle est votre taille?
BERNARD: Je fais du 36.
LE VENDEUR: Qu'est-ce que vous pensez de la veste marron?
BERNARD: Elle est jolie, mais elle est trop étroite.

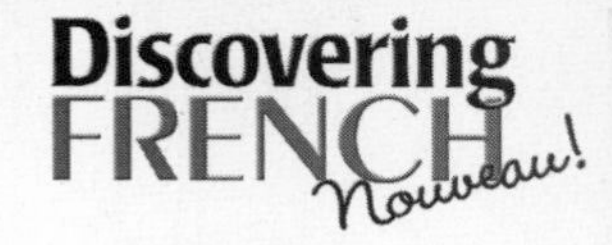

LE VENDEUR: Voulez-vous essayer cette veste bleue?
BERNARD: Elle me va bien. Combien coûte-t-elle?
LE VENDEUR: 150 euros.
BERNARD: Hm, c'est un peu cher. Je vais réfléchir.
LE VENDEUR: À votre service.

Maintenant écoutez et écrivez.

CD 12, Track 5

Activité E. Répondez, s'il vous plaît

Vous allez entendre une série de questions. Écoutez attentivement chaque question. Répondez sur la base de l'illustration correspondante.

Modèle: Qu'est-ce que Jérôme achète?
Il achète une veste.

1. Qu'est-ce qu'Hélène achète? #
   Elle achète un pantalon.
2. Qu'est-ce que Pauline va acheter? #
   Elle va acheter des chaussures (des sandales).
3. Qu'est-ce que Stéphanie va mettre? #
   Elle va mettre une robe.
4. Qu'est-ce que tu vas prendre? #
   Je vais prendre un parapluie.
5. Qu'est-ce que tu vas acheter? #
   Je vais acheter des lunettes de soleil.
6. Que vas-tu donner à ton père pour son anniversaire? #
   Je vais lui donner une ceinture.
7. Qu'est-ce que Valérie a acheté? #
   Elle a acheté un collier.
8. Qu'est-ce que tu portes sur la tête? #
   Je porte une casquette.

Questions personnelles

Maintenant répondez aux questions suivantes. Utilisez seulement le vocabulaire que vous connaissez.

9. Où est-ce que tu achètes tes vêtements? #
10. Quels vêtements as-tu achetés récemment? #
11. Quel est ta couleur favorite? #
12. Qu'est-ce que tu portes quand tu vas à la plage? #
13. Qu'est-ce que tu portes quand il fait froid? #

CD 12, Track 6

Activité F. Situation: Le manteau de Sophie

Yesterday afternoon Sophie went to the movies. When she got home, she realized that she had left her new coat there. Now she is phoning the Gaumont-Palace movie theater. Listen carefully. Although you may not understand every word of the conversation, you should be able to understand most of it. Note an important new word: **poche, la poche.** It means *pocket.*

EMPLOYÉ: Allô, ici le Gaumont-Palace! Bonjour!
SOPHIE: Bonjour, monsieur! Je vous téléphone parce que j'ai laissé mon manteau cet après-midi dans votre cinéma.
EMPLOYÉ: Vous avez perdu votre manteau! Eh bien, mademoiselle, ce n'est pas grave. Nous allons le chercher. Évidemment, j'ai besoin d'une description. C'est un manteau de cuir?
SOPHIE: Non, il est en laine. (#)
EMPLOYÉ: De quelle couleur est-il, votre manteau?
SOPHIE: Il est bleu clair. (#)
EMPLOYÉ: Est-ce qu'il a un dessin particulier?
SOPHIE: Oui, des rayures verticales. (#)

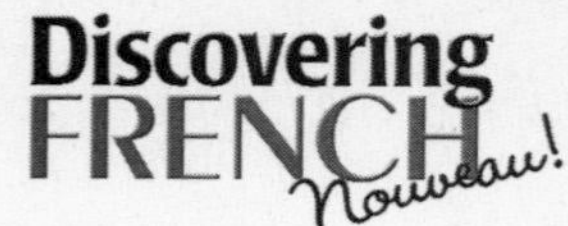

EMPLOYÉ: Dites-moi, quelle est votre taille . . . approximativement.
SOPHIE: Je fais du 36. (#)
EMPLOYÉ: Est-ce que vous pouvez me donner d'autres renseignements?
SOPHIE: Quoi, par exemple?
EMPLOYÉ: Je ne sais pas, moi . . . Ce qu'il y avait dans les poches . . .
SOPHIE: Ah oui, c'est vrai! Dans la poche il y a un foulard de soie.
EMPLOYÉ: De quelle couleur?
SOPHIE: Un foulard vert. (#)
EMPLOYÉ: C'est tout?
SOPHIE: Euh non, attendez . . . J'avais aussi des gants de cuir jaune. (#)
EMPLOYÉ: Très bien, mademoiselle. Je vais voir si je peux trouver votre manteau. Quel est votre numéro de téléphone?
SOPHIE: C'est le 01.42.54.31.65. Merci beaucoup, monsieur.
EMPLOYÉ: À votre service.

Now as you listen to the dialogue again, complete the description of Sophie's coat in your workbook.

Now check what you have written by listening to the dialogue one last time.

LESSON 25 QUIZ

Part I: Listening

CD 21, Track 1

A. Conversations

You will hear a series of short conversations. These conversations are incomplete. Select the most logical continuation of each conversation and circle the corresponding letter: a, b, or c. You will hear each conversation twice.

Écoutez.

Conversation 1. Julien et Hélène sont à la maison.

JULIEN: Qu'est-ce que tu cherches?
HÉLÈNE: Mon survêtement.
JULIEN: Pourquoi est-ce que tu en as besoin?

Conversation 2. Madame Lescure parle à son fils Thomas.

MME LESCURE: Qu'est-ce que tu fais cet après-midi?
THOMAS: Je vais aller au ciné.
MME LESCURE: Alors, prends ton blouson.
THOMAS: Non, je vais mettre mon imper.
MME LESCURE: Pourquoi?

Conversation 3. Catherine et Jean-Pierre sont dans un grand magasin.

CATHERINE: Qu'est-ce que tu cherches?
JEAN-PIERRE: Une cravate.
CATHERINE: Comment? Tu ne portes jamais de cravate!

Conversation 4. Nicolas est au café. Béatrice arrive avec un paquet.

NICOLAS: Salut, Béatrice. Tu as fait des achats?
BÉATRICE: Oui, je suis allée aux Nouvelles Galeries.
NICOLAS: Qu'est-ce que tu as acheté?
BÉATRICE: Une veste.
NICOLAS: En laine?

Conversation 5. Marthe est dans une boutique. La vendeuse lui parle.

LA VENDEUSE: Vous désirez, mademoiselle?
MARTHE: Je cherche un chemisier en soie.
LA VENDEUSE: Quelle est votre taille?
MARTHE: Je fais du 38.
LA VENDEUSE: Quelle est votre couleur préférée?
MARTHE: J'aime le jaune et le vert.
LA VENDEUSE: Est-ce que ce chemisier vert vous plaît?

Conversation 6. Jean-Paul est dans un magasin de chaussures. La vendeuse lui parle.

LA VENDEUSE: Vous désirez?
JEAN-PAUL: Je cherche des bottes.
LA VENDEUSE: En cuir ou en caoutchouc?
JEAN-PAUL: En cuir.
LA VENDEUSE: Ces bottes noires sont en solde.
JEAN-PAUL: Je vais les essayer.
LA VENDEUSE: Est-ce qu'elles vous vont?

Nom ______________________________

Classe ____________________ Date ____________________

Discovering FRENCH Nouveau!

BLANC

QUIZ 25

Part I: Listening

A. Conversations (30 points: 5 points each)

You will hear a series of short conversations. These conversations are incomplete. Select the most logical CONTINUATION of each conversation and circle the corresponding letter: a, b, or c.

Conversation 1. Julien et Hélène sont à la maison. *Hélène répond:*
a. J'ai besoin de vêtements.
b. Je cherche ma veste.
c. Je vais faire du jogging.

Conversation 2. Madame Lescure parle à son fils Thomas. *Thomas répond:*
a. Il pleut.
b. Il fait chaud.
c. Je vais à la piscine.

Conversation 3. Catherine et Jean-Pierre sont dans un grand magasin. *Jean-Pierre répond:*
a. Je n'aime pas les cravates.
b. Je préfère cette chemise en laine.
c. C'est un cadeau pour mon père.

Conversation 4. Nicolas est au café. Béatrice arrive avec un paquet. *Béatrice répond:*
a. Non, en coton.
b. Non, c'est un blazer.
c. Non, elle est à carreaux.

Conversation 5. Marthe est dans une boutique. La vendeuse lui parle. *Marthe répond:*
a. Oui, elle est chère.
b. Oui, je vais l'essayer.
c. Non, je cherche un tailleur.

Conversation 6. Jean-Paul est dans un magasin de chaussures. La vendeuse lui parle. *Jean-Paul répond:*
a. Oui, je suis d'accord.
b. Non, elles sont en solde.
c. Non, elles sont trop étroites.

Part II: Writing

B. Qu'est-ce qu'ils portent? (45 points: 3 points each)

Describe the clothing and accessories of the following people. Mention three (3) items for each person. Be sure to use the appropriate articles.

1. Madame Joyaux porte . . .
- ______________________________
- ______________________________
- ______________________________

2. Jean-Pierre porte . . .
- ______________________________
- ______________________________
- ______________________________

3. Alice porte . . .
- ______________________________
- ______________________________
- ______________________________

4. Monsieur Lefranc porte . . .
- ______________________________
- ______________________________
- ______________________________

5. Mademoiselle Dumont porte . . .
- ______________________________
- ______________________________
- ______________________________

C. Expression personnelle (25 points: 5 points each)

Describe your preferences in clothing. Answer the following questions in French using complete sentences.

- What is your favorite color?
- What type of shirts do you like? (Describe the design.)
- What do you wear in the summer?
- What do you wear when it is cold?
- What type of jewelry do you wear?

- ______________________________
- ______________________________

  ____
- ______________________________

  ____
- ______________________________

  ____
- ______________________________

  ____

Nom ______________________ Discovering FRENCH Nouveau!

Classe ______________________ Date ______________________

BLANC

LEÇON 26 Armelle compte son argent

LISTENING/SPEAKING ACTIVITIES

Section 1. Vidéo-scène

A. Compréhension générale

 Allez à la page 380 de votre texte. Écoutez.

B. Avez-vous compris?

	vrai	faux
1.	❒	☑
2.	❒	☑
3.	☑	❒
4.	☑	❒
5.	❒	☑
6.	☑	❒
7.	☑	❒

Section 2. Langue et communication

C. C'est combien?

Nom ______________________________

Classe ______________________ Date ______________

Discovering FRENCH Nouveau!

BLANC

D. Le 5 000 mètres

▶ —Marc est arrivé dixième. Et Cécile?
—Cécile est arrivée troisième.

1. Barbara est arrivée cinquième.
2. Nicolas est arrivé premier.
3. Sophie est arrivée vingtième.
4. Jean-Paul est arrivé neuvième.
5. Michelle est arrivée trente-quatrième.
6. Olivier est arrivé onzième.

E. Vêtements

▶ Corinne a une robe. **C'est une belle robe.**

1. C'est une belle chemise.
2. Ce sont de belles sandales.
3. Ce sont de beaux pulls.
4. C'est un bel imper.
5. C'est un beau costume.

▶ Jérôme porte un chapeau. **C'est un vieux chapeau.**

6. Ce sont de vieilles lunettes.
7. Ce sont de vieux tennis.
8. C'est un vieux pantalon.
9. C'est une vieille cravate.
10. C'est un vieil imper.

▶ Lucie a mis une jupe. **C'est une nouvelle jupe.**

11. Ce sont de novelles boucles d'oreilles.
12. C'est un nouveau bracelet.
13. C'est une nouvelle robe.
14. C'est une nouvelle veste.
15. C'est un nouvel imper.

F. Comment?

▶ Catherine est ponctuelle. Elle arrive à la gare.
Elle arrive à la gare ponctuellement.

1. Il répond au professeur poliment.
2. Il fait du sport activement.
3. Elle fait ses devoirs consciencieusement.
4. Elle écoute sa grand-mère attentivement.
5. Il attend sa copine patiemment.
6. Elle s'habille élégamment.

URB p. 44

WRITING ACTIVITIES

A 1. Aux Galeries Lafayette

Vous travaillez aux Galeries Lafayette, un grand magasin à Paris. Dites combien coûtent les choses suivantes. Écrivez chaque prix en lettres.

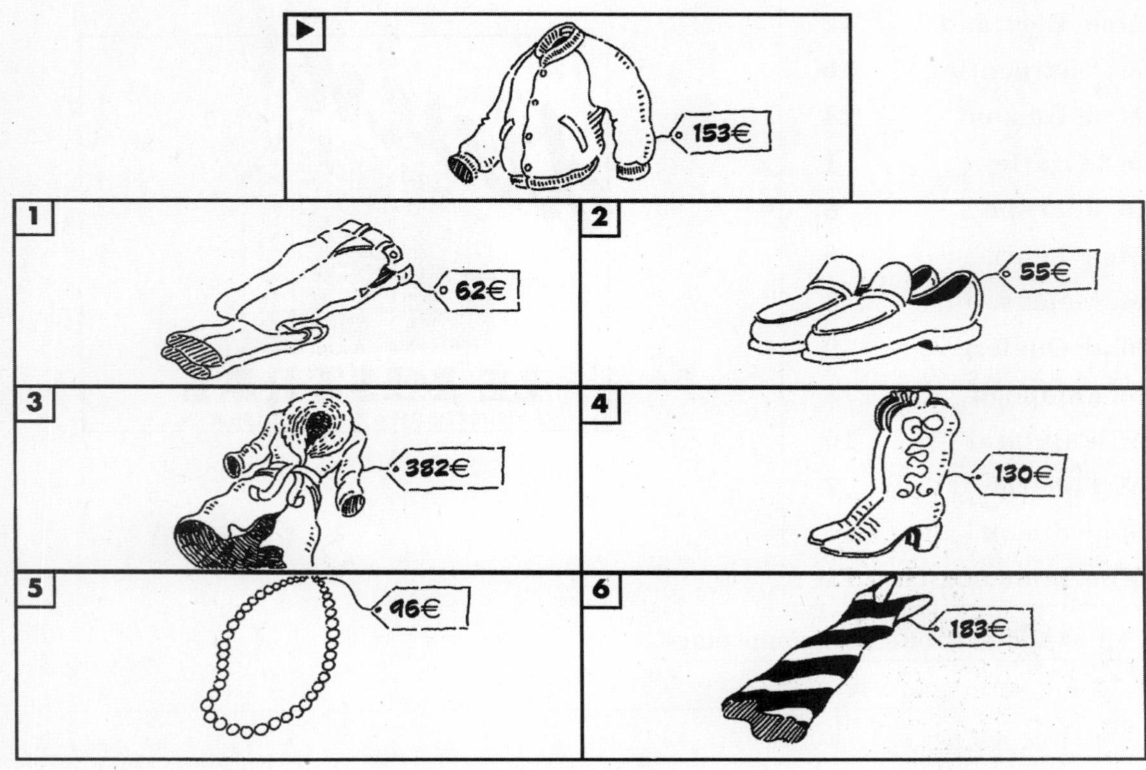

▶ La veste coûte cent cinquante-trois euros.

1. Le pantalon coûte soixante-deux euros.
2. Les chaussures coûtent cinquante-cinq euros.
3. Le manteau coûte trois cent quatre-vingt-deux euros.
4. Les bottes coûtent cent trente euros.
5. Le collier coûte quatre-vingt-seize euros.
6. La robe coûte cent quatre-vingt-trois euros.

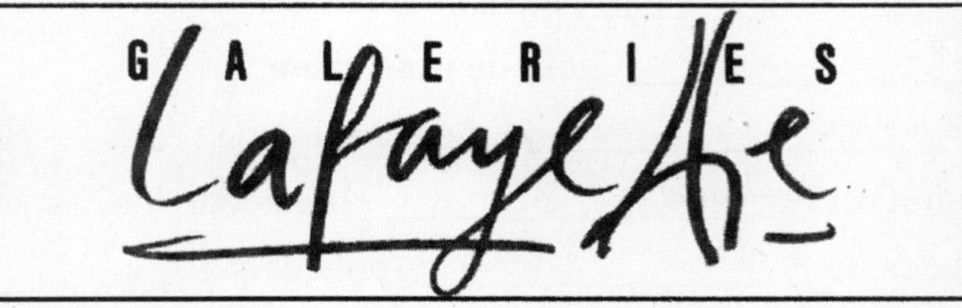

Nom ______________________________ Discovering FRENCH Nouveau!

Classe ______________________ Date ______________

BLANC

B 2. Concierge

Vous habitez à Montréal. Pour gagner de l'argent vous travaillez à temps partiel comme concierge dans un immeuble. Choisissez cinq résidents de l'immeuble et dites à quel étage chacun habite.

Mlle Aubry	**3**
Mme Bertrand	**12**
M. Charpentier	**16**
Mme Dumont	**14**
Mlle Harley	**1**
M. Johnson	**8**
Mme Lebris	**6**
M. Mélanson	**5**
Mme Ouelette	**9**
M. Papineau	**13**
Mlle Quintal	**10**
M. Roberts	**7**
Mme Simon	**15**
Mlle Tennenbaum	**11**

divin!
LE MISTRAL
À VISITER DE 9 H À 21 H TOUS LES JOURS

▶ Mlle Quintal habite au dixième étage.

Mlle Aubry habite au troisième étage.

Mme Bertrand habite au douzième étage.

M. Charpentier habite au seizième étage.

Mme Dumont habite au quatorzième étage.

Mlle Harley habite au premier étage.

B 3. Chronologie

Complétez les phrases avec le NOMBRE ORDINAL qui convient *(fits)*.

▶ Mars est le troisième mois de l'année.

1. Septembre est le neuvième mois de l'année.
2. Janvier est le premier mois de l'année.
3. Mardi est le deuxième jour de la semaine.
4. Vendredi est le cinquième jour de la semaine.
5. George Washington est le premier président des États-Unis.
6. Abraham Lincoln est le seizième président.

URB p. 46

C 4. Vive la différence!

Tout le monde n'a pas la même personnalité. Exprimez cela d'après le modèle.

▶ Philippe est bon en maths. Catherine n'est pas bonne en maths.

1. Marc est généreux. Sa cousine n'est pas généreuse.
2. Hélène est sportive. Jean-Claude n'est pas sportif.
3. Olivier est musicien. Stéphanie n'est pas musicienne.
4. Armelle est sérieuse. Ses frères ne sont pas sérieux.
5. Pierre est ponctuel. Corinne n'est pas ponctuelle.
6. Isabelle est discrète. Éric n'est pas discret.
7. Thomas est original. Ses copains ne sont pas originaux.

D 5. Chacun à sa façon *(Each in his/her own way)*

Complétez les phrases suivantes avec la forme correcte des adjectifs entre parenthèses.

1. (beau) Mademoiselle Bellamy est toujours très élégante. Aujourd'hui elle porte une belle robe bleue, des belles chaussures italiennes et un bel imperméable noir.
2. (nouveau) Madame Thomas aime les choses modernes. Elle va acheter une nouvelle voiture et des nouveaux meubles pour son nouvel appartement.
3. (vieux) Monsieur Vieillecase préfère les choses anciennes. Il habite dans une vieille maison où il a beaucoup de vieux livres et d'autres vieilles choses.

250 magasins d'art et d'antiquités.
LE LOUVRE
DES ANTIQUAIRES
2, place du Palais Royal 75001 PARIS
01 42 97 27 00

Nom ______________________

Classe ______________ Date ______________

Discovering FRENCH Nouveau!

BLANC

E 6. Une question de personnalité

Dites que les personnes suivantes agissent *(act)* suivant leur personnalité.

▶ Thomas est calme. Il parle calmement.

1. Catherine est énergique. Elle joue au foot énergiquement.
2. Philippe est poli. Il répond toujours poliment aux gens.
3. Éric est attentif. Il écoute attentivement le professeur.
4. Juliette est consciencieuse. Elle fait ses devoirs consciencieusement.
5. Marc est sérieux. Il travaille sérieusement.
6. Jean-Pierre est ponctuel. Le matin, il arrive ponctuellement à l'école.
7. Christine est élégante. Elle s'habille toujours élégamment.
8. François est patient. Il attend patiemment ses amis.

7. Communication: Votre personnalité (sample answers)

Décrivez votre personnalité en disant comment vous faites certaines choses. Vous pouvez utiliser certaines des expressions suivantes et les adverbes dérivés des adjectifs suggérés.

- agir *(to act)*
- aider mes copains
- arriver à mes rendez-vous
- étudier
- faire mes devoirs
- m'habiller
- parler
- penser

calme	**consciencieux**
élégant	**généreux**
logique	**original**
patient	**ponctuel**
prudent *(cautious)*	**sérieux**
simple	

En général, j'agis (je n'agis pas) logiquement . . .

J'aide (je n'aide pas) généreusement mes copains. J'arrive (je n'arrive pas) ponctuellement à mes rendez-vous. J'étudie (je n'étudie pas) sérieusement. Je fais (je ne fais pas) mes devoirs conscienscieusement. Je m'habille (je ne m'habille pas) élégamment. Je parle (je ne parle pas) calmement. Je pense (je ne pense pas) logiquement.

URB p. 48

LEÇON 26 Armelle compte son argent

A

Activité 1 Un repas français

Vous souvenez-vous de l'ordre dans lequel les aliments sont consommés, dans un repas français? Identifiez les aliments et choisissez le nombre ordinal correct.

en deuxième	en cinquième	en troisième	en premier	en quatrième

1. 2ᵉ Je mange de la salade en deuxième.
2.  5ᵉ Je prends du café en dernier.
3.  4ᵉ Je mange de la tarte en troisième.
4.  1ᵉ Je mange le steak-frites en premier.
5.  3ᵉ Je mange du fromage en troisième.

Activité 2 Les vêtements

Mettez un cercle autour de l'adjectif qui fait l'accord avec le vêtement illustré ou la personne.

1. des  *mignons* / ***mignonnes***
2. un *nouveau* / ***nouvel***  *chère* / ***cher***
3. une vendeuse ***attentive*** / *attentif*
4. de ***vieux*** / *vieilles*  *originales* / ***originaux***
5. une ***belle*** / *beau*  *français* / ***française***

Activité 3 L'école et le week-end

Choisissez l'adverbe qui convient.

1. Je viens d'apprendre l'allemand et je comprends ***difficilement*** / *rapidement* mon prof.
2. Quand un adulte me pose des questions, j'essaie de répondre *lentement* / ***poliment.***
3. Au lycée, mes amis s'habillent *élégamment* / ***normalement*** en jean avec un pull.
4. D'habitude, j'arrive au cinéma ***ponctuellement*** / *lentement* pour voir le début du film.
5. Je vais ***rarement*** / *facilement* à l'étranger.

URB p. 49

Nom ________________________________

Classe ______________________ Date ______________

Discovering FRENCH Nouveau!

BLANC

B

Activité 1 Un magasin cher

Répondez aux questions d'une cliente et écrivez les nombres en entier.

1

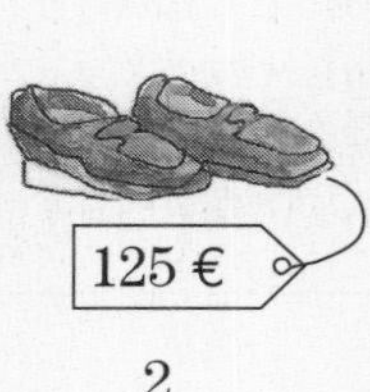

2

3

4

5

1. —Ça fait combien?
   —Le costume coûte quatre cents euros.
2. —Et celles-ci?
   —Les chaussures coûtent cent vingt-cinq euros.
3. —Et celui-ci?
   —L'imper coûte cent quarante euros.
4. —Et ceci?
   —Le tailleur coûte deux cents cinquante euros.
5. —Et finalement, celui-ci?
   —Le manteau coûte cent quatre-vingt-dix euros.

Activité 2 Les vêtements

Mettez un cercle autour des deux adjectifs qui conviennent.

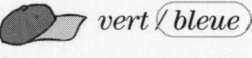

1. une *nouvelle* / *vieux* / *bel*  *vert* / *bleue* / *cher*
2. de *nouvel* / *vieils* / *belles*  *mignons* / *italiennes* / *blancs*
3. de *vieux* / *belles* / *nouveau*  *beiges* / *normales* / *moche*
4. une *belle* / *nouvel* / *vieil*  *sportive* / *ponctuelle* / *cher*
5. un *nouvel* / *vieux* / *beau*  *blanche* / *violette* / *anglais*

Activité 3 Situations (sample answers)

Assortissez l'adverbe avec la situation.

b 1. Avant l'examen, j'écoute

d 2. Je parle à mon petit frère

e 3. À la ferme, on vit . . .

a 4. Même si je ne suis pas content, je réponds

c 5. Surtout en ville, il faut conduire

a. calmement

b. attentivement

c. prudemment

d. patiemment

e. simplement

URB p. 50

Nom ______________________ Classe ______________________ Date ______________________

Discovering FRENCH Nouveau!

BLANC

C

Activité 1 Questions (Sample answers)

Répondez aux questions en faisant des phrases complètes et en écrivant les nombres en entier.

1. Combien d'étudiants y a-t-il dans ta classe? Il y en a quarante-cinq.
2. Combien d'habitants y a-t-il dans ta ville? Il y a vingt mille habitants.
3. Combien coûte une belle maison dans ton quartier? Ça coûte trois cents mille dollars.
4. Combien coûte l'ordinateur que tu voudrais acheter? Il coûte mille cinq cents dollars.
5. Combien coûte une voiture neuve? Ça coûte douze mille dollars.

Activité 2 Liste d'achats

Faites des phrases complètes pour indiquer ce que vous allez acheter et dans quel ordre, en vous servant des éléments donnés.

1. en coton / noir (5è) Je vais acheter un short noir en coton en cinquième.
2. original / à rayures (3è) Je vais acheter une chemise originale à rayures en troisième.
3. marron / long (4è) Je vais acheter un long manteau marron en quatrième.
4. nouveau / blanc (1er) Je vais acheter de nouveaux baskets blancs en premier.
5. bleu / beau (2è) Je vais acheter un beau jean bleu en deuxième.

Activité 3 François

généreusement	sérieusement	simplement	lentement	prudemment

Choisissez l'adverbe qui correspond aux descriptions de François.

1. Sa vie n'est pas compliquée. Il vit simplement.
2. Il fait attention sur la route. Il conduit prudemment.
3. À l'école, il travaille beaucoup. Il étudie sérieusement.
4. Il ne marche pas vite. Il marche lentement.
5. Il donne beaucoup d'argent aux gens. Il donne généreusement.

URB p. 51

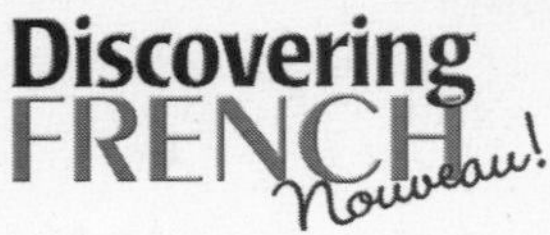

LEÇON 26 Armelle compte son argent, page 380

Objectives

Communicative Functions and Topics
To ask about prices
To indicate sequence and rank items in a series
To describe people and things
To describe actions and how things are done
To read for pleasure and to develop logical thinking

Linguistic Goals
To use cardinal and ordinal numbers
To use irregular adjectives
To use adverbs with ***-ment***

Cultural Goals
To learn about French department stores

Motivation and Focus

- ❑ Have students discuss the photos on pages 380–381. Where are Armelle and Corinne? What are they doing? How much money does Armelle have? What is she going to do with it? Students can talk about what they like to buy and where they like to shop.

Presentation and Explanation

- ❑ *Vidéo-scène:* Do **Video Activities** 1 and 2 on page 65. Read the introductory paragraph on page 380 and play **Video** 2 or **DVD** 2, Counter 28:21–30:27 or **Audio** CD 4, Track 15, or read pages 380–381. Students can comment on the scene and guess what Armelle is going to buy. Then have students read and summarize pages 380–381.
- ❑ *Vocabulary A:* Review numbers 100 to 1,000,000, using the vocabulary box on page 382. Use the WARM-UP activity on page 382 of the TE to have students talk about prices.
- ❑ *Grammar B:* Introduce ordinal numbers, page 382. Explain the pattern used to form the ordinal numbers and the exceptions in the grammar box.
- ❑ *Grammar C* and *D:* Present irregular adjective patterns, page 383. Discuss the examples in the grammar box and encourage students to give other examples. Students can use the adjectives to describe people and things in the classroom. Explain that ***beau***, ***nouveau***, and ***vieux*** follow a pattern as seen in the grammar box on page 384. Guide students to note that these adjectives are placed before the nouns they describe.
- ❑ *Grammar E:* Introduce adverbs ending in ***-ment***, page 385. Model the examples and have students repeat. Explain the PRONUNCIATION note, page 385 of the TE. Discuss patterns for forming the adverbs.

Guided Practice and Checking Understanding

- ❑ Check understanding of the *Vidéo-scène* with the *Compréhension* activity on page 381.
- ❑ Students can talk about favorite sports teams' ranking with PRACTICE WITH ORDINAL NUMBERS, page 383 of the TE.
- ❑ Play **Audio** CD 12, Track 7–12 or read the **Audioscript** and have students do **Workbook** Listening/Speaking Activities A–F on pages 237–238.
- ❑ Have students complete **Video Activities** 3–6, pages 66–69, as they watch the **Video** or listen to you read the **Videoscript**.

Independent Practice

- ❑ Model Activities 1–7 on pages 382–385. Do 1–3, 5, and 7 as PAIR PRACTICE. Students can do 4 and 6 for homework.

- ❑ Use **Communipak** *Interviews* 5–6, *Tu as la parole* 3, *Conversations* 3–4, *Échange* 2, or *Tête à tête* 1, pages 150–161, or **Video Activities** page 70 for pair practice.
- ❑ Have students do any appropriate activities in **Activités pour tous**, pages 145–147.

Monitoring and Adjusting

- ❑ Monitor students' writing with **Workbook** Writing Activities 1–7 on pages 239–242.
- ❑ As students work on the practice activities, monitor use of adjectives, ordinals, and adverbs. Refer them to the grammar boxes if necessary. Use the LANGUAGE NOTES, ADDITIONAL EXAMPLES, PERSONALIZATION, and the TEACHING NOTE on pages 382–385 of the TE as needed.

Assessment

- ❑ After students have completed the lesson's activities, administer Quiz 26 on pages 77–78. Use the **Test Generator** to adapt questions as needed.

Reteaching

- ❑ If students had difficulty with any of the activities in the **Workbook**, reteach the content and have them redo the activity.
- ❑ Individual students can use the **Video** to review portions of the lesson.
- ❑ Use **Teacher to Teacher** pages 42–43 to reteach numbers and irregular adjectives.

Extension and Enrichment

- ❑ Have students look up current exchange rates in PERSONALIZATION, page 380 of the TE.

Summary and Closure

- ❑ Have pairs of students present role plays based on **Transparency** S15, following the suggested activity on page A27 of **Overhead Transparencies**. Other students can summarize linguistic and communicative goals that have been demonstrated.
- ❑ Do PORTFOLIO ASSESSMENT as suggested on page 387 of the TE.

End-of-Lesson Activities

- ❑ *À votre tour!:* Do the activities on page 386. Students can work in pairs to prepare a conversation in Activity 1 and discuss purchases needed for a trip in Activity 2. Model answers for Activity 2 with **Audio** CD 4, Track 16. Play UN JEU: À QUEL ÉTAGE?, page 387 of the TE, to practice asking for directions in a building.
- ❑ *Lecture:* Use the PRE-READING ACTIVITY, page 387 of the TE, to preview the reading. Read page 387, explaining the words in the vocabulary box. Follow the suggestions for GROUP READING. After students have solved the problem, do the OBSERVATION ACTIVITY. Assign the Reading and Culture Activities on pages 256–257 in the **Workbook**.

BLANC

LEÇON 26 Armelle compte son argent, page 380

Block Scheduling (2 Days to Complete)

Objectives

Communicative Functions and Topics
To ask about prices
To indicate sequence and rank items in a series
To describe people and things
To describe actions and how things are done
To read for pleasure and to develop logical thinking

Linguistic Goals
To use cardinal and ordinal numbers
To use irregular adjectives
To use adverbs with ***-ment***

Cultural Goals
To learn about French department stores

Block Schedule

Retention Have students work in small groups to describe two objects or people using at least two irregular adjectives. Have groups present their descriptions to the class to identify. If the class has trouble guessing the identity of the person or object, students may describe how the person or object performs an action using an adverb ending in *-ment*. ■

Day 1

Motivation and Focus

- ❑ Have students discuss the photos on pages 380–381. Remind students that, while francs are used in this video segment, France's currency in now the euro. Where are Armelle and Corinne? What are they doing? How much money does Armelle have? What is she going to do with it? Students can talk about what they like to buy and where they like to shop.

Presentation and Explanation

- ❑ *Vidéo-scène:* Do **Video Activities** Activity 1 on page 65. Read the introductory paragraph on page 380 and play **Video** 2 or **DVD** 2, Counter 28:21–30:27 or **Audio** CD 4, Track 15, or read pages 380–381. Students can comment on the scene and guess what Armelle is going to buy. Then have students read and summarize pages 380–381.
- ❑ *Vocabulary A:* Review numbers 100 to 1,000,000, using the vocabulary box on page 382. Use the WARM-UP activity on page 382 of the TE to have students talk about prices.
- ❑ *Grammar B:* Introduce ordinal numbers, page 382. Explain the pattern used to form the ordinal numbers and the exceptions in the grammar box.
- ❑ *Grammar C* and *D:* Present irregular adjective patterns, page 383. Discuss the examples in the grammar box and encourage students to give other examples. Students can use the adjectives to describe people and things in the classroom. Explain that ***beau***, ***nouveau***, and ***vieux*** follow a pattern as seen in the grammar box on page 384. Guide students to note that these adjectives are placed before the nouns they describe.
- ❑ *Grammar E:* Introduce adverbs ending in ***-ment***, page 385. Model the examples and have students repeat. Explain the PRONUNCIATION NOTE, page 385 of the TE. Discuss patterns for forming the adverbs.

Guided Practice and Checking Understanding

- ❑ Check understanding of the *Vidéo-scène* with the *Compréhension* activity on page 381.
- ❑ Students can talk about favorite sports teams' rankings with PRACTICE WITH ORDINAL NUMBERS, page 383 of the TE.
- ❑ Play **Audio** CD 12, Tracks 7–12 or read the **Audioscript** and have students do **Workbook** Listening/Speaking Activities A–F on pages 237–238.
- ❑ Have students complete **Video Activities** 2–6, pages 65–69, as they watch the **Video** or listen to you read the **Videoscript**.

Independent Practice

- ❑ Model Activities 1–7 on pages 382–385. Do Activities 1 and 5 as PAIR PRACTICE. Students can write out Activities 2–4 and 6–7.
- ❑ Use **Communipak** *Interviews* 5–6, *Tu as la parole* 3, *Conversations* 3–4, *Échange* 2, or *Tête à tête* 1, pages 150–161, for pair practice.
- ❑ Have students do any appropriate activities in **Activités pour tous**, pages 145–147.

Day 2

Motivation and Focus

- ❑ Have students do **Video Activities** page 70.

Monitoring and Adjusting

- ❑ Monitor students' writing with **Workbook** Writing Activities 1–7 on pages 239–242.
- ❑ Refer students to the grammar boxes if necessary. Use the LANGUAGE NOTES, ADDITIONAL EXAMPLES, PERSONALIZATION, and the TEACHING NOTE on pages 382–385 of the TE as needed.
- ❑ Monitor students' use of adjectives and adverbs when they do the **Block Schedule Activity** at the top of the previous page.

End-of-Lesson Activities

- ❑ *À votre tour!:* Do the activities on page 386. Students can work in pairs to prepare a conversation in Activity 1 and discuss purchases needed for a trip in Activity 2. PLAY UN JEU: À QUEL ÉTAGE?, page 387 of the TE, to practice asking for directions in a building.
- ❑ *Lecture:* Use the PRE-READING ACTIVITY, page 361 of the TE, to preview the reading. Read page 387, explaining the words in the vocabulary box. Follow the suggestions for GROUP READING. After students have solved the problem, do the OBSERVATION ACTIVITY.

Reteaching (as needed)

- ❑ If students had difficulty with any of the activities in the **Workbook**, reteach the content and have them redo the activity.
- ❑ Individual students can use the **Video** to review portions of the lesson.
- ❑ Use **Teacher to Teacher** pages 42–43 to reteach numbers and irregular adjectives.

Extension and Enrichment (as desired)

- ❑ Use **Block Scheduling Copymasters**, pages 209–216.
- ❑ Have students look up current exchange rates in PERSONALIZATION, page 380 of the TE.
- ❑ Have students read the cultural documents and do the corresponding activities on pages 254–255 in the **Workbook**.

Discovering
FRENCH *Nouveau!*

BLANC

Summary and Closure

- ❑ Have pairs of students present the role play based on **Transparency** 55, following the suggested activity on page AT38 of **Overhead Transparencies**. Other students can summarize linguistic and communicative goals that have been demonstrated.
- ❑ Do PORTFOLIO ASSESSMENT as suggested on page 387 of the TE.

Assessment

- ❑ After students have completed the lesson's activities, administer Quiz 26 on pages 77–78. Use the **Test Generator** to adapt questions as needed.

Notes

Nom ______________________________

Classe ____________________ Date ____________

Discovering FRENCH *Nouveau!*

BLANC

Unité 7 Leçon 26

Absent Student Copymasters

LEÇON 26 Vidéo-scène: Armelle compte son argent, pages 380–381

Materials Checklist

- ❑ **Student Text**
- ❑ **Audio** CD 4, Track 15; **Audio** CD 12, Tracks 7–8
- ❑ **Video** 2 or **DVD** 2, Counter 28:21–30:27
- ❑ **Workbook**

Steps to Follow

- ❑ Before you watch the **Video** or **DVD**, or listen to the **CD**, read *Compréhension* (p. 381). This will help you understand what you see and hear.
- ❑ Look at the photos on pages 380–381 while you read the text. Write down any unfamiliar words or expressions. Check meanings. Listen to **Audio** CD 4, Track 15.
- ❑ Watch **Video** 2 or **DVD** 2, Counter 28:21–30:27. Pause and replay if necessary.
- ❑ Do Listening/Speaking Activities, Section 1, Activities A–B in the **Workbook** (p. 237). Use **Audio** CD 12, Tracks 7–8.
- ❑ Answer the questions in *Compréhension* (p. 381).

If You Don't Understand . . .

- ❑ Watch the **Video** or **DVD** in a quiet place. Try to stay focused. If you get lost, stop the **Video** or **DVD**. Replay it and find your place.
- ❑ Listen to the **CDs** in a quiet place. If you get lost, stop the **CDs**. Replay them and find your place. Repeat what you hear. Try to sound like the people on the recording.
- ❑ On a separate sheet of paper, write down new words and expressions. Check meanings.
- ❑ Say aloud anything you write. Make sure you understand everything you say.
- ❑ Write down any questions so that you can ask your partner or your teacher later.

Self Check

Répondez aux questions suivantes.

1. Dimanche prochain c'est l'anniversaire de qui?
2. Qu'est-ce que Pierre a organisé?
3. Qui est-ce que Pierre a invité à sa soirée?
4. Qu'est-ce qu'Armelle voudrait acheter?
5. Pourquoi est-ce que Corinne lui suggère d'aller à la boutique dans la rue Carnot?

Answers

1. Dimanche prochain c'est l'anniversaire de Pierre. 2. Pierre a organisé une soirée. 3. Il a invité tous ses amis. 4. Armelle voudrait acheter une nouvelle robe. 5. Corinne suggère d'aller à la boutique dans la rue Carnot parce qu'ils ont des soldes.

Nom ______________________________

Classe ____________________ Date ____________

Discovering FRENCH Nouveau!

BLANC

A. Les nombres de 100 à 1 000 000, page 382

B. Les nombres ordinaux, page 382

Materials Checklist

- ❑ **Student Text**
- ❑ **Audio** CD 12, Tracks 9–10
- ❑ **Workbook**

Steps to Follow

- ❑ Study *Les nombres de 100 à 1 000 000* (p. 382). Say the numbers aloud.
- ❑ Do Listening/Speaking Activities, Section 2, Activity C in the **Workbook** (p. 237). Use **Audio** CD 12, Track 9.
- ❑ Do Activity 1 in the text (p. 382). Write the dialogues in complete sentences. Underline each price. Read your answers aloud.
- ❑ Study *Les nombres ordinaux* (p. 382). Say the numbers aloud.
- ❑ Do Listening/Speaking Activities, Section 2, Activity D in the **Workbook** (p. 238). Use **Audio** CD 12, Track 10.
- ❑ Do Activity 2 in the text (p. 383). Underline each ordinal number.
- ❑ Do Writing Activities A 1, B 2–3 in the **Workbook** (pp. 239–240).

If You Don't Understand . . .

- ❑ Reread activity directions. Put the directions in your own words.
- ❑ Read the model several times. Be sure you understand it.
- ❑ Say aloud everything that you write. Be sure you understand what you are saying.
- ❑ When writing a sentence, ask yourself, "What do I mean? What am I trying to say?"
- ❑ Listen to the **CD** in a quiet place. Try to stay focused. If you get lost, stop the **CD**. Replay it and find your place.
- ❑ Write down any questions so that you can ask your partner or your teacher later.

Self Check

Écrivez les numéros suivants en lettres, d'après le modèle.

▶ 257
deux cent cinquante sept

1. 1468
2. 4666
3. 254 530
4. 1 867 323
5. 13 670 320

Answers

1. mille quatre cent soixante huit 2. quatre mille six cent soixante six 3. deux cent cinquante quatre mille cinq cent trente 4. un million huit cent soixante sept mille trois cent vingt trois 5. treize million six cent soixante dix trois mille cent vingt

Nom ______________________________

Classe ____________________ Date ______________

Discovering FRENCH Nouveau!

BLANC

Unité 7 Leçon 26

Absent Student Copymasters

C. Révision: Les adjectifs irréguliers, page 383

D. Les adjectifs *beau, nouveau, vieux,* page 384

Materials Checklist

- ❑ **Student Text**
- ❑ **Audio** CD 12, Track 11
- ❑ **Workbook**

Steps to Follow

- ❑ Study *Révision: Les adjectifs irréguliers* (p. 383). Say the adjectives aloud. Pay attention to the endings.
- ❑ Do Activity 3 in the text (p. 383). Write your answers in complete sentences. Underline the adjective in each sentence. Say each sentence aloud.
- ❑ Study *Les adjectifs* ***beau***, ***nouveau***, ***vieux*** (p. 384).
- ❑ Do Listening/Speaking Activities, Section 2, Activity E in the **Workbook** (p. 238). Use **Audio** CD 12, Track 11.
- ❑ Do Activity 4 in the text (p. 384). Write the answers in complete sentences. Circle the adjective in each sentence. Check endings. Say the answers aloud.
- ❑ Do Activity 5 in the text (p. 376). Write the dialogues in complete sentences. Read both parts aloud.
- ❑ Do Writing Activities C 4, D 5 in the **Workbook** (p. 241).

If You Don't Understand . . .

- ❑ Reread activity directions. Put the directions in your own words.
- ❑ Read the model several times. Be sure you understand it.
- ❑ Say aloud everything that you write. Be sure you understand what you are saying.
- ❑ When writing a sentence, ask yourself, "What do I mean? What am I trying to say?"
- ❑ Listen to the **CD** in a quiet place. Try to stay focused. If you get lost, stop the **CD**. Replay it and find your place.
- ❑ Write down any questions so that you can ask your partner or your teacher later.

Self Check

Faites des phrases complètes, d'après le modèle.

▶ elle / porter / neuf / robe
Elle porte une robe neuve.

1. nous / connaître / bon / restaurant.
2. c'est / une élève / attentif
3. ils / mettre / nouveau / costumes
4. c'est / vieux / école
5. elle / être / canadien
6. c'est / personne / généreux

Answers

1. Nous connaissons un bon restaurant. 2. C'est une élève attentive. 3. Ils mettent des nouveaux costumes. 4. C'est une vieille école. 5. Elle est canadienne. 6. C'est une personne généreuse.

Nom ____

Classe ______________________________ Date ______________ ______________

Discovering FRENCH *Nouveau!*

BLANC

E. Les adverbes en *–ment,* pages 385–386

Materials Checklist

- ❑ **Student Text**
- ❑ **Audio** CD 4, Track 16; **Audio** CD 12, Track 12
- ❑ **Workbook**

Steps to Follow

- ❑ Study *Les adverbes en* ***-ment*** (p. 385). Write the model sentences. Say the model sentences aloud.
- ❑ Do Listening/Speaking Activities, Section 2, Activity F in the **Workbook** (p. 238). Use **Audio** CD 12, Track 12.
- ❑ Do Activity 6 in the text (p. 385). Write the answers in complete sentences. Underline the adverb in each sentence. Say your answers aloud.
- ❑ Do Activity 7 in the text (p. 385). Circle the adverb in each sentence.
- ❑ Do Writing Activity E 6 and 7 in the **Workbook** (p. 242).
- ❑ Do Activity 2 of *À votre tour!* in the text (p. 386). Use **Audio** CD 4, Track 16.

If You Don't Understand . . .

- ❑ Reread activity directions. Put the directions in your own words.
- ❑ Read the model several times. Be sure you understand it.
- ❑ Say aloud everything that you write. Be sure you understand what you are saying.
- ❑ When writing a sentence, ask yourself, "What do I mean? What am I trying to say?"
- ❑ Listen to the **CDs** in a quiet place. Try to stay focused. If you get lost, stop the **CDs**. Replay them and find your place.
- ❑ Write down any questions so that you can ask your partner or your teacher later.

Self Check

Répondez aux questions suivantes, d'après le modèle.

▶ Comment est-ce que Jean travaille? (sérieux)
Jean travaille sérieusement.

1. Comment est-ce qu'elle parle anglais? (lent)
2. Comment est-ce qu'ils font le ménage? (rapide)
3. Comment est-ce qu'elle s'habille pour aller à la soirée? (élégant)
4. Comment est-ce vous parlez à vos professeurs? (poli)
5. Comment est-ce que le professeur parle aux élèves? (patient)
6. Comment est-ce que le chien cherche le chat? (attentif)

Answers

1. Elle le parle lentement. 2. Ils le font rapidement. 3. Elle s'habille élégamment. 4. Nous leur parlons poliment. 5. Il leur parle patiemment. 6. Il le cherche attentivement.

Nom ______________________________

Classe ______________________ Date ______________

Discovering FRENCH Nouveau!

BLANC

LEÇON 26 Armelle compte son argent

Le lecteur / La lectrice

Ask a family member how he or she reads.

- First, explain your assignment.
- Next, help the family member pronounce the words. Model the pronunciation as you point to each word. Give any necessary English equivalents.
- Then, ask the question, **Comment est-ce que tu lis?**
- When you have an answer, complete the sentence below.

difficilement?

facilement?

rapidement?

lentement?

attentivement?

______________________ **lit** ______________________________.

Nom ______________________________

Classe ______________________ Date ______________

Discovering FRENCH Nouveau!

BLANC

Les nouveaux vêtements

Interview a family member. Find out if he or she needs a new coat, a new raincoat, or a new shirt.

- First, explain your assignment.
- Next, help the family member pronounce the words. Model the pronunciation as you point to each picture.
- Then, ask the questions, one by one, **Est-ce que tu as besoin . . . ?**
- When you have the answers, complete the sentences below to describe what your family member needs and doesn't need.

d'un nouveau manteau?

d'un nouvel imperméable?

d'une nouvelle chemise?

____________________ **a besoin d'** ____________________.

____________________ **n'a pas besoin de (d')** ____________________.

LEÇON 26 Armelle compte son argent

Cultural Commentary

- Like Armelle, French people keep their bills in **un portefeuille** *(wallet)* and usually carry their coins in **un porte-monnaie** *(change purse)*.
- The bed in Armelle's room is **un lit simple** *(twin bed)*. **Un grand lit** or **un lit double** is a bed for two people.
- Armelle is counting francs, but since January 2002, France's currency is the euro.

Grammar Correlation

A Les nombres de 100 à 1 000 000 (Student text, p. 382)

Armelle: **cent, cent cinquante, deux cents, deux cent cinquante, deux cent soixante-dix, deux cent quatre-vingt-dix . . .**
Euh . . . seulement **trois cent trente** francs.

(*Teaching suggestion:* Write the above numbers in word form on the board or on a transparency and have the students transcribe them in digits.)

C Révision: Les adjectifs irréguliers (Student text, p. 383)

Claire: Armelle voudrait mettre quelque chose de spécial et d'original pour la soirée.
Armelle: Il y a des tas de robes **géniales** ici! (Leçon 28)
Corinne: Oh là là! Je parie que c'est la robe la plus **chère** du magasin! (Leçon 27)
J'ai une grand-mère qui a des tas de robes **anciennes**. (Leçon 27)

D Les adjectifs *beau, nouveau, vieux* (Student text, p. 384)

Armelle: Je voudrais m'acheter une **nouvelle** robe.
Corinne: Dis, Mamie, on peut aller voir tes **vieilles** robes? (Leçon 28)

E Les adverbes en *-ment* (Student text, p. 385)

Claire: Il a organisé une grande soirée pour tous ses amis . . . et **particulièrement** pour Armelle.
Armelle: Euh . . . **seulement** trois cent trente francs.
Corinne: **Évidemment**, ce n'est pas beaucoup.
Généralement, ils ont des soldes!

Nom ______________________________

Classe ______________________ Date ______________

Discovering FRENCH Nouveau!

BLANC

LEÇON 26 Armelle compte son argent

Video 2, DVD 2

Activité 1. Anticipe un peu!

To find out what's going to happen in the next scene, read Claire's script below. Then, place a check mark (✔) in front of the answer you choose.

> «Dimanche prochain, Pierre va célébrer son anniversaire. À cette occasion, il a organisé une grande soirée pour tous ses amis . . . et particulièrement pour Armelle. Mais Armelle a un problème commun à beaucoup de jeunes.»

Quel est le problème d'Armelle?

A. Elle n'a rien de spécial pour la soirée.

B. Elle a un autre rendez-vous ce soir-là.

C. Elle ne sait pas ce qu'elle va acheter pour Pierre.

Activité 2. Vérifie!

Counter 28:28–28:51

What is Armelle's problem? As you watch the video, go back to Activity 1 and circle the letter of the correct answer.

As-tu deviné *(guess correctly)* la première fois? [ ] Oui [ ] Non

Nom ____________________

Classe ____________________ Date ____________________

Discovering FRENCH Nouveau!

BLANC

Activité 3. Que cherche Armelle?

Counter 28:52–29:37

What is Armelle looking for? As you watch the video, read the sentences below and circle the letter of the correct completion.

1. Armelle _____ son argent.
   a. cherche b. compte c. dépense
2. Elle voudrait acheter _____ pour aller à la soirée de Pierre.
   a. une nouvelle robe b. un nouveau jean c. un nouveau chemisier
3. Elle cherche quelque chose _____.
   a. de cher b. d'élégant c. d'original
4. Armelle a _____ francs.
   a. trois cents b. troise cent trente c. trois cent cinquante
5. Corinne connaît _____ qui a généralement des soldes.
   a. un grand magasin b. un marché aux puces c. une boutique
6. Corinne et Armelle vont y aller _____.
   a. maintenant b. demain matin c. après-demain

▶ Enrichis ton vocabulaire

The French language sometimes puts two words together to make a new word.

après (after) + **demain** (tomorrow) → **après-demain** (day after tomorrow)

Questions: How do French speakers say "day before yesterday"?

Réponse: ____________________*

*Answer: **avant-hier**

▶ EXPRESSION POUR LA CONVERSATION: Quelque chose d'original

A. What kind of a dress does Armelle have in mind when she says she's looking for «quelque chose d'original»?

____*

B. How did Armelle say "something not expensive" in French?

____*

Activité 4. Quelque chose d'original

Pretend that you're shopping for a clothing item or an accessory. Fill in both the blanks and the empty bubble below. Then, get together with a classmate and role-play the mini-conversation.

Qu'est-ce que tu cherches?
Je cherche une nouvelle robe. Quelque chose d'original et de pas trop cher.
Solde

TON/TA CAMARADE:

Qu'est-ce que tu cherches?

TOI:

Article: ______________________

Qualités: ______________________

*Answers: A. "something original" B. **«quelque chose de pas cher»**

Nom ______________________________

Classe ____________________ Date ____________

Activité 5. Une chaîne d'événements

One thing often leads to another. Read the events in the boxes below and put the sentences in proper sequence by numbering them from 1 to 8.

a. Les deux copines vont à la boutique.

b. Armelle veut acheter une nouvelle robe pour l'occasion.

c. Corinne lui propose d'aller dans une boutique où il y a des soldes.

d. Elle se rend compte qu'elle a seulement trois cent trente francs.

e. Corinne suggère qu'elles partent tout de suite.

f. Pierre a organisé une grande soirée.

g. Armelle veut savoir quand elles peuvent y aller.

h. Elle compte son argent.

Activité 6. Un message à Pierre

Pierre wants to know what Armelle and Corinne have been up to. Write him a short note using your answers to Activity 5. As usual, add transition words and conjunctions (**et**, **ou** and **mais**) to make your writing clearer and more interesting.

____
(date)

Pierre,

Puisque (since) tu as organisé une grande soirée, ______________________

____

____

____

____

____

____

____

____

____

____

____

____

____

Et voilà tout ce que je sais!

Amitiés,

____
(ton nom)

URB p. 69

Nom ______________________________________

Classe ____________________ Date ____________

Activité 7. À la soirée! *(To the party!)*

Pierre has invited you to his birthday party, but before you can go you need to expand your wardrobe! Choose four items from the first box and quickly draw a different article in each square of your card. Then, get together with two or three classmates and choose one student to start. Élève 1 says a sentence using one item on his/her card and covers the appropriate square. Any other player who has the same item also covers that square on his/her card. Élève 1 then continues. If no other player has the article, the game continues with Élève 2 saying a sentence, and so on. The first student to cover all four squares says **«À la soirée!»** This student is the winner. Follow the model, don't let the others see your card, and *talk only French!*

Vêtements et accessoires	
un jean	un sweat
un tee-shirt	un chapeau
une casquette	une ceinture
un foulard	des bottes
des tennis	une chemise

Qualités	
amusant	bizarre
confortable	drôle
joli	multicolore
occasion *(used)*	original
pas cher	sportif

ÉLÈVE 1: Je cherche un foulard. Je veux quelque chose de bizarre.
ÉLÈVE 2: Moi aussi, je cherche un foulard.
ÉLÈVE 1: Et maintenant, je cherche une chemise. Je veux quelque chose de multicolore.
ÉLÈVE 2: Pas moi!
ÉLÈVE 3: Moi non plus! *(Me neither!)*
ÉLÈVE 2: Moi, je cherche . . .

LEÇON 26 Vidéo-scène: Armelle compte son argent

Video 2, DVD 2

28:21–30:27

Counter 28:28–28:51 1. CLAIRE: Dimanche prochain, Pierre va célébrer son anniversaire. À cette occasion, il a organisé une grande soirée pour tous ses amis et particulièrement pour Armelle. Bien sûr, Armelle voudrait mettre quelque chose de spécial et d'original pour la soirée. Oui, mais voilà, elle a un problème commun à beaucoup de jeunes. Regardez et écoutez.

Counter 28:52–29:03 2. ARMELLE: Cent, cent cinquante, deux cents, deux cent cinquante, deux cent soixante-dix, deux cent quatre-vingt-dix.

CORINNE: Mais, qu'est-ce que tu fais?

Counter 29:04–29:11 3. ARMELLE: Tu vois, je compte mon argent.

CORINNE: Pourquoi?

ARMELLE: Je voudrais m'acheter une nouvelle robe pour aller à la soirée de Pierre.

Counter 29:12–29:19 4. CORINNE: Qu'est-ce que tu cherches?

ARMELLE: Quelque chose d'original et de pas trop cher!

CORINNE: Combien d'argent as-tu?

ARMELLE: Euh . . . seulement trois cent trente francs.

Counter 29:20–29:29 5. CORINNE: Évidemment, ce n'est pas beaucoup. Écoute, je connais une boutique dans la rue Carnot. Généralement ils ont des soldes! On peut y aller, si tu veux.

ARMELLE: Oui. Quand?

Counter 29:30–29:37 6. CORINNE: Eh bien, pourquoi pas maintenant?

ARMELLE: D'accord, allons-y.

Expansion culturelle

Counter 29:38–30:27

MATTHIEU: Vous avez certainement remarqué comment Armelle compte son argent. Regardez de nouveau.

ARMELLE: Cent, cent cinquante, deux cents, deux cent cinquante, deux cent soixante-dix, deux cent quatre-vingt-dix.

CORINNE: Mais, qu'est-ce que tu fais?

ARMELLE: Tu vois, je compte mon argent.

MATTHIEU: Vous savez bien que maintenant les Français utilisent l'euro comme monnaie nationale. Combien d'argent Armelle a-t-elle? Regardez.

CORINNE: Combien d'argent as-tu?

ARMELLE: Euh . . . seulement trois cent trente francs.

MATTHIEU: Armelle a trois cent trente francs, c'est-à-dire approximativement 50 euros. Cinquante euros, ce n'est pas beaucoup pour acheter une nouvelle robe.

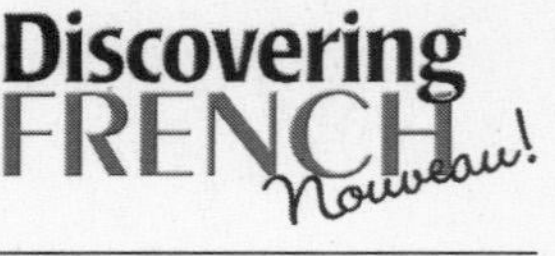

LEÇON 26 Armelle compte son argent

PE AUDIO

CD 4, Track 15

Vidéo-scène, p. 380

CLAIRE: Dimanche prochain, Pierre va célébrer son anniversaire. À cette occasion, il a organisé une grande soirée pour tous ses amis . . . et particulièrement pour Armelle.

Pour cette occasion, Armelle voudrait mettre quelque chose de spécial et d'original. Oui, mais voilà, elle a un problème commun à beaucoup de jeunes.

Cet après-midi, Corinne est allée chez Armelle.

ARMELLE: Cent, cent cinquante, deux cents, deux cent cinquante, deux cent soixante-dix, deux cent quatre-vingt-dix . . .

CORINNE: Mais, qu'est-ce que tu fais?

ARMELLE: Tu vois, je compte mon argent.

CORINNE: Pourquoi?

ARMELLE: Je voudrais m'acheter une nouvelle robe pour aller à la soirée de Pierre.

CORINNE: Qu'est-ce que tu cherches?

ARMELLE: Quelque chose d'original et de pas trop cher!

CORINNE: Combien d'argent as-tu?

ARMELLE: Euh . . . seulement trois cent trente francs.

CORINNE: Évidemment, ce n'est pas beaucoup. Écoute, je connais une boutique dans la rue Carnot. Généralement ils ont des soldes! On peut y aller, si tu veux.

ARMELLE: Oui. Quand?

CORINNE: Eh bien, pourquoi pas maintenant?

ARMELLE: D'accord, allons-y.

CLAIRE: Armelle et Corinne sortent pour faire leurs achats.

À votre tour!

CD 4, Track 16

2. Préparatifs de voyage, p. 386

Cet été, Sandrine va faire un voyage. Avant son départ, elle va faire des achats. Écoutez ce qu'elle dit.

Je vais aller dans un grand magasin pour faire des achats.

D'abord, je vais aller au rayon des vêtements de sports. Là, je vais acheter un maillot de bain et des tee-shirts. Je vais dépenser 75 euros.

Ensuite, je vais aller au rayon des chaussures parce que j'ai besoin de nouvelles sandales. Je vais dépenser 40 euros.

Finalement, je vais aller au rayon des chemises. Je vais acheter trois chemises de coton. Je vais dépenser 60 euros.

WORKBOOK AUDIO

Section 1. Vidéo-scène

CD 12, Track 7

Activité A. Compréhension générale, p. 380

Allez à la page 380 de votre texte.

CLAIRE: Dimanche prochain, Pierre va célébrer son anniversaire. À cette occasion, il a organisé une grande soirée pour tous ses amis … et particulièrement pour Armelle.
Pour cette occasion, Armelle voudrait mettre quelque chose de spécial et d'original. Oui, mais voilà, elle a un problème commun à beaucoup de jeunes.
Cet après-midi, Corinne est allée chez Armelle.

ARMELLE: Cent, cent cinquante, deux cents, deux cent cinquante, deux cent soixante-dix, deux cent quatre-vingt-dix . . .

CORINNE: Mais, qu'est-ce que tu fais?

ARMELLE: Tu vois, je compte mon argent.

CORINNE: Pourquoi?

ARMELLE: Je voudrais m'acheter une nouvelle robe pour aller à la soirée de Pierre.

CORINNE: Qu'est-ce que tu cherches?

ARMELLE: Quelque chose d'original et de pas trop cher!

CORINNE: Combien d'argent as-tu?

ARMELLE: Euh . . . seulement trois cent trente francs.

CORINNE: Évidemment, ce n'est pas beaucoup. Écoute, je connais une boutique dans la rue Carnot. Généralement ils ont des soldes! On peut y aller, si tu veux.

ARMELLE: Oui. Quand?

CORINNE: Eh bien, pourquoi pas maintenant?

ARMELLE: D'accord, allons-y.

CLAIRE: Armelle et Corinne sortent pour faire leurs achats.

CD 12, Track 8

Activité B. Avez-vous compris?

Maintenant ouvrez votre cahier d'activités. Écoutez bien et indiquez si les phrases suivantes sont vraies ou fausses. Vous allez entendre chaque phrase deux fois. Êtes-vous prêts?

1. Vendredi prochain Pierre a organisé une grande soirée. #
2. Corinne compte son argent. #
3. Armelle veut acheter une nouvelle robe pour la soirée de Pierre. #
4. Armelle cherche quelque chose d'original. #
5. Armelle a seulement 500 francs. #
6. Corinne connaît une boutique dans la rue Carnot. #
7. Cette boutique a souvent des soldes. #

Maintenant, corrigez vos réponses.

1. Vendredi prochain Pierre a organisé une grande soirée. Faux. C'est dimanche prochain la soirée de Pierre.
2. Corinne compte son argent. Faux. C'est Armelle qui compte son argent.
3. Armelle veut acheter une nouvelle robe pour la soirée de Pierre. Vrai.
4. Armelle cherche quelque chose d'original. Vrai.
5. Armelle a seulement 500 francs. Faux. Elle a seulement 330 francs.
6. Corinne connaît une boutique dans la rue Carnot. Vrai.
7. Cette boutique a souvent des soldes. Vrai.

Section 2. Langue et communication

CD 12, Track 9

Activité C. C'est combien?

Imagine you are working in the advertising section of a department store. Your boss is

giving you the prices of the items you see illustrated in your workbook. Fill in the corresponding price tags. You will hear each statement twice.

Modèle: Les gants coûtent 35 euros. *(repeat)* You would write 35 euros in the price tag of the gloves.

Commençons.

1. La télé coûte 1 300 euros. #
2. La voiture coûte 37 500 euros. #
3. Le blouson coûte 215 euros. #
4. Le manteau coûte 369 euros. #
5. Le vélo coûte 198 euros. #
6. L'ordinateur coûte 1 480 euros. #

Maintenant vérifiez vos réponses.

1. La télé coûte 1 300 euros: un - trois - zéro - zéro. #
2. La voiture coûte 37 500 euros: trois - sept - cinq - zéro - zéro. #
3. Le blouson coûte 215 euros: deux - un - cinq. #
4. Le manteau coûte 369 euros: trois - six - neuf. #
5. Le vélo coûte 198 euros: un - neuf - huit. #
6. L'ordinateur coûte 1 480 euros: un - quatre - huit - zéro. #

CD 12, Track 10

Activité D. Le 5 000 mètres

Look at the illustration in your activity book. The following group of friends all finished the 5K road race. Say how each person placed.

Modèle: Marc est arrivé dixième. Et Cécile? Cécile est arrivée troisième.

1. Et Barbara? #
   Barbara est arrivée cinquième.
2. Et Nicolas? #
   Nicolas est arrivé premier.
3. Et Sophie? #
   Sophie est arrivée vingtième.
4. Et Jean-Paul? #
   Jean-Paul est arrivé neuvième.
5. Et Michelle? #
   Michelle est arrivée trente-quatrième.
6. Et Olivier? #
   Olivier est arrivé onzième.

CD 12, Track 11

Activité E. Vêtements

Armelle is talking about the clothes that some of her friends have. Say that these clothes are beautiful.

Modèle: Corinne a une robe.
C'est une belle robe.

1. Pierre a une chemise. #
   C'est une belle chemise.
2. Claire a des sandales. #
   Ce sont de belles sandales.
3. Julie a des pulls. #
   Ce sont de beaux pulls.
4. Marc a un imper. #
   C'est un bel imper.
5. Jean-Pierre a un costume. #
   C'est un beau costume.

Now as Armelle mentions what certain people are wearing, say that these clothes are old.

Modèle: Jérôme porte un chapeau.
C'est un vieux chapeau.

6. Marie-Cécile porte des lunettes. #
   Ce sont de vieilles lunettes.
7. Éric porte des tennis. #
   Ce sont de vieux tennis.
8. Alain porte un pantalon. #
   C'est un vieux pantalon.
9. Jean-Paul porte une cravate. #
   C'est une vieille cravate.
10. Béatrice porte un imper. #
    C'est un vieil imper.

Armelle is talking about what some people wore to a party last Saturday. Say that these clothes are new.

Modèle: Lucie a mis une jupe.
C'est une nouvelle jupe.

11. Denise a mis des boucles d'oreilles. #
Ce sont de nouvelles boucles d'oreilles.
12. Pauline a mis un bracelet. #
C'est un nouveau bracelet.
13. Caroline a mis une robe. #
C'est une nouvelle robe.
14. François a mis une veste. #
C'est une nouvelle veste.
15. Julien a mis un imper. #
C'est un nouvel imper.

CD 12, Track 12

Activité F. Comment?

Look at the illustrations in your workbook. Then listen to the description of each person and say that each one is acting in the manner that corresponds to his or her personality.

Modèle: Catherine est ponctuelle. Elle arrive à la gare.
Elle arrive à la gare ponctuellement.

1. Marc est poli. Il répond au professeur. #
Il répond au professeur poliment. #
2. Jérôme est actif. Il fait du sport. #
Il fait du sport activement. #
3. Michelle est consciencieuse. Elle fait ses devoirs. #
Elle fait ses devoirs consciencieusement. #
4. Corinne est attentive. Elle écoute sa grand-mère. #
Elle écoute sa grand-mère attentivement. #
5. Pierre est patient. Il attend sa copine. #
Il attend sa copine patiemment. #
6. Armelle est élégante. Elle s'habille. #
Elle s'habille élégamment. #

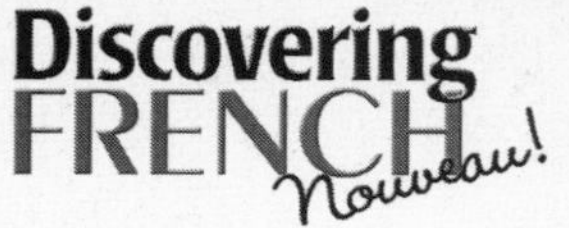

LESSON 26 QUIZ

Part I: Listening

CD 21, Track 2

A. Les soldes

Imagine that you are working in an expensive clothes shop in Paris. Today you are retagging items with new prices. Your manager will tell you each price as you write it on the tag. You will hear each price twice.

Écoutez le modèle.

Modèle: Le pantalon. Le pantalon coûte 100 euros. # Le pantalon coûte 100 euros.

You would write "one hundred" on the price tag for the pants.

Commençons.

- Le chapeau. Le chapeau coûte 110 euros. # Le chapeau coûte 110 euros.
- Le blouson. Le blouson coûte 275 euros. # Le blouson coûte 275 euros.
- La chemise à carreaux. La chemise à carreaux coûte 85 euros. # La chemise à carreaux coûte 85 euros.
- La chemise unie. La chemise unie coûte 60 euros. # La chemise unie coûte 60 euros.
- Le manteau. Le manteau coûte 850 euros. # Le manteau coûte 850 euros.
- Le costume. Le costume coûte 1 100 euros. # Le costume coûte 1 100 euros.
- Le survêtement. Le survêtement coûte 130 euros. # Le survêtement coûte 130 euros.
- L'imper. L'imper coûte 325 euros. # L'imper coûte 325 euros.

CD 21, Track 3

B. La course

The following people participated in a road race yesterday. You will hear how each one finished. Circle the corresponding number on your answer sheet. You will hear each statement twice.

Écoutez le modèle.

Modèle: Patrick est arrivé quatorzième. # Patrick est arrivé quatorzième

You should have circled the number fourteen, **quatorze**, for **quatorzième**.

Commençons.

1. Stéphanie est arrivée vingtième.
2. Jean-Paul est arrivé dixième.
3. Claire est arrivée quarante-deuxième.
4. Thomas est arrivé dix-septième.
5. Cécile est arrivée vingt et unième.
6. Nicolas est arrivé onzième.
7. Philippe est arrivé soixantième.
8. Isabelle est arrivée troisième.

Nom ______________________________

Classe ______________________ Date ______________

Discovering FRENCH Nouveau!

BLANC

QUIZ 26

Part I: Listening

A. Les soldes (24 points: 3 points each)

Imagine that you are working in an expensive clothes shop in Paris. Today you are retagging items with new prices. Your manager will tell you each price as you write it on the tag.

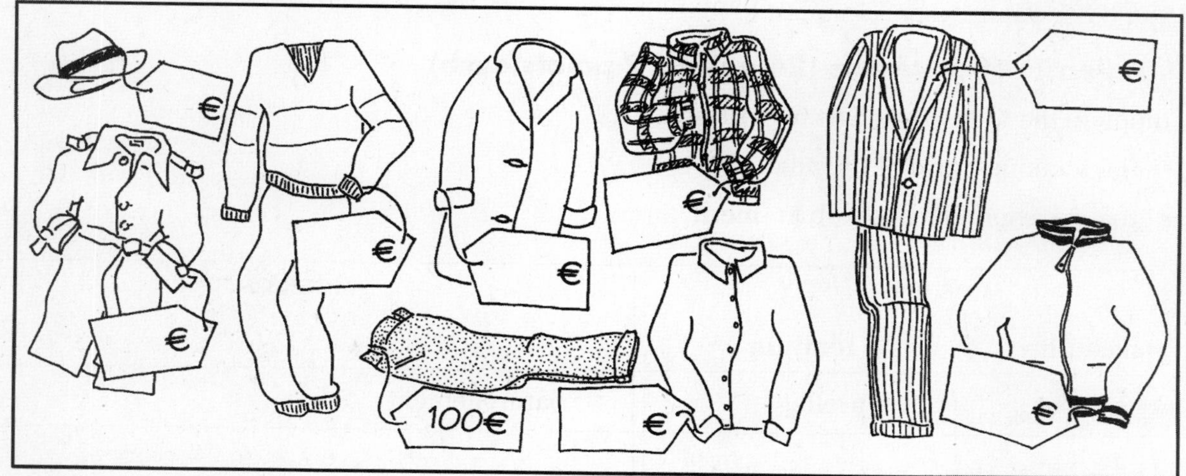

B. La course (16 points: 2 points each)

The following people participated in a road race yesterday. You will hear how each one finished. Circle the corresponding number on your answer sheet.

▶ Patrick	4	(14)	41					
1. Stéphanie	12	20	22		5. Cécile	12	21	28
2. Jean-Paul	6	10	16		6. Nicolas	1	11	71
3. Claire	14	24	42		7. Philippe	50	60	70
4. Thomas	7	17	37		8. Isabelle	3	13	30

Part II: Writing

C. Shopping (16 points: 2 points each)

Complete the following sentences with the appropriate forms of the adjectives in parentheses.

1. (vieux) Marc va au Marché aux Puces. Là, il achète . . .

- une ____________________ veste,
- des ____________________ bottes et
- un ____________________ imper.

Nom ______________________________

Classe ______________________ Date ______________

Discovering FRENCH Nouveau!
BLANC

2. (beau) Mélanie va aux Galeries Lafayette. Là, elle achète . . .
- deux ______________ bracelets et
- de ______________ boucles d'oreille.

3. (nouveau) Catherine va «Chez Colette». Là, elle achète . . .
- une ______________ veste,
- un ______________ imper et
- deux ______________ pantalons.

D. Adjectifs et adverbes (24 points: 2 points each)

Complete the following chart by writing in. . . .
- the feminine form of the adjective
- the corresponding adverb in **-ment**.

ADJECTIFS		ADVERBES
masculin	**féminin**	
▶ naturel	naturelle	naturellement
1. actif		
2. généreux		
3. calme		
4. premier		
5. patient		
6. élégant		

E. Expression personnelle (20 points: 5 points each)

Imagine that you know a French family that is planning to move to your city. Think of four (4) new things that they may need and give the approximate price of each. Write complete sentences, as in the model.

▶ Une nouvelle voiture va coûter douze mille dollars.
- ______________________________
- ______________________________
- ______________________________
- ______________________________

Nom ______________________

Classe ______________ Date ______________

Discovering FRENCH Nouveau!

BLANC

LEÇON 27 Corinne a une idée

LISTENING/SPEAKING ACTIVITIES

Section 1. Vidéo-scène

A. Compréhension générale

Allez à la page 388 de votre texte.
Écoutez.

B. Avez-vous compris?

	vrai	faux		vrai	faux
1.	☑	❑	5.	❑	☑
2.	☑	❑	6.	❑	☑
3.	❑	☑	7.	☑	❑
4.	☑	❑			

Section 2. Langue et communication

C. Descriptions

▶ —Est-ce que ce problème est facile ou difficile?
—Ce problème est facile.

▶ 2+2=4

1. Cette soupe est chaude.
3. Cet homme est fort.
5. Ces bracelets sont bon marché.

2. Ce chien est gentil.
4. Cette voiture est lente.
6. Ce dictionnaire est utile.

D. Plus ou moins

▶ A. —Est-ce que le blouson est plus cher que la veste?
—Oui, le blouson est plus cher que la veste.

▶ B. —Est-ce que le bracelet est plus cher que le collier?
—Non, le bracelet est moins cher que le collier.

▶ C. —Est-ce que les baskets sont moins chers que les tennis?
—Non, les baskets sont aussi chers que les tennis.

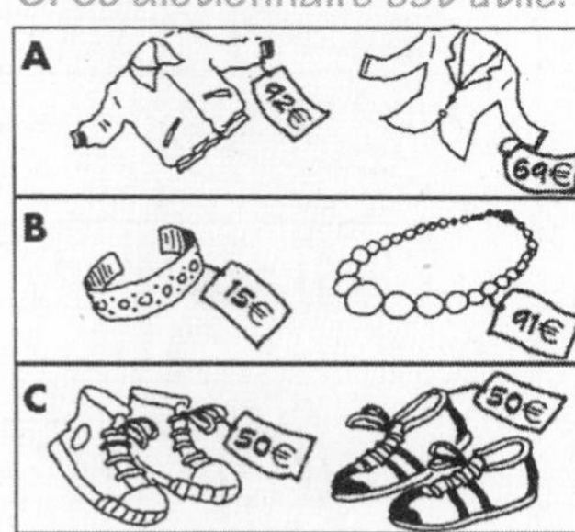

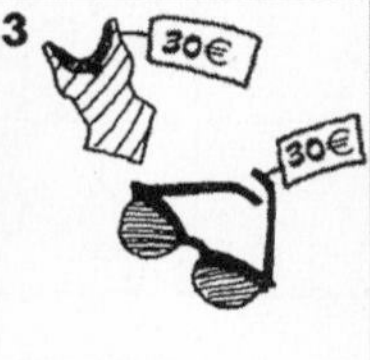

1. Oui, la robe est plus chère que la jupe.
2. Non, la cravate est moins chère que la ceinture.
3. Non, le maillot de bain est aussi cher que les lunettes de soleil.
4. Non, Julien est moins fort que Matthieu.
5. Oui, la moto est plus rapide que le vélo.
6. Non, Brutus est aussi méchant que Néron.

URB p. 79

Nom ___________________________

Classe ___________________ Date ___________________

BLANC

E. Vrai ou faux?

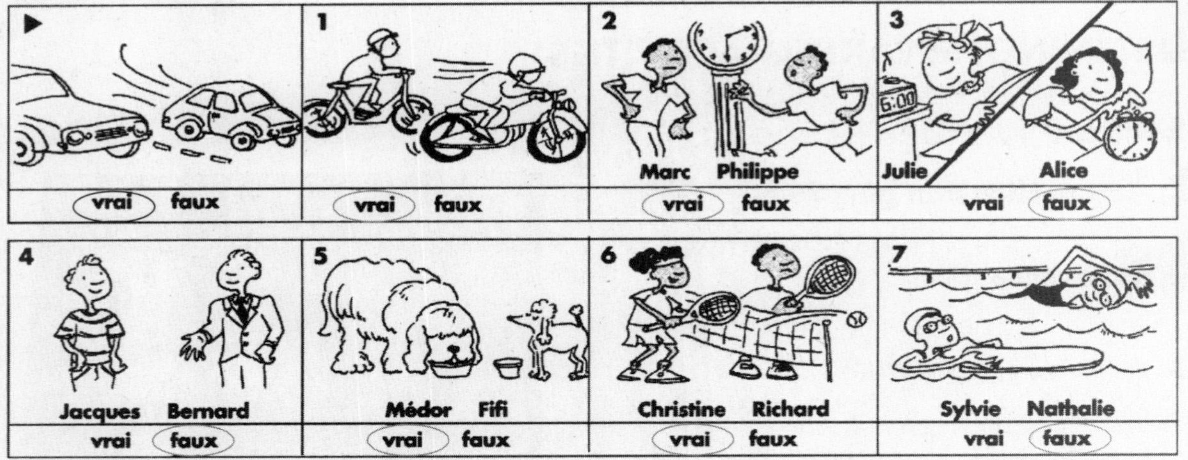

F. Comparaisons

▶ Quel est le problème le plus difficile? **Le premier problème est le plus difficile.**

	1	2	3
▶	$2a - 3y = 28$	$25 + 39 = 64$	$2 + 2 = 4$
1	$300 - 150 = 150$	$36 - 12 = 24$	$3 - 2 = 1$
2	20 mph	60 mph	30 mph
3	460€	382€	290€
4			
5			
6	122€	610€	427€
7	C	B	A
8			

1. Le troisième problème est le plus facile.
2. La deuxième voiture est la plus rapide.
3. Le premier collier est le plus cher.
4. Les premières chaussures sont les plus confortables.
5. Le troisième chien est le plus méchant.
6. Le premier tailleur est le moins cher.
7. Le troisième étudiant est le plus intelligent.
8. Le deuxième paquet est le moins lourd.

URB
p. 80

Nom ________________________________

Classe ____________________ Date ____________

Discovering FRENCH Nouveau!

BLANC

Unité 7 Leçon 27

Workbook TE

WRITING ACTIVITIES

A 1. Comparaisons (sample answers)

Comparez les choses ou les personnes suivantes en utilisant la forme COMPARATIVE appropriée de l'adjectif indiqué.

▶ le français / facile / l'espagnol? Le français est moins (plus, aussi) facile que l'espagnol.

1. l'argent / cher / l'or? L'argent est moins cher que l'or.
2. l'hydrogène / lourd / l'air? L'hydrogène est moins lourd que l'air.
3. les Jaguar / rapide / les Mercedes? Les Jaguar sont plus rapides que les Mercedes.
4. le basket / dangereux / le foot? Le basket est aussi dangereux que le foot.
5. les chats / intelligent / les chiens? Les chats sont aussi intelligents que les chiens.
6. les Lakers / bon / les Celtics? Les Lakers sont meilleurs que les Celtics.
7. la cuisine française / bon / la cuisine américaine? La cuisine française est meilleure que la cuisine américaine.
8. les tee-shirts / bon marché / les chemises? Les tee-shirts sont meilleur marché que les chemises.

A 2. De bonnes raisons!

Vous habitez à Annecy. Votre copain (copine) français(e) vous demande pourquoi vous faites certaines choses. Répondez-lui logiquement en utilisant la forme COMPARATIVE appropriée des mots entre parenthèses.

▶ Pourquoi achètes-tu le tee-shirt? (cher) Parce qu'il est moins cher que le polo.

1. Pourquoi achètes-tu le blouson? (joli)
   Parce qu'il est plus joli que la veste.
2. Pourquoi choisis-tu la tarte? (bon)
   Parce qu'elle est meilleure que le gâteau au chocolat.
3. Pourquoi achètes-tu les sandales? (bon marché)
   Parce qu'elles sont meilleur marché que les chaussures.
4. Pourquoi achètes-tu le sac? (lourd)
   Parce qu'il est moins lourd que la valise *(suitcase)*.
5. Pourquoi mets-tu ton manteau? (chaud)
   Parce qu'il est plus chaud que mon imper.
6. Pourquoi invites-tu Caroline? (snob)
   Parce qu'elle est moins snob que sa cousine.

URB p. 81

Nom ______________________________ Discovering FRENCH Nouveau!

Classe ______________________ Date ______________

BLANC

B 3. Que dire?

Vous êtes avec votre ami(e) français(e). Qu'est-ce que vous allez dire dans les situations suivantes? Complétez les phrases avec plus + l'adverbe qui convient (fits).

tôt	tard	vite	lentement	longtemps

▶ Je ne comprends pas. Parle plus lentement !

1. Nous sommes pressés (in a hurry). Allons plus vite!
2. Tu es toujours en retard pour l'école. Lève-toi plus tôt demain!
3. J'ai mal aux pieds. Allons plus lentement!
4. Il fait très beau aujourd'hui. Restons plus longtemps à la plage!
5. Demain, c'est dimanche. Levons-nous plus tard!

C 4. Des touristes exigeants *(Demanding tourists)*

Des touristes français visitent votre ville. Ces touristes sont exigeants et veulent toujours faire les meilleures choses. Exprimez cela en complétant les phrases avec la forme plus du superlatif des expressions entre parenthèses.

▶ (un hôtel confortable)
Les touristes veulent rester dans l'hôtel le plus confortable.

1. (un musée intéressant)
Les touristes veulent visiter le musée le plus intéressant.
2. (une comédie amusante)
Ils veulent voir la comédie la plus amusante.
3. (un bon restaurant)
Ils veulent dîner dans le meilleur restaurant.
4. (des quartiers modernes)
Ils veulent visiter les quartiers les plus modernes.
5. (des boutiques bon marché)
Ils veulent faire du shopping dans les boutiques les meilleur marché.

URB p. 82

Nom ______________________

Classe ______________ Date ______________

Discovering FRENCH Nouveau!

BLANC

Unité 7 Leçon 27

Workbook TE

C 5. À votre avis (sample answers)

Nommez les choses ou les personnes qui représentent le maximum indiqué.

▶ un hôtel moderne / ma ville
L'hôtel le plus moderne de ma ville est l'Excelsior Hotel.

1. une ville intéressante / ma région
   La ville la plus intéressante de ma région est Austin.
2. une ville intéressante / les États-Unis
   La ville la plus intéressante aux États-Unis est New York.
3. un bon restaurant / mon quartier
   Le meilleur restaurant de mon quartier est Strawberry Court.
4. une bonne équipe / la Ligue Nationale
   La meilleure équipe de la Ligue Nationale est les Mets de New York.
5. un bon jour / la semaine
   Le meilleur jour de la semaine est samedi.
6. un mois froid / l'année
   Le mois le plus froid de l'année est janvier.
7. une belle saison / l'année
   La plus belle saison de l'année est l'automne.

6. Communication (sample answers)

A. Vos Oscars personnels Décernez *(name)* vos Oscars personnels dans quatre des catégories suivantes. Si c'est nécessaire, utilisez une feuille de papier séparée.

- **un bon acteur**
- **une bonne actrice**
- **un(e) bon(ne) athlète**
- **une équipe de basket**
- **une bonne chanson**
- **un film intéressant**
- **une comédie drôle**
- **une voiture rapide**
- **des bandes dessinées amusantes**
- **un livre passionnant (*exciting*)**
- **un magazine intéressant**
- **un bon groupe musical**

Selon moi, le meilleur acteur est Brad Pitt.
Le meilleure actrice est Julia Roberts.
Le meilleur athlète est Sammy Sosa.
La meilleure équipe de basket est les Celtics.
La meilleure chanson est Someday.

URB p. 83

Nom ______________________________________

Classe ____________________ Date ____________

Discovering FRENCH Nouveau!

BLANC

B. Comparaisons personnelles Écrivez un petit paragraphe où vous vous comparez avec un(e) ami(e) ou un membre de votre famille. Vous pouvez utiliser les adjectifs suggérés ou d'autres adjectifs de votre choix. Si nécessaire, utilisez une feuille de papier séparée.

jeune ≠ âgé	**sérieux ≠ paresseux**	**drôle**	**sportif**
grand ≠ petit	**généreux ≠ égoïste**	**gentil**	**spirituel**
fort ≠ faible	**consciencieux**	**bon en . . .**	**timide**

J'ai une cousine qui s'appelle Béatrice. Je suis plus jeune qu'elle mais elle est plus petite que moi. Elle est plus sportive que moi, mais je pense que je suis plus sérieuse qu'elle. Je suis meilleure en français qu'elle, mais je ne suis pas aussi bonne qu'elle en maths...

(sample answer)
J'ai un frère qui s'appelle Paul. Je suis plus jeune que lui et il est plus grand que moi. Il est moins timide que moi, mais je suis plus patient(e) que lui. Il n'est pas aussi bon que moi en français, mais il est meilleur que moi en maths.

LEÇON 27 Corinne a une idée

A

Activité 1 La comparaison

Complétez les phrases avec les adjectifs donnés, en les mettant à la forme comparative (**plus, moins + adjectif**).

lourd	**rapide**	**chaud**	**gentil**	**bon marché**

1. À [Paris], il fait moins chaud qu'à [la plage].
2. Une [pomme de terre] est plus lourde qu'une [cerise].
3. En général, les [tennis 50€] sont meilleur marché que les [chaussures 100€].
4. Évidemment, ma [vélo] est moins rapide que ta [moto].
5. [garçon] est sympa, mais [garçon] est encore plus gentil.

Activité 2 L'adverbe

Choisissez l'adverbe qui convient.

longtemps
lentement
mieux
tard
tôt
vite

1. Céline Dion chante mieux que moi.
2. Comme il pleut, il faut conduire plus lentement que d'habitude.
3. Ma petite soeur de quatre ans se couche plus tôt que moi.
4. Ma mobylette va aussi vite que ton scooter.
5. Mon père rentre du travail plus tard que ma mère.

Activité 3 La comparaison et le superlatif

Complétez les phrases avec un comparatif ou un superlatif, suivant l'indication.

le plus rapide	**moins vite**	**meilleur**	**mieux**	**la plus grande**

1. Olivier parle mieux français que Robert.
2. La robe est meilleur marché que la jupe.
3. Véronique est la plus grande de sa famille.
4. Philippe court moins vite que moi.
5. Le TGV est le train le plus rapide rapide d'Europe.

URB p. 85

Nom ________________________________

Classe ____________________ Date ____________________

Discovering FRENCH Nouveau!

BLANC

B

Activité 1 La comparaison

Complétez les phrases en choisissant un adjectif et en le mettant à la forme comparative.

grand **lourd** **cher** **froid** **bon marché**

1. Un [sandwich] coûte moins cher qu'un [salade].
2. Ces [25€] sont meilleur marché que ces [50€].
3. En [ven 4 JAN], il fait plus froid qu'en [jeu 5 JUIL].
4.  [person] est moins grand que [person].
5. Un [laptop] est moins lourd qu'un [computer].

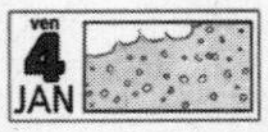

Activité 2 Est-ce logique?

Les phrases suivantes sont-elles logiques ou pas? À vous de décider.

	logique	pas logique
1. Quand il pleut, je conduis plus prudemment que d'habitude.	☑	❒
2. Un scooter va aussi vite qu'une voiture.	❒	☑
3. J'étudie plus sérieusement en période d'examens.	☑	❒
4. Nous nous réveillons plus tôt le samedi que le mercredi.	❒	☑
5. Je m'habille mieux quand je vais au restaurant.	☑	❒

Activité 3 Correspondances

Faites correspondre le début et la fin de chaque phrase.

b	1. Pour moi, la fête la plus importante,	a. c'est la girafe.
e	2. Le dessert le plus délicieux,	b. c'est le jour d'action de grâce.
d	3. Mon cadeau d'anniversaire le plus utile,	c. c'est le chien.
a	4. L'animal le plus grand,	d. c'est un appareil-photo.
c	5. Le meilleur animal domestique,	e. c'est la Tarte Tatin.

C

Activité 1 Des comparaisons (sample answers)

Comparez-vous aux personnes suivantes.

1. (frère ou soeur) Je suis plus grande que ma soeur.
2. (cousin ou cousine) Je parle moins bien français que mon cousin.
3. (grands-parents) Je cours plus vite que mes grands-parents.
4. (meilleur(e) ami(e)) J'étudie plus sérieusement que ma meilleure amie.

Activité 2 Des résolutions (sample answers)

Décrivez vos résolutions du nouvel an, à l'aide des indices donnés.

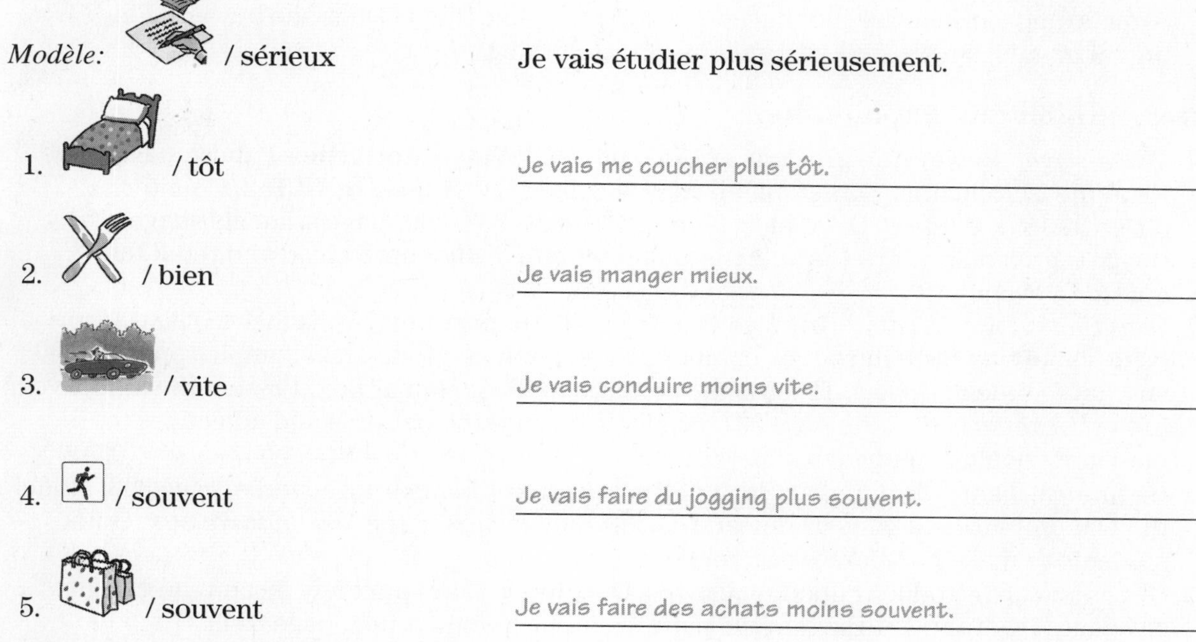

Modèle: / sérieux — Je vais étudier plus sérieusement.

1. / tôt — Je vais me coucher plus tôt.
2. / bien — Je vais manger mieux.
3. / vite — Je vais conduire moins vite.
4. / souvent — Je vais faire du jogging plus souvent.
5. / souvent — Je vais faire des achats moins souvent.

Activité 3 À votre avis . . . (sample answers)

Répondez aux questions en utilisant un superlatif.

1. Quel est l'animal domestique le plus propre? À mon avis, le chat est l'animal domestique le plus propre.
2. Quelle est la meilleure matière au lycée? Le français est la meilleure matière.
3. Quel sport a les athlètes les plus sportifs? Je crois que le basket a les athlètes les plus sportifs.
4. Quel est le plus bel immeuble en ville? Je trouve que la banque est le plus bel immeuble en ville.
5. Quel est le meilleur fruit? Le meilleur fruit, c'est le pomme.

URB p. 87

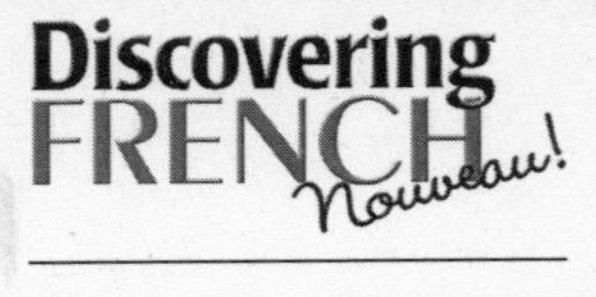

BLANC

LEÇON 27 Corinne a une idée, page 388

Objectives

Communicative Functions and Topics
To express comparisons using descriptive adjectives
To compare actions and how things are done
To talk about when actions are done
To express superlatives and to say who or what is best
To read for pleasure and for information

Linguistic Goals
To use comparative adjectives and adverbs
To use superlative forms

Cultural Goals
To learn about where French people shop for clothing

Motivation and Focus

- ❑ Discuss shopping activities with the photos on pages 388–389. Talk about the items that Armelle and Corinne are looking at: Does Armelle like them? Does she buy anything? Why not? Students can share their opinions of the clothing.

Presentation and Explanation

- ❑ *Vidéo-scène:* Review the previous episode by doing **Video Activities** 1 and 2, page 99. Read the introductory paragraph on page 388 and play **Video** 2 or **DVD** 2, Counter 30:33–32:15 or **Audio** CD 4, Track 17, or read pages 388–389. Have students suggest why the girls are going to see Corinne's grandmother. Ask students to read and retell this episode's events.
- ❑ *Grammar A* and *Vocabulaire:* Use **Overhead Transparency** 7 with the TEACHING TIP on page 390 of the TE to introduce comparative adjectives. Model the examples on page 390 and have students repeat. Discuss the patterns in the grammar box. Present the adjectives in the *Vocabulaire* box on page 391. Students can use the patterns and adjectives to compare people and objects in the room.
- ❑ *Grammar B* and *Vocabulaire:* Present the pattern for comparing adverbs, page 393. Model the examples for students to repeat. Discuss the adverbs in the *Vocabulaire* box. Guide students to make comparative statements.
- ❑ *Grammar C:* Introduce superlatives with **Overhead Transparency** 59 and the TEACHING TIP, page 394 of the TE. Explain the patterns in the grammar box, page 394.

Guided Practice and Checking Understanding

- ❑ Use *Compréhension*, page 389, to check understanding of the *Vidéo-scène*.
- ❑ Use the SPEAKING ACTIVITY: LES TAILLES, pages 390–391 of the TE, to practice using comparative adjectives. Use **Overhead Transparencies** 57 and 58 and the activity at the top of page A142 to practice using comparative adjectives. Practice superlatives with **Transparency** 59 and the activities on page A146.
- ❑ Check listening skills with **Audio** CD 12, Tracks 13–18 or the **Audioscript** and **Workbook** Listening/Speaking Activities A–F, pages 243–244.
- ❑ Have students do **Video Activities** 3–5, pages 100–102, as they view the **Video** or listen while you read the **Videoscript**.

Independent Practice

- ❑ Model the activities on pages 391–395. Do 1 and 3–9 as PAIR PRACTICE. Assign 2 for homework. Redo 7 according to TEACHING STRATEGY: LES CHAMPIONS, page 394 of the TE.
- ❑ Have pairs of students choose one of the following **Communipak** activities: *Interviews* 7–8; *Tu as la parole* 4–6; *Conversations* 5–6; *Échange* 3; *Tête à tête* 3 (pages 151–165). They may also do page 103 of the **Video Activities**.
- ❑ Have students do any appropriate activities in **Activités pour tous**, pages 149–151.

Monitoring and Adjusting

- ❑ Have students do the Writing Activities on **Workbook** pages 245–248.
- ❑ Monitor students' work on the practice activities. Review the grammar and vocabulary sections on pages 390–395 as needed. Use the TEACHING NOTE and LANGUAGE NOTES on pages 390–395 of the TE.

Assessment

- ❑ Administer Quiz 27 on pages 110–111 after completing the lesson. Use the **Test Generator** to adapt the quiz questions to the needs of your class.

Reteaching

- ❑ Redo any appropriate activities from the **Workbook**.
- ❑ Use the **Video** to reteach portions of the lesson.
- ❑ Do **Teacher to Teacher** page 44 for more practice with adjectives and adverbs.

Extension and Enrichment

- ❑ Do CHALLENGE LEVEL and EXPANSION suggestions, page 395 of the TE.

Summary and Closure

- ❑ Have students prepare and present conversations comparing clothing items on **Overhead Transparency** 57. Guide students to summarize the communicative and cultural goals of the lesson.
- ❑ Do PORTFOLIO ASSESSMENT on page 395 of the TE.

End-of-Lesson Activities

- ❑ *À votre tour!*: Have small groups work on Activity 1 on page 395. After students present their role plays, encourage students to do the accompanying EXPANSION activity, page 395 of the TE. Model answers to Activity 1 with **Audio** CD 4, Track 18.
- ❑ *Lecture:* Introduce pages 396–397 with the PRE-READING ACTIVITY, page 396 of the TE. Follow the TEACHING NOTE. Have groups of students read and answer the questions. Follow the suggestions for CLASSROOM MANAGEMENT, page 397 of the TE. Do the OBSERVATION ACTIVITY. Students can prepare their own questions about records with SPECIAL PROJECT, page 396 of the TE. Do **Workbook** Reading and Culture Activities, pages 260–261.

Discovering FRENCH Nouveau!

BLANC

LEÇON 27 Corinne a une idée, page 388

Block Scheduling (2 Days to Complete)

Objectives

Communicative Functions and Topics
To express comparisons using descriptive adjectives
To compare actions and how things are done
To talk about when actions are done
To express superlatives and to say who or what is best
To read for pleasure and for information

Linguistic Goals
To use comparative adjectives and adverbs
To use superlative forms

Cultural Goals
To learn about where French people shop for clothing

Block Schedule

Fun Break Have students work in groups of 3–4 to develop survey questions for "The Best of (your town)." Each group should contribute 2 questions such as *Quelle est la boutique la moins chère de la ville?* and *Quel est le meilleur restaurant de la ville?* Have groups read their questions to the class while a student volunteer writes them on the board. Then do the survey orally with the class. Solicit 3 nominations in each category and have the class vote with a show of hands. ■

Day 1

Motivation and Focus

- ❑ Discuss shopping activities with the photos on pages 388–389. Talk about the items that Armelle and Corinne are looking at: Does Armelle like them? Does she buy anything? Why not? Students can share their opinions of the clothing.

Presentation and Explanation

- ❑ *Vidéo-scène:* Review the previous episode by doing **Video Activities** Activity 1, page 99. Read the introductory paragraph on page 388 and play **Video** 2 or **DVD** 2, Counter 30:33–32:15 or **Audio** CD 4, Tracks 1–7, or read pages 388–389. Have students suggest why the girls are going to see Corinne's grandmother. Ask students to read and retell this episode's events.
- ❑ *Grammar A* and *Vocabulaire:* Use **Overhead Transparency** 7 with the TEACHING TIP on page 390 of the TE to introduce comparative adjectives. Model the examples on page 390 and have students repeat. Discuss the patterns in the grammar box. Present the adjectives in the *Vocabulaire* box on page 391. Students can use the patterns and adjectives to compare people and objects in the room.
- ❑ *Grammar B* and *Vocabulaire:* Present the pattern for comparing adverbs, page 393. Model the examples for students to repeat. Discuss the adverbs in the *Vocabulaire* box. Guide students to make comparative statements.
- ❑ *Grammar C:* Introduce superlatives with **Overhead Transparency** 59 and the TEACHING TIP, page 394 of the TE. Explain the patterns in the grammar box, page 394.

Guided Practice and Checking Understanding

- ❑ Use *Compréhension*, page 389, to check understanding of the *Vidéo-scène*.
- ❑ Use the SPEAKING ACTIVITY: LES TAILLES, pages 390–391 of the TE, to practice using comparative adjectives. Use **Overhead Transparencies** 57 and 58 and the activity at the top of page A142 to practice using comparative adjectives. Practice superlatives with **Transparency** 59 and the activities on page A146.

- ❑ Check listening skills with **Audio** CD 12, Tracks 13–18 or the **Audioscript** and **Workbook** Listening/Speaking Activities A–F, pages 243–244.
- ❑ Have students do **Video Activities** 2–5, pages 99–102, as they view the **Video** or listen while you read the **Videoscript**.

Independent Practice

- ❑ Model the activities on pages 391–395. Do Activities 3 and 6–9 as PAIR PRACTICE. Assign Activities 1, 2, 4, and 5 as written work. Redo Activity 7 according to TEACHING STRATEGY: LES CHAMPIONS, page 394 of the TE.
- ❑ Have pairs of students choose from among the following **Communipak** activities: *Interviews* 7–8; *Tu as la parole* 4–6; *Échange* 3; *Tête à tête* 3 (pages 151–165) for pair practice.
- ❑ Have students do any appropriate activities in **Activités pour tous**, pages 149–151.

Day 2

Motivation and Focus

- ❑ Have students do *Conversations* 5 and 6 on pages 155–156 of **Communipak**.

Monitoring and Adjusting

- ❑ Have students do the Writing Activities on **Workbook** pages 245–248. Review the grammar and vocabulary sections on pages 390–395 as needed. Use the TEACHING NOTE and LANGUAGE NOTES on pages 390–395 of the TE.
- ❑ Use Activity 6 on page 103 of the **Video Activities** to monitor use of comparative adjectives.

End-of-Lesson Activities

- ❑ *À votre tour!:* Have small groups work on Activity 1 on page 395. Model answers to the activity with **Audio** CD 4, Track 18.
- ❑ *Lecture:* Introduce pages 396–397 with the PRE-READING ACTIVITY, page 370 of the TE. Follow the TEACHING NOTE. Have groups of students read and answer the questions. Follow the suggestions for CLASSROOM MANAGEMENT, page 397 of the TE. Do the OBSERVATION ACTIVITY.

Reteaching (as needed)

- ❑ Use the **Video** to reteach portions of the lesson.
- ❑ Do **Teacher to Teacher** page 44 for more practice with adjectives and adverbs.

Extension and Enrichment (as desired)

- ❑ Use **Block Scheduling Copymasters**, pages 217–224.
- ❑ Have students do the **Block Schedule Activity** at the top of the previous page.
- ❑ Do CHALLENGE LEVEL and EXPANSION suggestions, page 395 of the TE.
- ❑ For expansion activities, refer students to www.classzone.com.
- ❑ Have students write their own world records by doing the SPECIAL PROJECT, page 396 of the TE.

Summary and Closure

- ❑ Have students prepare and present conversations comparing clothing items on **Overhead Transparency** 57. Guide students to summarize the communicative and cultural goals of the lesson.
- ❑ Do PORTFOLIO ASSESSMENT on page 395 of the TE.

Assessment

- ❑ Administer Quiz 27 on pages 110–111 after completing the lesson. Use the **Test Generator** to adapt the quiz questions to the needs of your class.

Nom ______________________________

Classe ____________________ Date ______________

Discovering FRENCH *Nouveau!*

B L A N C

LEÇON 27 Vidéo-scène: Corinne a une idée, pages 388–389

Materials Checklist

- ❑ **Student Text**
- ❑ **Audio CD** 4, Track 17; **Audio** CD 12, Tracks 13–14
- ❑ **Video** 2 or **DVD** 2, Counter 30:33–32:15
- ❑ **Workbook**

Steps to Follow

- ❑ Before you watch the **Video** or **DVD**, or listen to the **CD**, read *Compréhension* (p. 389). This will help you understand what you see and hear.
- ❑ Look at the photos on pages 388–389 while you read the text. Write down any unfamiliar words or expressions. Check meanings. Listen to **Audio** CD 4, Track 17.
- ❑ Watch **Video** 2 or **DVD** 2, Counter 30:33–32:15. Pause and replay if necessary.
- ❑ Do Listening/Speaking Activities, Section 1, Activities A–B in the **Workbook** (p. 243). Use **Audio CD** 12, Tracks 13–14.
- ❑ Answer the questions in *Compréhension* (p. 389).

If You Don't Understand . . .

- ❑ Watch the **Video** or **DVD** in a quiet place. Try to stay focused. If you get lost, stop the video or **DVD**. Replay it and find your place.
- ❑ Listen to the **CDs** in a quiet place. If you get lost, stop the **CDs**. Replay them and find your place. Repeat what you hear. Try to sound like the people on the recording.
- ❑ On a separate sheet of paper, write down new words and expressions. Check meanings.
- ❑ Say aloud anything you write. Make sure you understand everything you say.
- ❑ Write down any questions so that you can ask your partner or your teacher later.

Self Check

Répondez aux questions suivantes.

1. Qu'est-ce qu'Armelle voudrait acheter?
2. Qu'est-ce qu'elle cherche?
3. Que pense Armelle de la jupe et de la veste que Corinne lui montre?
4. Pourquoi n'aime-t-elle pas la deuxième robe que Corinne lui montre?
5. Comment sont les robes de la grand-mère de Corinne?

Answers

1. Armelle voudrait acheter une nouvelle robe. 2. Elle cherche quelque chose d'original, mais de pas trop cher. 3. Ce n'est pas très original. 4. Elle n'aime pas la deuxième robe parce qu'elle n'est pas jolie. 5. Les robes de la grand-mère de Corinne sont anciennes et très chouettes.

A. Le comparatif des adjectifs, pages 390–392

Materials Checklist

- ❑ **Student Text**
- ❑ **Audio CD** 12, Tracks 15–16
- ❑ **Workbook**

Steps to Follow

- ❑ Study *Le comparatif des adjectifs* (p. 390). Copy the model sentences. Say them aloud. What is the comparative of **bon / bonne**?
- ❑ Do Activity 1 in the text (p. 391). Underline the comparative expression in each sentence. Say your answers aloud.
- ❑ Study *Vocabulaire: Quelques adjectifs* (p. 391). Say the adjectives aloud.
- ❑ Do Listening/Speaking Activities, Section 2, Activities C–D in the **Workbook** (p. 243). Use **Audio** CD 12, Tracks 15–16.
- ❑ Do Activity 2 in the text (p. 392). Underline the comparative expression in each answer.
- ❑ Do Activity 3 in the text (p. 392). Write the dialogues in complete sentences. Underline the comparative expressions. Say the dialogues aloud.
- ❑ Do Writing Activities A 1–2 in the **Workbook** (p. 245).

If You Don't Understand . . .

- ❑ Reread activity directions. Put the directions in your own words.
- ❑ Read the model several times. Be sure you understand it.
- ❑ Say aloud everything that you write. Be sure you understand what you are saying.
- ❑ When writing a sentence, ask yourself, "What do I mean? What am I trying to say?"
- ❑ Listen to the **CD** in a quiet place. Try to stay focused. If you get lost, stop the **CD**. Replay it and find your place.
- ❑ Write down any questions so that you can ask your partner or your teacher later.

Self Check

Comparez les choses suivantes d'après le modèle.

▶ une voiture / grand / vélo
Une voiture est plus grande qu'un vélo.

1. une bicyclette / rapide / une voiture de sport
2. une veste de laine / chaude / un tee-shirt
3. un stylo / utile / un crayon
4. un soda / chaud / un café
5. un thé glacé / froid / un chocolat chaud

Answers

1. Une bicylette est moins rapide qu'une voiture de sport. 2. Une veste de laine est plus chaude qu'un tee-shirt. 3. Un stylo est aussi utile qu'un crayon. 4. Un soda est moins chaud qu'un café. 5. Un thé glacé est plus froid qu'un chocolat chaud.

Nom ______________________________

Classe ______________________ Date ______________

Discovering FRENCH *Nouveau!*

BLANC

B. Le comparatif des adverbes, page 393

Materials Checklist

- ❑ **Student Text**
- ❑ **Audio** CD 12, Track 17
- ❑ **Workbook**

Steps to Follow

- ❑ Study *Le comparatif des adverbes* (p. 393). Say the model sentences aloud. What is the comparative form of **bien**?
- ❑ Study *Vocabulaire: Quelques adverbes* (p. 393). Say the model sentences aloud. Note where to put the adverb in the sentence.
- ❑ Do Listening/Speaking Activities, Section 2, Activity E in the **Workbook** (p. 244). Use **Audio** CD 12, Track 17.
- ❑ Do Activity 5 the text (p. 393). Write the answers in complete sentences. Circle the comparative adverb in each sentence. Read your answers aloud.
- ❑ Do Writing Activity B 3 in the **Workbook** (p. 246).

If You Don't Understand . . .

- ❑ Reread activity directions. Put the directions in your own words.
- ❑ Read the model several times. Be sure you understand it.
- ❑ Say aloud everything that you write. Be sure you understand what you are saying.
- ❑ When writing a sentence, ask yourself, "What do I mean? What am I trying to say?"
- ❑ Listen to the **CD** in a quiet place. Try to stay focused. If you get lost, stop the **CD**. Replay it and find your place.
- ❑ Write down any questions so that you can ask your partner or your teacher later.

Self Check

Faites des phrases complètes, d'après le modèle.

▶ il / parler / plus / vite / moi
Il parle plus vite que moi.

1. voiture de sport / aller / plus / vite / qu'un vélo
2. short / être / moins / élégant / tailleur
3. sandales / être / aussi / confortable / tennis
4. je / regarder / télé / plus / souvent / toi
5. Anne / jouer au tennis / aussi / fréquemment / Henri
6. nous / rendre visite / parents / moins / souvent / lui

Answers

1. Une voiture de sport va plus vite qu'un vélo. 2. Un short est moins élégant qu'un tailleur. 3. Les sandales sont aussi confortables que les tennis. 4. Je regarde la télé plus souvent que toi. 5. Anne joue au tennis aussi fréquemment qu'Henri. 6. Nous rendons visite à nos parents moins souvent que lui.

C. Le superlatif des adjectifs, pages 394–395

Materials Checklist

- ❑ **Student Text**
- ❑ **Audio** CD 4, Track 18; **Audio** CD 12, Track 18
- ❑ **Workbook**

Steps to Follow

- ❑ Study *Le superlatif des adjectifs* (p. 394). Say the model sentences aloud. What is the superlative form of **bon / bonne**?
- ❑ Do Listening/Speaking Activities, Section 2, Activity F in the **Workbook** (p. 244). Use **Audio** CD 12, Track 18.
- ❑ Do Activities 6 and 7 in the text (p. 394). Write the answers in complete sentences. Circle the superlative adjectives in each sentence. Read your answers aloud.
- ❑ Do Activity 8 in the text (p. 395). Underline the superlative adjectives in your answers. Say your answers aloud.
- ❑ Do Activity 9 in the text (p. 395). Write the dialogues in complete sentences. Read the dialogues aloud.
- ❑ Do Writing Activities C 4–5 and 6 in the **Workbook** (pp. 246–247).
- ❑ Do Activity 1 of *À votre tour!* in the text (p. 395). Use **Audio** CD 4, Track 18.

If You Don't Understand . . .

- ❑ Reread activity directions. Put the directions in your own words.
- ❑ Read the model several times. Be sure you understand it.
- ❑ Say aloud everything that you write. Be sure you understand what you are saying.
- ❑ When writing a sentence, ask yourself, "What do I mean? What am I trying to say?"
- ❑ Listen to the **CDs** in a quiet place. Try to stay focused. If you get lost, stop the **CDs**. Replay them and find your place.
- ❑ Write down any questions so that you can ask your partner or your teacher later.

Self Check

Faites des phrases complètes, d'après le modèle. Mettez les adjectifs à la forme superlative.

▶ voiture / cher (plus)
C'est la voiture la plus chère.

1. garçon / intelligent (moins)
2. dessert / délicieux (plus)
3. sandales / confortable (plus)
4. film / intéressant (moins)
5. robe / joli (plus)
6. costume / élégant (moins)

Answers

1. C'est le garçon le moins intelligent. 2. C'est le dessert le plus délicieux. 3. Ce sont les sandales les plus confortables. 4. C'est le film le moins intéressant. 5. C'est la robe la plus jolie. 6. C'est le costume le moins élégant.

Nom ____________________

Classe ____________________ Date ____________________

Discovering FRENCH Nouveau!

BLANC

LEÇON 27 Corinne a une idée

Un sondage

Ask family members if they get up early on Saturday morning. Include the information about two or more family members, or include yourself and one other family member.

- First, explain your assignment.
- Next, ask the question, **Est-ce que tu te lèves tôt le samedi matin?**
- When you have completed the poll, summarize your answers in the space below.

	Oui	Non
Family Member:		
Family Member:		
Family Member:		

Nom ______________________________ Discovering FRENCH Nouveau!

Classe ______________________ Date ______________

BLANC

Le meiller acteur

Take a poll. Ask family members who they think is the best American actor and actress. Include the answers for two or more family members, or include one other family member and yourself.

- First, explain your assignment.
- Next, ask the question, **À ton avis, qui est le meilleur acteur américain et la meilleure actrice américaine?**
- When you have completed the poll, write your results in the space below.

	Acteur	**Actrice**
Family member:		
Family member:		
Family member:		

URB p. 97

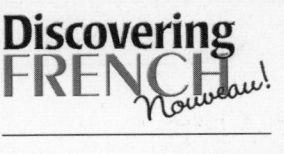

LEÇON 27 Corinne a une idée

Cultural Commentary

- Armelle and Corinne are shopping in the older part of Annecy; the streets are winding and narrow.
- The typical flashing green cross to the left announces the presence of **une pharmacie**. Before trying to schedule an appointment with the doctor, French people often go to the local pharmacist for minor medical problems. The **pharmacien** offers medical advice and suggests over-the-counter remedies.
- The hangers in the boutique are wooden, as is the floor. Many older French buildings and homes have wooden or parquet floors which are covered with scatter rugs in seating and relaxing areas as well as areas of high traffic pattern.

Grammar Correlation

A Le comparatif des adjectifs (Student text, p. 390)

Corinne: Regarde cette robe! Elle est **plus jolie?**
Armelle: Elle est aussi beaucoup **plus chère!**
Corinne: Et cette robe-ci? Elle est **moins chère!**
Armelle: Oui, elle est **moins chère**, mais elle est **moins jolie.**

C Le superlatif des adjectifs (Student text, p. 394)

Corinne: Je parie que c'est la robe **la plus chère** du magasin!

Nom ______________________________

Classe ______________________ Date ______________

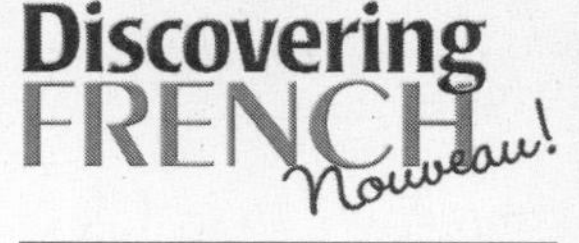

BLANC

LEÇON 27 Corinne a une idée

Video 2, DVD 2

Activité 1. Tu te rappelles?

Do you remember what happened in the last episode? Before watching the next video scene, unscramble the letters in the boxes. Then, complete the sentences below with the appropriate words.

«Armelle voudrait acheter quelque chose

de (d') (1) ______________ **céplais**

pour aller à la (2) ______________ **orésie**

de Pierre. Elle cherche quelque chose

de (d') (3) ______________ **nailigro**

mais de pas trop (4) ______________. **rech**

Corinne lui a suggéré d'aller dans une

boutique qui a souvent des

(5) ______________. Armelle **dosels**

et Corinne sont maintenant dans cette

(6) ______________. **toubequi**

Activité 2. Vérifie!

Counter 30:40–31:13

Now correct Activity 1 above as you watch the first segment of the video.

Nom ____

Classe ______________________________ Date __________________

Discovering FRENCH Nouveau!

BLANC

Activité 3. Dans la boutique

Counter 31:14–32:15

What will Corinne and Armelle find in the boutique? As you watch the video, decide whether the statements below are true or false. Then, mark an "X" in the appropriate box.

	vrai	faux
1. Corinne regarde une jupe et un chemisier.	❐	❐
2. Armelle pense que c'est très original.	❐	❐
3. La robe est plus jolie.	❐	❐
4. Elle est aussi plus chère.	❐	❐
5. La deuxième robe est moins jolie.	❐	❐
6. Les robes ne sont pas chères.	❐	❐
7. La grand-mère de Corinne a des robes anciennes très chouettes.	❐	❐
8. Armelle n'aime pas l'idée de Corinne.	❐	❐

▶ Tu as bien compris?

Question: Corinne dit que sa grand-mère a des tas de robes anciennes. Combien de robes a-t-elle?

Réponse: Elle en a **a.** beaucoup **b.** peu

(Entoure [circle] la lettre de la bonne réponse.)

EXPRESSION POUR LA CONVERSATION: Je parie que . . .

A. When Corinne notices the price of the first dress, she exclaims, **«Je parie que c'est la robe la plus chère du magasin!»**

What is she saying about the dress?

____

B. Although somewhat different in meaning, write another expression that could be substituted for **Je parie que . . .** in the sentence above.

____

Activité 4. Je parie que . . .

What do you think is going to happen in French class tomorrow? Using the expression **Je parie que . . .**, write a complete sentence in the first bubble. Then, get together with a classmate. Share your answers and record your partner's prediction in the second bubble. Finally, agree on one thing that will happen (either one of your answers or another possibility) and write your prediction in the third bubble.

TOI

TON/TA CAMARADE:

VOUS DEUX:

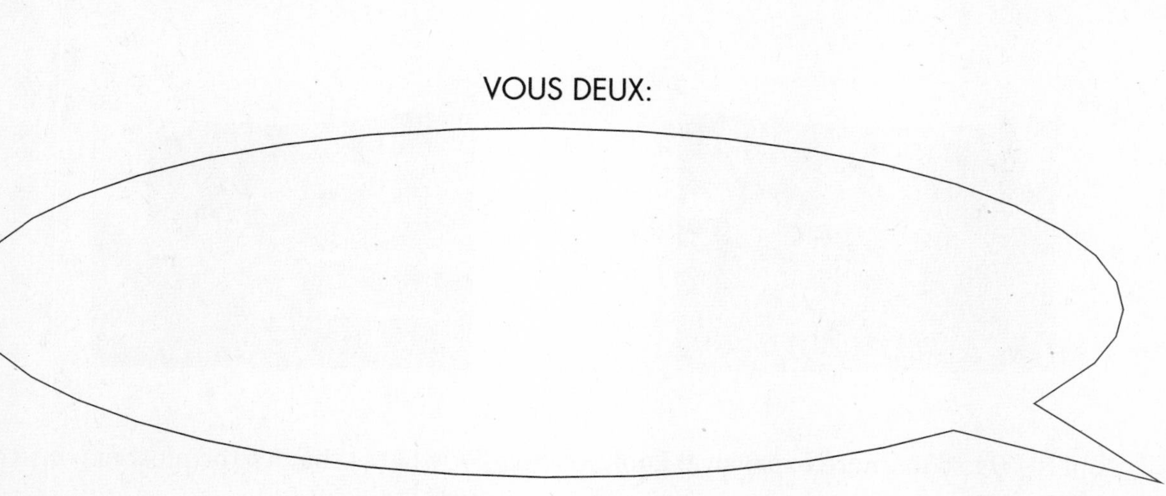

*Answers: A. "**I bet (that)** it's the most expensive dress in the store!" B. **Je pense (crois) que . . .**

Nom ______________________________

Classe ____________________ Date ______________

Discovering FRENCH Nouveau!

BLANC

Activité 5. En français, s'il te plaît!

As the book designer was preparing the first segment of this video scene, she could not locate the script. Fortunately, the English version had already been pasted in. Help Christy by filling in the bubbles with the French version of the dialogue.

1. "What do you think of this dress and this jacket?"
2. "It's not bad . . . but it's not very original."
3. "Look at this dress. Is it prettier?"
4. "Yes, you're right. It's much prettier!"

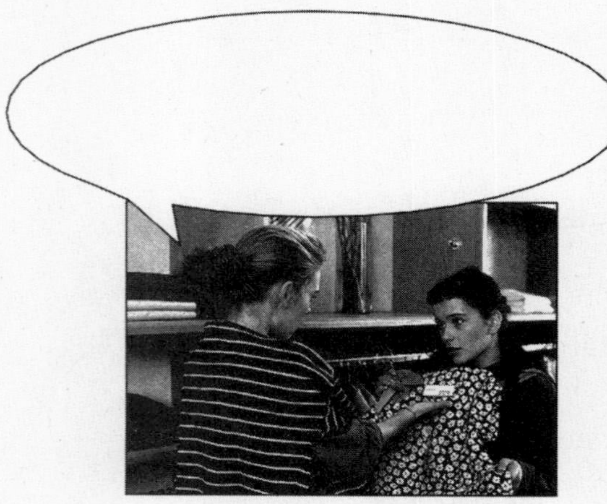

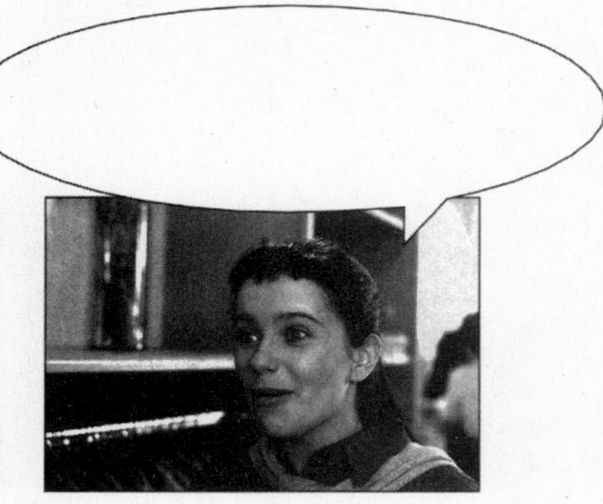

5. "But it's also a lot more expensive! Look at the price!"
6. "Wow! I bet that it's the most expensive dress in the store!"

Activité 6. Une présentation de modèles

Are you ready to be in a fashion show? To prepare yourself, follow the five steps below.

1. In Box A, "dress the dummy" by drawing in the clothing and accessory items that you are wearing today. Label each item including the color, fabric or material and pattern. (If necessary, refer to p. 375 of your text.)
2. Get together with a classmate. You have five seconds to study what your partner is wearing. Then, sit back-to-back and describe your partner's outfit **(Aujourd'hui, tu portes un tee-shirt jaune uni . . .)**. Your classmate will then describe what you are wearing. Turn around and look at each other again. Did you mention and describe all items?
3. In Box B, draw and label your partner's clothing and accessory items.
4. Now, compare your outfits in Boxes A and B using the following words: **grand ou petit, court ou long (longue), étroit ou large. (Ce jean-ci est plus large que ce jean-là,** etc.)
5. Finally, prepare a short «**présentation de modèles**» where you describe your partner's outfit as he/she models the clothing. Then your partner will narrate the commentary as you model your outfit. *Souriez!*

BOX A

BOX B

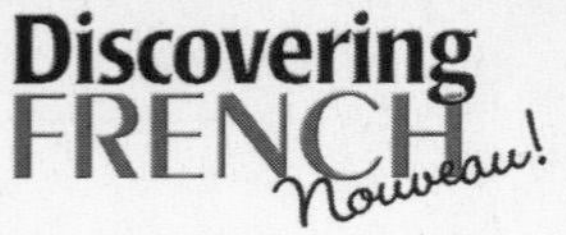

BLANC

LEÇON 27 Vidéo-scène: Corinne a une idée

Video 2, DVD 2

30:33–32:15

Counter 30:40–31:13 1. CLAIRE: Armelle voudrait acheter quelque chose de spécial pour aller à la soirée de Pierre. Elle cherche quelque chose d'original, mais de pas trop cher. Corinne lui a suggéré d'aller dans une boutique qui a souvent des soldes. Armelle et Corinne sont maintenant dans cette boutique. Regardez et écoutez.

Counter 31:14–31:27 2. CORINNE: Qu'est-ce que tu penses de cette jupe et de cette veste?
ARMELLE: Oui, c'est pas mal, mais ce n'est pas très original.

Counter 31:28–31:40 3. CORINNE: Regarde cette robe! Elle est plus jolie?
ARMELLE: Oui, tu as raison! Elle est beaucoup plus jolie. Mais elle est aussi beaucoup plus chère! Regarde le prix!
CORINNE: Oh là là! Je parie que c'est la robe la plus chère du magasin!

Counter 31:41–31:56 4. CORINNE: Et cette robe-ci? Elle est moins chère?
ARMELLE: Euh . . . oui, elle est moins chère, mais elle est moins jolie. Et regarde, elle est trop longue pour moi. Vraiment, ces robes sont chères.

Counter 31:57–32:15 5. CORINNE: J'ai une idée.
ARMELLE: Quoi?
CORINNE: J'ai une grand-mère qui a des tas de robes anciennes très chouettes. On peut aller chez elle. Je suis sûre qu'on va trouver quelque chose d'intéressant. Qu'est-ce que tu en penses?
ARMELLE: Oui, excellente idée! Allons chez ta grand-mère!

LEÇON 27 Corinne a une idée

PE AUDIO

CD 4, Track 17

Vidéo-scène, p. 388

CLAIRE: Armelle voudrait acheter une nouvelle robe pour aller à la soirée de Pierre. Elle cherche quelque chose d'original, mais de pas trop cher. Corinne lui a suggéré d'aller dans une boutique qui a souvent des soldes.
Armelle et Corinne sont maintenant dans cette boutique.

CORINNE: Qu'est-ce que tu penses de cette jupe et de cette veste?

ARMELLE: Oui, c'est pas mal . . . mais ce n'est pas très original.

CORINNE: Regarde cette robe! Elle est plus jolie?

ARMELLE: Oui, tu as raison! Elle est beaucoup plus jolie. Mais elle est aussi beaucoup plus chère! Regarde le prix!

CORINNE: Oh là là! Je parie que c'est la robe la plus chère du magasin!
Et cette robe-ci? Elle est moins chère?

ARMELLE: Euh . . . oui, elle est moins chère, mais elle est moins jolie.
Et regarde, elle est trop longue pour moi.
Vraiment, ces robes sont chères.

CORINNE: J'ai une idée . . .

ARMELLE: Quoi?

CORINNE: J'ai une grand-mère qui a des tas de robes anciennes très chouettes. On peut aller chez elle. Je suis sûre qu'on va trouver quelque chose d'intéressant. Qu'est-ce que tu en penses?

ARMELLE: Oui, excellente idée! Allons chez ta grand-mère!

CLAIRE: Les deux amies sortent du magasin pour aller chez la grand-mère de Corinne.

À votre tour

CD 4, Track 18

1. Situation: En visite, p. 395

Finalement Jérôme est venu aux États-Unis. Il passe quelques jours à Boston.

- Je sais qu'il y a beaucoup de musées intéressants à Boston. Quel est le musée le plus intéressant?
- Je voudrais dîner dans un restaurant de poisson, mais je n'ai pas beaucoup d'argent. Quel est le restaurant de poisson le meilleur marché?
- Je voudrais acheter des CD parce que j'aime beaucoup la musique américaine. Quelle est la boutique qui offre la meilleure sélection de CD?
- Finalement, je voudrais acheter des vêtements, mais je ne veux pas trop dépenser. Quelle est la boutique qui offre les meilleurs prix?

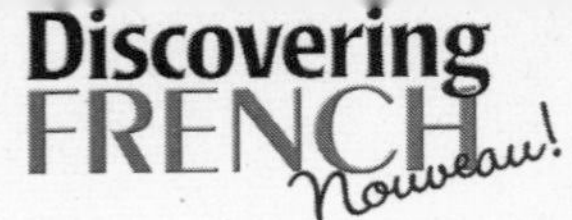

WORKBOOK AUDIO

Section 1. Vidéo-scène

CD 12, Track 14

Activité A. Compréhension générale, p. 388

Allez à la page 388 de votre texte.

CLAIRE: Armelle voudrait acheter quelque chose de spécial pour aller à la soirée de Pierre. Elle cherche quelque chose d'original, mais de pas trop cher. Corinne lui a suggéré d'aller dans une boutique qui a souvent des soldes.
Armelle et Corinne sont maintenant dans cette boutique.

CORINNE: Qu'est-ce que tu penses de cette jupe et de cette veste?

ARMELLE: Oui, c'est pas mal . . . mais ce n'est pas très original.

CORINNE: Regarde cette robe! Elle est plus jolie?

ARMELLE: Oui, tu as raison! Elle est beaucoup plus jolie. Mais elle est aussi beaucoup plus chère!
Regarde le prix!

CORINNE: Oh là là! Je parie que c'est la robe la plus chère du magasin!
Et cette robe-ci? Elle est moins chère?

ARMELLE: Euh . . . oui, elle est moins chère, mais elle est moins jolie.
Et regarde, elle est trop longue pour moi.
Vraiment, ces robes sont chères.

CORINNE: J'ai une idée . . .

ARMELLE: Quoi?

CORINNE: J'ai une grand-mère qui a des tas de robes anciennes très chouettes. On peut aller chez elle. Je suis sûre qu'on va trouver quelque chose d'intéressant. Qu'est-ce que tu en penses?

ARMELLE: Oui, excellente idée! Allons chez ta grand-mère!

CLAIRE: Les deux amies sortent du magasin pour aller chez la grand-mère de Corinne.

CD 12, Track 14

Activité B. Avez-vous compris?

Maintenant ouvrez votre cahier d'activités. Écoutez bien et indiquez si les phrases suivantes sont vraies ou fausses. Vous allez entendre chaque phrase deux fois. Êtes-vous prêts?

1. Corinne et Armelle vont dans une boutique qui a souvent des soldes. #
2. La robe est plus jolie que la veste et la jupe. #
3. La robe n'est pas très chère. #
4. La robe qui est moins chère est moins jolie. #
5. La robe qui est moins chère est trop courte. #
6. La grand-mère de Corinne a des tas de robes nouvelles. #
7. Corinne et Armelle décident d'aller chez la grand-mère de Corinne. #

Maintenant, corrigez vos réponses.

6. Corinne et Armelle vont dans une boutique qui a souvent des soldes. Vrai.
7. La robe est plus jolie que la veste et la jupe. Vrai.
8. La robe n'est pas très chère. Faux. La robe est très chère. Corinne pense que c'est la robe la plus chère du magasin!
9. La robe qui est moins chère est moins jolie. Vrai.
10. La robe qui est moins chère est trop courte. Faux. Elle est trop longue.
11. La grand-mère de Corinne a des tas de robes nouvelles. Faux. Elle a des tas de robes anciennes.
12. Corinne et Armelle décident d'aller chez la grand-mère de Corinne. Vrai.

Section 2. Langue et communication

CD 12, Track 15

Activité C. Descriptions

You will hear a question about each illustration in your workbook. Respond logically.

Modèle: Est-ce que ce problème est facile ou difficile?
Ce problème est facile.

1. Est-ce que cette soupe est chaude ou froide? #
   Cette soupe est chaude.
2. Est-ce que ce chien est gentil ou méchant? #
   Ce chien est gentil.
3. Est-ce que cet homme est fort ou faible? #
   Cet homme est fort.
4. Est-ce que cette voiture est rapide ou lente? #
   Cette voiture est lente.
5. Est-ce que ces bracelets sont chers ou bon marché?
   Ces bracelets sont bon marché.
6. Est-ce que ce dictionnaire est utile ou inutile? #
   Ce dictionnaire est utile.

CD 12, Track 16

Activité D. Plus ou moins

You will hear a question about each picture. Answer using **plus . . . que, moins . . . que,** or **aussi que,** as appropriate.

Modèle A: Est-ce que le blouson est plus cher que la veste?
Oui, le blouson est plus cher que la veste.

Modèle B: Est-ce que le bracelet est plus cher que le collier?
Non, le bracelet est moins cher que le collier.

Modèle C: Est-ce que les baskets sont moins chers que les tennis?
Non, les baskets sont aussi chers que les tennis.

1. Est-ce que la robe est plus chère que la jupe? #
   Oui, la robe est plus chère que la jupe.

12. Est-ce que la cravate est plus chère que la ceinture? #
   Non, la cravate est moins chère que la ceinture.

3. Est-ce que le maillot de bain est moins cher que les lunettes de soleil? #
   Non, le maillot de bain est aussi cher que les lunettes de soleil.
4. Est-ce que Julien est plus fort que Matthieu? #
   Non, Julien est moins fort que Matthieu.
5. Est-ce que la moto est plus rapide que le vélo?
   Oui, la moto est plus rapide que le vélo.
6. Est-ce que Brutus est moins méchant que Néron?
   Non, Brutus est aussi méchant que Néron.

CD 12, Track 17

Activité E. Vrai ou faux?

You will hear statements about each of the pictures in your workbook. Indicate if these statements are true or false.

Modèle: La petite voiture va plus vite que la grande voiture.
You would mark **vrai:** the little car is going faster than the big car.

1. Le scooter va plus lentement que la moto. #
2. Philippe arrive plus tard que Marc. #
3. Alice se lève plus tôt que Julie. #
4. Jacques s'habille plus élégamment que Bernard. #
5. Médor mange plus vite que Fifi. #
6. Christine joue mieux que Richard. #
7. Sylvie nage mieux que Nathalie. #

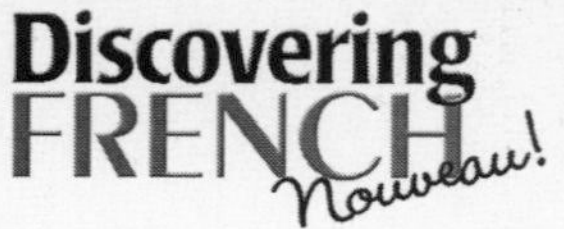

Now check your work.

1. Le scooter va plus lentement que la moto. Vrai.
2. Philippe arrive plus tard que Marc. Vrai.
3. Alice se lève plus tôt que Julie. Faux.
4. Jacques s'habille plus élégamment que Bernard. Faux.
5. Médor mange plus vite que Fifi. Vrai.
6. Christine joue mieux que Richard. Vrai.
7. Sylvie nage mieux que Nathalie. Faux.

CD 12, Track 18

Activité F. Comparaisons

Look at the three pictures for each item in your workbook. Listen to each question carefully and give an appropriate answer.

Modèle: Quel est le problème le plus difficile?
Le premier problème est le plus difficile.

1. Quel est le problème le plus facile? #
   Le troisième problème est le plus facile.
2. Quelle est la voiture la plus rapide? #
   La deuxième voiture est la plus rapide.
3. Quelle est le collier le plus cher? #
   Le premier collier est le plus cher.
4. Quelles sont les chaussures les plus confortables? #
   Les premières chaussures sont les plus confortables.
5. Quel est le chien le plus méchant? #
   Le troisième chien est le plus méchant.
6. Quel est le tailleur le moins cher? #
   Le premier tailleur est le moins cher.
7. Quel est l'étudiant le plus intelligent?
   Le troisième étudiant est le plus intelligent.
8. Quel est le paquet le moins lourd? #
   Le deuxième paquet est le moins lourd.

LESSON 27 QUIZ

CD 11, Track 9

A. Conversations

You will hear a series of short conversations. These conversations are incomplete. Select the most logical continuation of each conversation and circle the corresponding letter: a, b, or c. You will hear each conversation twice.

Écoutez.

Conversation 1. Carole téléphone à Jean-Paul.

CAROLE: Tu as regardé le match Bordeaux-Strasbourg à la télé hier soir?
JEAN-PAUL: Non. Qui a gagné?
CAROLE: L'équipe de Bordeaux.
JEAN-PAUL: Mais d'habitude elle ne joue pas bien!

Conversation 2. Cécile et François sont dans une boutique de chaussures.

CÉCILE: Combien coûtent les chaussures noires?
FRANÇOIS: 100 euros.
CÉCILE: Et les chaussures jaunes?
FRANÇOIS: Elles sont moins chères.
CÉCILE: Ah bon? Combien coûtent-elles?

Conversation 3. Un touriste va à l'Office du Tourisme. Il parle à une employée.

LE TOURISTE: Pardon, madame. Je cherche un hôtel.
L'EMPLOYÉE: Je vous recommande l'Hôtel Excelsior.
LE TOURISTE: C'est un bon hôtel?
L'EMPLOYÉE: Oui, c'est le meilleur hôtel de la ville.
LE TOURISTE: Combien coûte-t-il?
L'EMPLOYÉE: 350 euros par nuit.

Conversation 4. Marc et Sophie sont dans un grand magasin.

MARC: Tu vas acheter le pantalon bleu ou le pantalon noir?
SOPHIE: Le pantalon noir.
MARC: Ah bon? Pourquoi?
SOPHIE: Il est plus joli.
MARC: Oui, mais il est beaucoup plus cher.

Conversation 5. Isabelle et Julien sont dans un magasin de vêtements.

ISABELLE: Alors, tu vas acheter la veste ou le blouson?
JULIEN: Je vais acheter le blouson.
ISABELLE: Mais il est moins élégant que la veste.
JULIEN: C'est possible, mais il est meilleur marché et . . . chose plus importante . . . il est plus chaud.

Conversation 6. Thomas parle à Claire.

THOMAS: En général, à quelle heure est-ce que tu te lèves le dimanche?
CLAIRE: À neuf heures.
THOMAS: Et dimanche prochain?
CLAIRE: Nous allons aller à la campagne. Alors, je vais me lever plus tôt.
THOMAS: Ah bon? À quelle heure?

Nom ____________________

Classe ____________________ Date ____________________

Discovering FRENCH Nouveau!

BLANC

QUIZ 27

Part I: Listening

A. Conversations (30 points: 5 points each)

You will hear a series of short conversations. These conversations are incomplete. Select the most logical continuation of each conversation and circle the corresponding letter: a, b, or c.

Conversation 1. Carole téléphone à Jean-Paul. *Carole répond:*

a. Elle a perdu.
b. Elle était fatiguée.
c. C'est possible, mais hier elle était meilleure.

Conversation 2. Cécile et François sont dans une boutique de chaussures. *François répond:*

a. 60 euros.
b. 150 euros.
c. 400 euros.

Conversation 3. Un touriste va à l'Office du Tourisme. Il parle à une employée. *Le touriste* répond:

a. Il est très confortable.
b. Ce n'est pas un bon hôtel.
c. Oh là làl C'est aussi le plus cher!

Conversation 4. Marc et Sophie sont dans un grand magasin. *Sophie répond:*

a. C'est vrai, il est moins joli.
b. C'est vrai, il est meilleur marché.
c. Tu as raison. Je vais réfléchir.

Conversation 5. Isabelle et Julien sont dans un magasin de vêtements. *Isabelle répond:*

a. Moi aussi, j'ai chaud.
b. Il est trop cher pour moi.
c. Tu as raison, il fait froid en ce moment.

Conversation 6. Thomas parle à Claire. *Claire répond:*

a. À sept heures.
b. À onze heures.
c. Après le petit déjeuner.

Part II: Writing

B. Le contraire (30 points: 3 points each)

Complete each of the following sentences with an adjective or an adverb that has the opposite meaning of the word in italics.

1. L'eau est *froide*. Elle n'est pas ____________________.
2. L'exercice est *difficile*. Il n'est pas ____________________.
3. Ce sac est *lourd*. Il n'est pas ____________________.
4. Cette veste est *chère*. Elle n'est pas ____________________.
5. Ce bus est *rapide*. Il n'est pas ____________________.

6. Ce chien est *gentil*. Il n'est pas ______________________.
7. King Kong est *fort*. Il n'est pas ______________________.
8. Le français est *utile*. Il n'est pas ______________________.
9. Je me couche *tard*. Je ne me couche pas ______________________.
10. Cette voiture va *vite*. Elle ne va pas ______________________.

C. La course *(The race)* (20 points: 4 points each)

Describe how fast the following people are running as compared to one another.

Complete sentences 1, 2, and 3 with the COMPARATIVE of **rapide.**

1. Stéphanie est ______________________ Alice.
2. Claire est ______________________ Stéphanie.
3. Catherine est ______________________ Olivier.

Complete sentences 4 and 5 with the SUPERLATIVE of **rapide**.

4. Éric est la personne ______________________ de la course.
5. Jean-Paul est la personne ______________________ de la course.

D. Expression personnelle (20 points: 5 points each)

Compare yourself to a friend of yours. First give the friend's name. Then write four (4) complete sentences in which you compare yourself to your friend in terms of the following . . .

- age
- height
- schoolwork **(bon/bonne élève)**
- athletic ability **(bon/bonne en sport)**

Mon ami/amie s'appelle ______________________

- Je ______________________
- ______________________
- ______________________
- ______________________

Nom ____________________

Classe ____________________ Date ____________________

Discovering FRENCH Nouveau!

BLANC

LEÇON 28 Les vieilles robes de Mamie

LISTENING/SPEAKING ACTIVITIES

Section 1. Vidéo-scène

A. Compréhension générale

Allez à la page 398 de votre texte. Écoutez.

B. Avez-vous compris?

	vrai	faux
1.	❑	☑
2.	☑	❑
3.	☑	❑
4.	❑	☑
5.	☑	❑
6.	❑	☑
7.	☑	❑

Section 2. Langue et communication

C. Lequel?

▶ SOPHIE: Regarde cette nouvelle ceinture!
SANDRINE: **Laquelle?**

1. Laquelle? 2. Lequel? 3. Lequel? 4. Lesquels?

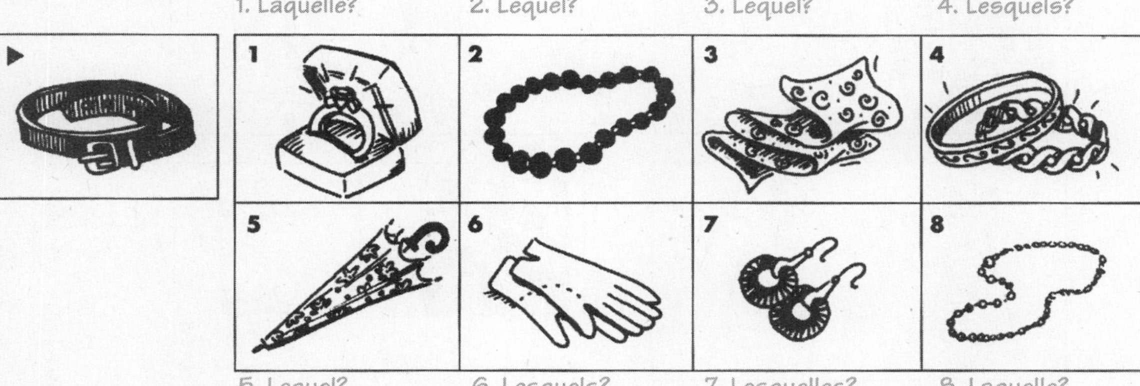

5. Lequel? 6. Lesquels? 7. Lesquelles? 8. Laquelle?

D. Achats

▶—Est-ce que tu vas acheter cette veste?
—Non, je vais acheter celle-là.

1. Non, je vais acheter celle-là.
2. Non, je vais acheter celles-là.
3. Non, je vais acheter celui-là.
4. Non, je vais acheter celui-là.
5. Non, je vais acheter celle-là.
6. Non, je vais acheter ceux-là.
7. Non, je vais acheter ceux-là.

URB p. 113

Nom ________________________________

Classe ____________________ Date ____________

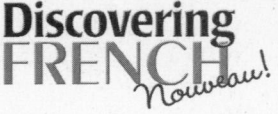

Discovering FRENCH Nouveau!

BLANC

E. Préférences

▶ —Quelle veste est-ce que tu préfères? Moi, j'aime celle de Christine.
—Eh bien moi, je préfère celle de Sylvie.

1. Eh bien moi, je préfère celle de Sylvie.
2. Eh bien moi, je préfère celui de Sylvie.
3. Eh bien moi, je préfère celles de Sylvie.
4. Eh bien moi, je préfère celui de Sylvie.
5. Eh bien moi, je préfère ceux de Sylvie.

F. Choix

▶ 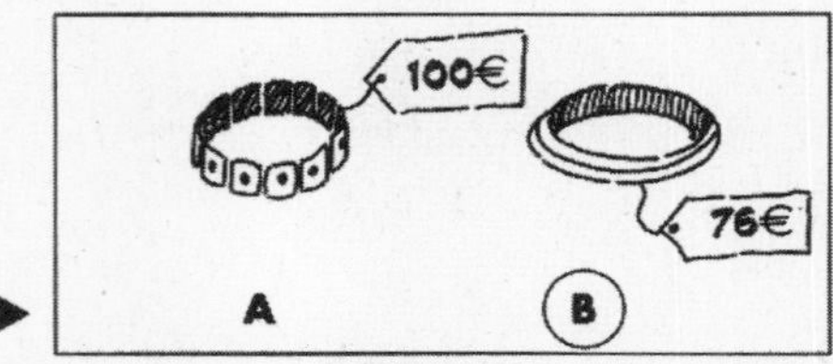

1. A B — Je préfère celui qui est en tissu uni.

2. 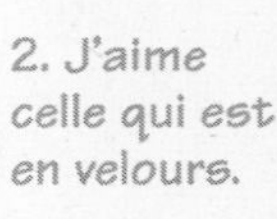 

J'aime celle qui est en velours.

3. 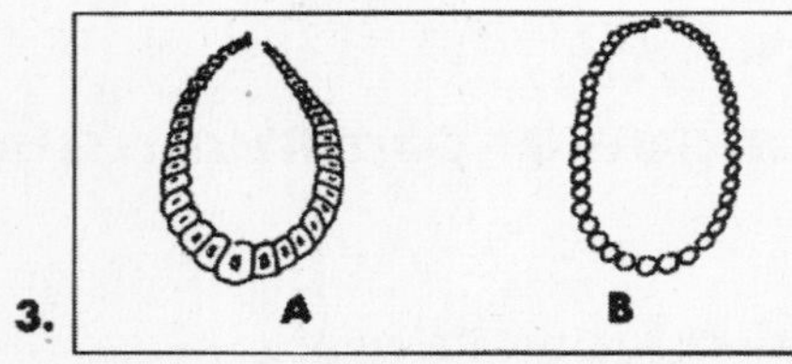

J'aime celui qui est en or et argent.

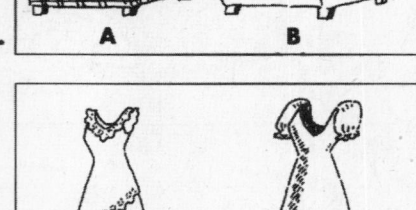

4. 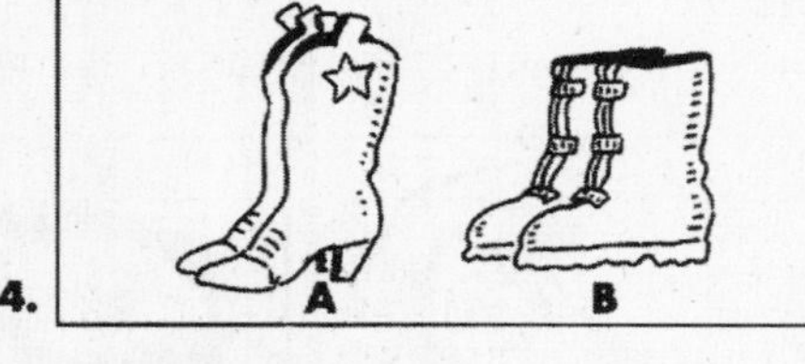

J'aime beaucoup celles qui sont en cuir.

5. 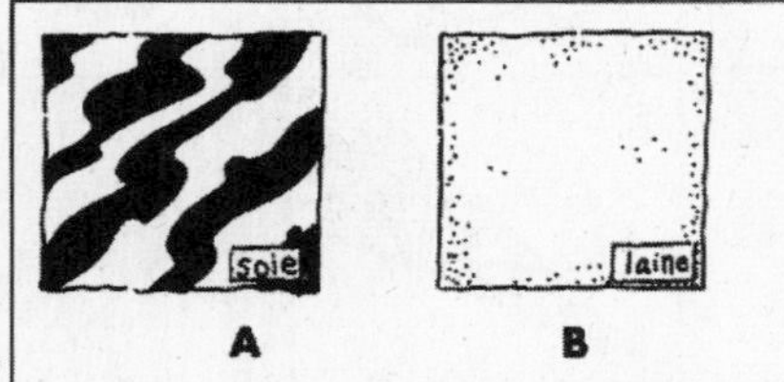

Je pense que je préfère celui qui est en soie.

Nom ______________________________

Classe ______________________ Date ______________

Discovering FRENCH Nouveau!

B L A N C

Unité 7 Leçon 28

Workbook TE

WRITING ACTIVITIES

A/B 1. Pourquoi pas?

Vous faites du shopping avec un(e) ami(e) français(e). Complétez les dialogues d'après le modèle.

▶ —Tu as choisi une veste?

—Oui.

—Laquelle?

—Celle-ci!

—Pourquoi pas celle-là?

—Parce qu'elle est affreuse!

1. —Tu vas essayer des chaussures?

—Oui.

—Lesquelles?

—Celles-ci!

—Pourquoi pas celles-là?

—Parce qu'elles sont trop étroites!

2. —Tu as acheté un pull?

—Oui.

—Lequel?

—Celui-ci!

—Pourquoi pas celui-là?

—Parce qu'il est trop petit!

3. —Tu vas acheter des tee-shirts?

—Oui.

—Lesquels?

—Ceux-ci!

—Vraiment? Pourquoi pas ceux-là?

—Parce qu'ils sont trop moches!

B 2. Rendez à César!

Répondez au négatif aux questions suivantes et identifiez le propriétaire *(owner)* de chaque objet.

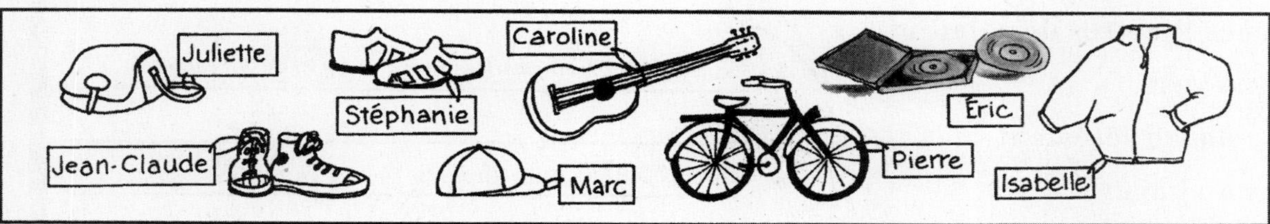

▶ C'est ton vélo? Mais non, c'est celui de Pierre.

1. C'est ton blouson? Mais non, c'est celui d'Isabelle.

2. Ce sont tes baskets? Mais non, ce sont ceux de Jean-Claude.

3. C'est ta guitare? Mais non, c'est celle de Caroline.

4. Ce sont tes CD? Mais non, ce sont ceux d'Éric.

5. C'est ta casquette? Mais non, c'est celle de Marc.

6. C'est ton sac? Mais non, c'est celui de Juliette.

7. Ce sont tes sandales? Mais non, ce sont celles de Stéphanie.

URB p. 115

Nom ______________________________ Discovering FRENCH Nouveau!

Classe ______________________ Date ______________

BLANC

B 3. Emprunts

Quand on n'a pas certaines choses, on les emprunte à des amis. Exprimez cela d'après le modèle.

▶ Philippe n'a pas sa raquette. (jouer / Thomas)
Il joue avec celle de Thomas.

1. Catherine n'a pas ses CD. (écouter / Nathalie)
   Elle écoute ceux de Nathalie.
2. Marc n'a pas son appareil-photo. (prendre des photos / sa cousine)
   Il prend des photos avec celui de sa cousine.
3. Véronique n'a pas ses lunettes de soleil. (prendre / sa soeur)
   Elle prend celles de sa soeur.
4. Jérôme n'a pas sa veste. (mettre / son frère)
   Il met celle de son frère.

4. Communication: Quand on oublie . . . (sample answers)

Parfois nous oublions de prendre certaines choses. Choisissez cinq objets de la liste et dites à qui vous empruntez ces objets quand vous les avez oubliés.

mon vélo
mon appareil-photo
mes livres de français
mon baladeur
mes lunettes de soleil
ma veste
mon survêtement
mon imper
ma raquette de tennis
ma batte de baseball

▶ Quand j'oublie mon survêtement, j'emprunte celui de mon cousin (d'une copine, de ma soeur, de mon amie Caroline).

- Quand j'oublie mon vélo, j'emprunte celui de mon frère.
- Quand j'oublie mon appareil-photo, j'emprunte celui de ma copine Catherine.
- Quand j'oublie mes livres de français, j'emprunte ceux de mon copain.
- Quand j'oublie mon baladeur, j'emprunte celui de mon frère.
- Quand j'oublie mes lunettes de soleil, j'emprunte celles de ma mère.

URB p. 116

Nom ______________________________

Classe ______________________ Date ______________

Discovering FRENCH Nouveau!

BLANC

LEÇON 28 Les vieilles robes de Mamie

A

Activité 1 Au restaurant

Complétez les phrases avec un pronom interrogatif, en choisissant entre **lequel, laquelle, lesquels** ou **lesquelles**.

1. Il y a deux [menu], l'un à 20 €, l'autre à 35 €. Lequel préférez-vous?
2. Nous offrons un [sandwich] ou un [sandwich]. Lequel préférez-vous?
3. Comme légumes, vous avez le choix entre les [petits pois], les [carottes] ou les [pommes de terre]. Lesquels préférez-vous?
4. Il y a une [salade] verte et une [salade] mixte. Laquelle préférez-vous?
5. Nous avons des [oranges] de Tunisie et des [tomates] d'Espagne. Lesquelles préférez-vous?

Activité 2 Des achats

Les grands-parents gâtent (*spoil*) leurs petits-enfants. Faites correspondre les questions et les réponses.

b 1. —Tu veux cette [ceinture]-ci ou cette [ceinture]-là? — a. —J'aime celui-ci.

d 2. —Tu veux ces [gants]-ci ou ces [gants]-là? — b. —J'aime celle-là.

a 3. —Tu veux ce [pull]-ci ou ce [pull]-là? — c. —J'aime celles-ci.

c 4. —Tu veux ces [lunettes] ou ces [lunettes]-là? — d. —J'aime ceux-là.

Activité 3 Dialogues

Mettez un cercle autour du mot qui convient.

1. —Tu aimes bien tes voisins?
   —*Lesquels* / *Lesquelles?*
   —*Celles* / *Ceux* qui habitent en haut.
   —Oui, mais je préfère *ceux* / *celles* qui habitent en bas.

2. —Tu connais le garçon là-bas?
   —*Lequel* / *Lesquels?*
   —*Celui* / *Ceux* qui parle au garçon blond.
   —Non, mais je connais *ceux* / *celui* qui écoute.

3. —Tu vas acheter ces chaussures?
   —*Lesquels* / *Lesquelles?*
   —*Celles* / *Ceux* que tu regardais là-bas.
   —Non, je vais prendre *ceux* / *celles* qui sont en solde.

4. —Tu vois la boutique d'en face?
   —*Lequel* / *Laquelle?*
   —*Celle* / *Celui* que la dame vient d'ouvrir.
   —Ah, *celui-là* / *celle-là?* On m'a dit que les prix y sont très raisonnables.

URB p. 117

Nom ______________________

Classe ______________________ Date ______________

Discovering FRENCH Nouveau!

BLANC

B

Activité 1 Un prêt

Martine prête ses affaires à sa camarade de chambre. Faites correspondre les réponses aux questions.

b 1. J'ai un en cuir et un en velours.

c 2. J'ai des en cuir et des en velours.

a 3. J'ai une à rayures et une unie.

d 4. J'ai des noires et des marron.

a. Laquelle veux-tu?

b. Lequel veux-tu?

c. Lesquels veux-tu?

d. Lesquelles veux-tu?

Activité 2 Les loisirs

Complétez le paragraphe suivant avec la forme correcte du pronom démonstratif, choisissant entre **celui, celle, ceux** ou **celles**.

Moi, j'adore les sports, mais je n'aime pas ceux qui sont violents, comme la boxe ou même le hockey. Les films? J'aime ceux qui sont amusants, comme les films d'aventure et les comédies. Comme musique, j'aime celle d'Enrique Iglesias mais je n'aime pas celle de Britney Spears. Mes chansons préférées? Celles des Rolling Stones. J'aime bien lire, aussi. Mon livre préféré? Il y en a trop. Mais ceux de Tom Clancy, que je n'ai pas lus, me semblent intéressants.

Activité 3 Questions

Répondez aux questions avec la forme correcte du pronom interrogatif ou démonstratif.

celui	**lequel**
celle	**laquelle**
ceux	**lesquelles**
celles	**lesquelles**

1. Mme Leblanc? C'est bien celle qui enseigne la géo?
2. Paul et Adrienne? Ce sont ceux qui veulent être astronautes.
3. Tu achètes une casquette? Laquelle? celle-ci ou celle-là?
4. Tu veux voir un film? Lequel? celui-ci ou celui-là?
5. Nicole et Stéphanie? Ce sont celles qui nous apportent les sandwichs.

Nom ______________________________

Classe ______________________ Date ______________

Discovering FRENCH Nouveau!

B L A N C

C

Activité 1 Les affaires

Vous donnez quelques affaires à votre petit frère. Écrivez des questions en utilisant le pronom interrogatif (**lequel, laquelle, lesquels, lesquelles**).

1. Tu peux avoir quelques CD. Lesquels veux-tu?
2. Tu peux avoir un tee-shirt. Lequel veux-tu?
3. Tu peux avoir quelques affiches. Lesquelles veux-tu?
4. Tu peux avoir une de mes chemises. Laquelle veux-tu?

Activité 2 La fin des vacances

C'est la fin des vacances et chacun cherche ce qui lui appartient. Répondez aux questions en utilisant la forme correcte du pronom démonstratif et le nom entre parenthèses.

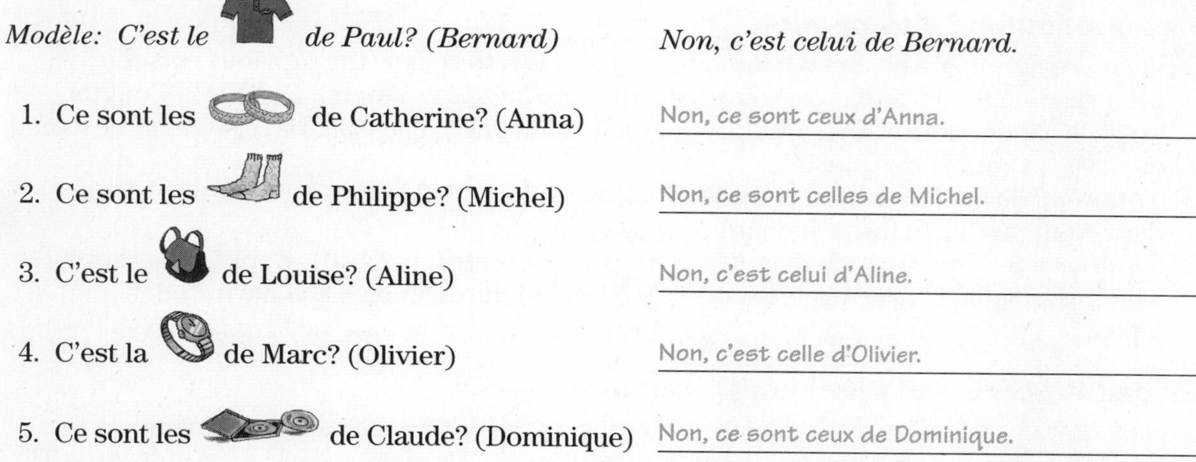

Modèle: C'est le [ ] *de Paul? (Bernard)* *Non, c'est celui de Bernard.*

1. Ce sont les [ ] de Catherine? (Anna) Non, ce sont ceux d'Anna.
2. Ce sont les [ ] de Philippe? (Michel) Non, ce sont celles de Michel.
3. C'est le [ ] de Louise? (Aline) Non, c'est celui d'Aline.
4. C'est la [ ] de Marc? (Olivier) Non, c'est celle d'Olivier.
5. Ce sont les [ ] de Claude? (Dominique) Non, ce sont ceux de Dominique.

Activité 3 Les professions

Vous expliquez les professions à votre petit frère. Complétez les phrases avec la forme correcte du pronom démonstratif.

1. La professeur? C'est celle qui sait beaucoup de choses.
2. Le boulanger? C'est celui qui fait du pain.
3. Les mécaniciens? Ce sont ceux qui réparent la voiture de Papa quand elle ne marche pas.
4. Le médecin? C'est celui qui te soigne (*takes care of*) quand tu es malade.
5. Les pharmaciennes? Ce sont celles qui te donnent des médicaments.

URB p. 119

BLANC

LEÇON 28 Les vieilles robes de Mamie, page 398

Objectives

Communicative Functions and Topics To ask for clarification
To refer to specific items
To read for pleasure and for information

Linguistic Goals To use the interrogative pronoun ***lequel***
To use the demonstrative pronoun ***celui***

Cultural Goals To learn about how French people dress

Motivation and Focus

- ❑ Ask students to preview the photos on pages 398–399. Ask who Corinne and Armelle are visiting. What are they talking about outside the house? What are they looking at inside? What are they wearing at the party? Students can talk about clothes they like to wear or buy for parties and give their opinions of Corinne's and Armelle's party clothes.

Presentation and Explanation

- ❑ *Vidéo-scène:* Do **Video Activities** 1 and 2, page 131, to review the previous episode. After reading the introductory paragraph on page 398, play **Video** 2 or **DVD** 2, Counter 32:24–35:22 or **Audio** CD 4, Track 19, or read aloud pages 398–399. Have students read and retell the events of this episode.
- ❑ *Grammar A:* Use the cartoon and TEACHING NOTE, page 400 of the TE, to present ***lequel***. Explain the forms in the grammar box, page 400.
- ❑ *Grammar B:* Introduce the demonstrative pronoun ***celui***, page 401. Explain the forms with the LANGUAGE NOTE, page 401 of the TE. Model the examples and have students repeat.

Guided Practice and Checking Understanding

- ❑ DO THE WARM-UP: À QUI EST-CE?, page 402 of the TE, with **Overhead Transparency** 8 to practice talking about possessions with ***celui***. Use the TEACHING NOTES, page 401 of the TE, to help students find examples of the demonstrative pronouns.
- ❑ Do **Workbook Listening/Speaking** Activities A–F on pages 249–250 with **Audio** CD 12, Tracks 19–24 or the **Audioscript**.
- ❑ Do **Video Activities** 3–7 on pages 132–135 with the **Video** or **Videoscript**.

Independent Practice

- ❑ Model the activities on pages 400–403. Do PAIR PRACTICE with Activities 1–3 and 5. Assign Activity 4 as homework.
- ❑ **Video Activities** page 136 and **Communipak** *Conversations* 7–8 (page 156) or *Tête à tête* 2 (pages 162–163) can be used for additional oral pair or group practice.
- ❑ Have students do any appropriate activities in **Activités pour tous**, pages 153–155.

Monitoring and Adjusting

- ❑ Assign Writing Activities 1–4 in the **Workbook**, pages 251–252.
- ❑ Monitor students as they work on the practice activities. Refer them to the grammar boxes on pages 400–401 as needed. Use TEACHING NOTES, pages 400–401 of the TE, to help students when necessary. Do VARIATION, page 403 of the TE.

End-of-Lesson Activities

- *À votre tour!:* Have students do Activity 1, page 403. Model answers to Activity 1 with **Audio** CD 4, Track 20. Arrange students in pairs to practice expressing preferences in Activity 2.

Review

- Have students review the information they learned in this unit by completing the **Tests de contrôle** activities on pages 406–407. Encourage students to use the page references in the **Review . . .** tabs to verify/clarify grammar and vocabulary.

Reteaching

- Redo any appropriate activities from the **Workbook**.
- Assign the **Video** for students who need more review or make-up work.

Assessment

- After students have completed all of the lesson's activities, administer Quiz 28 on pages 144–145. Use the **Test Generator** to adapt questions to the needs of the class. Administer Unit Test 7 (Form A or B) on pages 189–198 of **Unit Resources**. For assessment of specific language skills, use the **Performance Tests** for the unit. Use Comprehensive Test 2 (Form A or B) on pages 216–241 of **Unit Resources**.

Extension and Enrichment

- If students are interested, have them read *Interlude* 7, pages 412–421, to solve the crime. Tell students to read the text and answer the *Avez-vous compris*? questions. Do **Workbook** page 264.

Summary and Closure

- Have pairs of students prepare role plays pointing out objects and asking for clarification in the shopping scenes on **Overhead Transparency** S15. As pairs present the role plays, have other students summarize the linguistic and communicative goals of the lesson.
- Do PORTFOLIO ASSESSMENT on page 403 of the TE.

End-of-Unit Activities

- *Lecture:* Do the PRE-READING ACTIVITY, page 404 of the TE, before students read pages 404–405. Have students complete *Avez-vous compris?* at the bottom of page 405. Use the OBSERVATION ACTIVITY, page 405 of the TE, to discuss examples of ***celui*** and ***lequel*** and the POST-READING ACTIVITY at the bottom of the page to act out the scene.
- *Interlude 7:* Preview the selection by looking through pages 412–421. Read and discuss *Avant de lire* and the newspaper article, page 412. Tell students to read the text and answer *Avez-vous compris?* questions throughout. Help summarize the story. Do CRITICAL THINKING, page 413 of the TE, to explain cognates, and *L'art de la lecture*, page 421, to use context clues to choose appropriate meanings for words with double meanings. Use **Workbook** Reading and Culture Activities, pages 262–264, to practice reading skills and to review *Interlude 7*.

BLANC

LEÇON 28 Les vieilles robes de Mamie, page 398

Block Scheduling (4 Days to Complete, Including Unit Test)

Objectives

Communicative Functions and Topics	To ask for clarification To refer to specific items To read for pleasure and for information
Linguistic Goals	To use the interrogative pronoun **lequel** To use the demonstrative pronoun **celui**
Cultural Goals	To learn about how French people dress

Block Schedule

Variety Gather fashion photos from newspapers or magazines. Assign each item a price in French francs (or in euros). Point to several items and ask students which they prefer. Students should use *celui*, *celle*, *ceux*, or *celles* in their answers. For example, you might ask as you point to two different bracelets: *Laquelle préférez-vous?* Students might respond: *Nous préférons celle qui coûte 200 €*. Or students might simply point to one of the bracelets and say: *Celle-là.* ■

Day 1

Motivation and Focus

- ❑ Ask students to preview the photos on pages 398–399. Ask who Corinne and Armelle are visiting. What are they talking about outside the house? What are they looking at inside? What are they wearing at the party? Students can talk about clothes they like to wear or buy for parties and give their opinions of Corinne's and Armelle's party clothes.

Presentation and Explanation

- ❑ *Vidéo-scène:* Do **Video Activities** Activity 1, page 131, to review the previous episode. After reading the introductory paragraph on page 398, play **Video** 2 or **DVD** 2, Counter 32:24–35:22 or **Audio** CD 4, Track 19, or read aloud pages 398–399. Have students read and retell the events of this episode.
- ❑ *Grammar A:* Use the cartoon and TEACHING NOTE, page 400 of the TE, to present ***lequel***. Explain the forms in the grammar box, page 400.
- ❑ *Grammar B:* Introduce the demonstrative pronoun ***celui,*** page 401. Explain the forms with the LANGUAGE NOTE, page 401 of the TE. Model the examples and have students repeat.

Guided Practice and Checking Understanding

- ❑ Do the WARM-UP: À QUI EST-CE?, page 402 of the TE, with **Overhead Transparency** 8 to practice talking about possessions with ***celui.*** Use the TEACHING NOTES, page 401 of the TE, to help students find examples of the demonstrative pronouns.
- ❑ Do **Workbook** Listening/Speaking Activities A–F on pages 249–250 with **Audio** CD 12, Tracks 19–24 or the **Audioscript**.
- ❑ Do **Video Activities** 2–7 on pages 131–135 with the **Video** or **Videoscript**.

Independent Practice

- ❑ Model the activities on pages 400–403. Do PAIR PRACTICE with Activities 1–3 and 5. Have students work individually to write Activity 4.
- ❑ **Video Activities** page 136 and **Communipak** *Conversations* 7–8 (page 156) or *Tête à tête* 2 (pages 162–163) can be used for additional oral pair or group practice.
- ❑ Have students do any appropriate activities in **Activités pour tous,** pages 153–155.

Day 2

Motivation and Focus

- ❑ Have students do the **Block Schedule Activity** at the top of the previous page.

Monitoring and Adjusting

- ❑ Assign Writing Activities 1–4 in the **Workbook,** pages 251–252.
- ❑ Monitor students as they work on the writing activities. Refer them to the grammar boxes on pages 400–401 as needed. Use TEACHING NOTES, pages 400–401 of the TE, to help students when necessary. Do VARIATION, page 403 of the TE.

End-of-Lesson Activities

- ❑ *À votre tour!:* Have students do Activity 1, page 403. Model answers to the activity with **Audio** CD 4, Track 20. Arrange students in pairs to practice expressing preferences in Activity 2.

Review

- ❑ Have students review the information they learned in this unit by completing the **Tests de contrôle** activities on pages 406–407. Encourage students to use the page references in the **Review . . .** tabs to verify/clarify grammar and vocabulary.

Reteaching (as needed)

- ❑ Redo any appropriate activities from pages 400–403 in the text.
- ❑ Assign the **Video** for students who need more review or make-up work.

Extension and Enrichment (as desired)

- ❑ Use **Block Scheduling Copymasters,** pages 225–232.
- ❑ Have students read and fill out the Reading and Culture Activities on pages 256–257 in the **Workbook.**

Summary and Closure

- ❑ Have pairs of students prepare role plays pointing out objects and asking for clarification in the shopping scenes on **Overhead Transparency** S15. As pairs present the role plays, have other students summarize the linguistic and communicative goals of the lesson.
- ❑ Do PORTFOLIO ASSESSMENT on page 403 of the TE.

Assessment

- ❑ After students have completed all of the lesson's activities, administer Quiz 28 on pages 144–145. Use the **Test Generator** to adapt questions to the needs of the class.

Day 3

Reteaching (as needed)

- ❑ Assign the **Video** for students who need more review or make-up work.
- ❑ Use **Overhead Transparencies** 53–59 to review vocabulary and grammar from Unit 7.

Extension and Enrichment (as desired)

- ❑ For expansion activities, direct students to www.classzone.com.
- ❑ Have students do the Reading and Culture Activities on **Workbook** pages 258–263.

Day 4

Assessment

- ❑ Administer Unit Test 7 (Form A or B) on pages 189–198 of **Unit Resources.** For assessment of specific language skills, use the **Performance Tests** for this unit. Use Comprehensive Test 2 (Form A or B) on pages 216–241 of **Unit Resources.**

End-of-Unit Activities

- ❑ *Lecture:* Do the PRE-READING ACTIVITY, page 404 of the TE, before students read pages 404–405. Have students complete *Avez-vous compris?* at the bottom of page 405. Use the OBSERVATION ACTIVITY, page 405 of the TE, to discuss examples of ***celui*** and ***lequel*** and the POST-READING ACTIVITY at the bottom of the page to act out the scene.
- ❑ *Interlude 7:* Preview the selection by looking through pages 412–421. Read and discuss *Avant de lire* and the newspaper article, page 412. Tell students to read the text and answer *Avez-vous compris?* questions throughout. Help students summarize the story. Do CRITICAL THINKING, page 413 of the TE, to explain cognates, and *L'art de la lecture*, page 421, to use context clues to choose appropriate meanings for words with double meanings. Use **Workbook** page 264 to review *Interlude 7*.

Notes

Nom ______________________________

Classe ______________________ Date ______________

Discovering FRENCH Nouveau!

B L A N C

LEÇON 28 Vidéo-scène: Les vieilles robes de Mamie, pages 398–399

Materials Checklist

- ❑ **Student Text**
- ❑ **Audio** CD 4, Track 19; **Audio** CD 12, Tracks 19–20
- ❑ **Video** 2 or **DVD** 2, Counter 32:24–35:22
- ❑ **Workbook**

Steps to Follow

- ❑ Before you watch the **Video** or **DVD**, or listen to the **CD**, read *Compréhension* (p. 399). This will help you understand what you see and hear.
- ❑ Look at the photos on pages 388–389 while you read the text. Write down any unfamiliar words or expressions. Check meanings. Listen to **Audio** CD 4, Track 19.
- ❑ Watch **Video** 2 or **DVD** 2, Counter 32:24–35:22. Pause and replay if necessary.
- ❑ Do Listening/Speaking Activities, Section 1, Activities A–B in the **Workbook** (p. 249). Use **Audio** CD 12, Tracks 19–20.
- ❑ Answer the questions in *Compréhension* (p. 399).

If You Don't Understand . . .

- ❑ Watch the **Video** or **DVD** in a quiet place. Try to stay focused. If you get lost, stop the **Video** or **DVD**. Replay it and find your place.
- ❑ Listen to the **CDs** in a quiet place. If you get lost, stop the **CDs**. Replay them and find your place. Repeat what you hear. Try to sound like the people on the recording.
- ❑ On a separate sheet of paper, write down new words and expressions. Check meanings.
- ❑ Say aloud anything you write. Make sure you understand everything you say.
- ❑ Write down any questions so that you can ask your partner or your teacher later.

Self Check

Répondez aux questions suivantes.

1. Qu'est-ce que la grand-mère d'Armelle lui a montré le mois dernier?
2. Où se trouve la collection de robes?
3. Qu'est-ce que les amies trouvent au grenier?
4. Est-ce que Corinne et Armelle arrivent à l'heure à la boum?

Answers

1. Elle lui a montré des vieilles robes. 2. La collection de robes se trouve dans le grenier. 3. Elles trouvent des choses intéressantes. 4. Elles arrivent en retard à la boum.

Nom ____

Classe ______________________________ Date ________________

Discovering FRENCH *Nouveau!*

BLANC

A. Le pronom interrogatif *lequel,* page 400

Materials Checklist

- ❑ **Student Text**
- ❑ **Audio** CD 12, Track 21
- ❑ **Workbook**

Steps to Follow

- ❑ Study *Le pronom interrogatif* ***lequel*** (p. 400). Copy the model sentences. Say them aloud.
- ❑ Do Listening/Speaking Activities, Section 2, Activity C in the **Workbook** (p. 249). Use **Audio** CD 12, Track 21.
- ❑ Do Activity 1 in the text (p. 400). Write the dialogues in complete sentences. Underline the interrogative pronoun in each question. Say the dialogues aloud.

If You Don't Understand . . .

- ❑ Reread activity directions. Put the directions in your own words.
- ❑ Read the model several times. Be sure you understand it.
- ❑ Say aloud everything that you write. Be sure you understand what you are saying.
- ❑ When writing a sentence, ask yourself, "What do I mean? What am I trying to say?"
- ❑ Listen to the **CD** in a quiet place. Try to stay focused. If you get lost, stop the **CD**. Replay it and find your place.
- ❑ Write down any questions so that you can ask your partner or your teacher later.

Self Check

Posez des questions d'après le modèle.

▶ Un minivan ou un vélo?
Lequel préfères-tu?

1. Un film d'aventures ou un film d'horreur?
2. Une veste de laine ou une veste de coton?
3. Des baskets ou des tennis?
4. Une voiture de sport ou une bicyclette?
5. Des chaussures ou des sandales?

Answers

1. Lequel préfères-tu? 2. Laquelle préfères-tu? 3. Lesquels préfères-tu? 4. Laquelle préfères-tu?
5. Lesquelles préfères-tu?

Nom ____________________

Classe ____________________ Date ____________________

Discovering FRENCH Nouveau!

BLANC

Unité 7 Leçon 28

Absent Student Copymasters

B. Le pronom démonstratif *celui,* pages 401–403

Materials Checklist

- ❑ **Student Text**
- ❑ **Audio** CD 4, Track 20; **Audio** CD 12, Tracks 22–24
- ❑ **Workbook**

Steps to Follow

- ❑ Study *Le pronom démonstratif* ***celui*** (p. 401). Say the model sentences aloud.
- ❑ Do Listening/Speaking Activities, Section 2, Activities D–F in the **Workbook** (pp. 249–250). Use **Audio CD** 12, Tracks 22–24.
- ❑ Do Activities 2 and 3 the text (p. 402). Write the dialogues in complete sentences. Circle the demonstrative pronouns. Read your answers aloud.
- ❑ Do Activity 4 in the text (p. 402). Write your answers in complete sentences. Underline the demonstrative pronoun.
- ❑ Do Activity 5 in the text (p. 403). Write both parts for each dialogue. Read your answers aloud.
- ❑ Do Writing Activities A/B 1, B 2–3, and 4 in the **Workbook** (pp. 251–252).

If You Don't Understand . . .

- ❑ Reread activity directions. Put the directions in your own words.
- ❑ Read the model several times. Be sure you understand it.
- ❑ Say aloud everything that you write. Be sure you understand what you are saying.
- ❑ When writing a sentence, ask yourself, "What do I mean? What am I trying to say?"
- ❑ Listen to the **CDs** in a quiet place. Try to stay focused. If you get lost, stop the **CDs**. Replay them and find your place.
- ❑ Write down any questions so that you can ask your partner or your teacher later.

Self Check

Répondez aux questions suivantes, d'après le modèle.

▶ C'est ta raquette de tennis? (non / ma soeur)
Non, c'est celle de ma soeur.

1. C'est ton blouson? (non / mon copain)
2. Ce sont tes chaussures? (non / mon frère)
3. C'est ta voiture? (non / mon père)
4. Ce sont tes gants? (non / ma copine)
5. C'est ton pantalon? (non / mon cousin)
6. C'est ta ceinture? (non / mon frère)

Answers

1. Non, c'est celui de mon copain. 2. Non, ce sont celles de mon frère. 3. Non, c'est celle de mon père. 4. Non, ce sont ceux de ma copine. 5. Non, c'est celui de mon cousin. 6. Non, c'est celle de mon frère.

URB p. 127

Nom ______________________________

Classe ____________________ Date ____________________

Discovering FRENCH Nouveau!

BLANC

LEÇON 28 Les vieilles robes de Mamie

Les préférences

Interview a family member. Find out which car he or she likes best.

- First, explain your assignment.
- Next, help the family member pronounce the words. Model the pronunciation as you point to each word.
- Then, ask the question, **Voici deux voitures. Laquelle aimes-tu le mieux?**
- When you have an answer, write an appropriate answer in the space below.

J'aime mieux . . .

celle-ci.

celle-là.

Nom ____

Classe ______________________________ Date ________________

Discovering FRENCH Nouveau!

BLANC

Les vêtements

Interview a family member. Find out if he or she prefers clothes that are elegant or clothes that are comfortable.

- First, explain your assignment.
- Next, model the pronunciation of the answers.
- Then, ask the question, **Est-ce que tu préfères des vêtements qui sont élégants ou des vêtements qui sont confortables?**
- When you have an answer, complete the sentence below.

Je préfère ceux qui sont . . .

élégants **confortables**

______________________ **préfère ceux qui sont** ______________________________.

LEÇON 28 Les vieilles robes de Mamie

Cultural Commentary

- French residences use blue ceramic tiles with white numbers to designate the address. A large blue/white ceramic tile with a green border is used on corner buildings to mark the street name.
- Corinne rings the doorbell **(la sonnette)** to find out if her grandmother is home.
- The front entrance door is of heavy wood construction and designed for privacy with the veiled window on top intended only for increased lighting.
- Located to the rear of the house, the garden area of older French homes is enclosed by a high stone wall or occasionally a wooden fence. Although small by American standards, these gardens are cultivated to produce a wide variety of vegetables. Sometimes fruit trees provide an additional source of produce.
- At the party, Pierre is passing around **les chips** to his guests. Also on the table are mineral water, fruit juice and popcorn.
- Pierre's get-together is **une soirée**, a party for students at the **lycée**. For younger students at the **collège** (junior high/middle school), a party is called **une boum**.

Grammar Correlation

A Le pronom interrogatif *lequel* (Student text, p. 400)

Corinne: Dis, Mamie, on peut aller voir tes vieilles robes?
Mamie: **Lesquelles**?
Armelle: Il y a des tas de vieilles robes ici!
Corinne: **Laquelle** est-ce que tu vas choisir?

B Le pronom démonstratif *celui* (Student text, p. 401)

Corinne: Tu sais bien, **celles** que tu m'as montrées le mois dernier.
Armelle: Je crois que je vais essayer **celle-ci** . . . et **celle-là**.
Celui-ci me va très bien . . . !
Et toi, essaie donc **celui-là!**

LEÇON 28 Les vieilles robes de Mamie

Video 2, DVD 2

Activité 1. Tu te rappelles?

Do you remember what happened in the last episode? Before watching the next video scene, answer the questions below *in complete sentences.*

1. Qu'est-ce qu'Armelle a trouvé dans la boutique? ______________________________

____

2. Où est-ce que Corinne a proposé à Armelle d'aller? ______________________________

____

3. Pourquoi? ____

____

Activité 2. Vérifie!

Counter 32:32–33:14

Now correct Activity 1 above as you watch the first segment of the video.

Nom ____

Classe ______________________ Date ______________

Activité 3. Chez Mamie

Counter 33:15–33:41

Corinne and Armelle have just arrived «**chez Mamie**». As you watch the video, place a check mark (✓) in front of the first sentence that is said in each pair.

1. _____ a. Bonjour, Mamie.
   _____ b. Bonjour, ma chérie. Je suis contente de te voir.
2. _____ a. Bonjour, Armelle.
   _____ b. Bonjour, madame.
3. _____ a. Lesquelles?
   _____ b. Dis, Mamie, on peut aller voir tes vieilles robes?
4. _____ a. Tu sais bien, celles que tu m'as montrées le mois dernier.
   _____ b. Ah oui, tu veux dire celles qui sont dans le grenier?
5. _____ a. Mais bien sûr, allez les voir si ça vous amuse!
   _____ b. Oui, c'est ça.

Activité 4. Dans le grenier

Counter 33:42–34:50

What are Corinne and Armelle going to find in the attic? As you watch the video, draw a line from each sentence to the photo of the person who says it—Corinne or Armelle. (*Note:* The sentences are not in order.)

1. —Je vais essayer celle-ci . . . et celle-là.
2. —C'est vrai, il y a des tas de robes géniales ici!
3. —Laquelle est-ce que tu vas choisir?
4. —Et toi, essaie donc celui-là!
5. —Je crois que je vais essayer celle-ci aussi . . . et celle-là!

Nom ____

Classe ___________________________ Date _______________

Discovering FRENCH Nouveau!

BLANC

Activité 5. La réaction de Pierre

Counter 34:51–35:22

Now that the girls have chosen their outfits for the party, what will Pierre's reaction be?

1. Pierre pense que les robes d'Armelle et de Corinne sont _____.

   a. originales b. spéciales c. géniales

2. Il leur demande où elles les avaient _____.

   a. essayées b. achetées c. empruntées

▶ Enrichis ton vocabulaire

A. What familiar names are often used in English to refer to grandparents?

Grandmother: ______________ Grandfather: ______________

B. In the video, what does Corinne call her grandmother?

____

What would Corinne probably call her grandfather, then?

____

C. Another French word for "grandma" is **«Mémé»**. Can you guess the corresponding term for "grandpa"? ______________

*Answers: A. Answers will vary. B. **«Mamie»; «Papi»** C. **«Pépé»**

Nom ______________________________

Classe ______________________ Date ______________

Discovering FRENCH Nouveau!

BLANC

Activité 6. Les vieilles robes de Mamie

Certain words were removed from the video script. Read the sentences below and fill in the missing items. Then, circle the corresponding words in the box. (*Note:* Words may go horizontally, vertically or diagonally—but not backwards.)

C	Q	A	M	U	S	E	X	V	C	J
E	O	W	C	T	D	Q	B	S	R	R
L	T	N	U	L	S	V	E	E	O	C
L	A	E	T	O	A	L	I	S	B	E
E	F	Q	L	E	L	Z	Z	S	E	L
G	O	O	U	I	N	W	Y	A	S	U
T	S	Z	E	E	F	T	E	I	G	I
A	G	I	W	R	L	S	E	E	H	Y
S	V	S	D	Z	Z	L	F	C	C	X
Z	J	Z	C	H	A	P	E	A	U	N
F	T	J	D	I	C	B	O	Y	K	C

1. MAMIE: Je suis _ _ _ _ _ _ _ _ de te voir.
2. CORINNE: Dis, Mamie, on peut aller voir tes _ _ _ _ _ _ _ _ robes?
3. MAMIE: Mais bien sûr, allez les voir si ça vous _ _ _ _ _.
4. ARMELLE: Il y a des _ _ _ de robes géniales ici!
5. CORINNE: _ _ _ _ _ _ _ _ est-ce que tu vas choisir?
6. ARMELLE: Je ne sais pas . . . _ _ _ _ _ -ci peut-être . . .
7. CORINNE: Tu ne veux pas essayer ce _ _ _ _ _ _ _?
8. ARMELLE: _ _ _ _ _ -ci me va très bien . . . !
9. ARMELLE: Et toi, _ _ _ _ _ _ donc celui-là.
10. PIERRE: Bonsoir, Armelle. Bonsoir, Corinne. Elles sont géniales, vos _ _ _ _ _!

Nom ______________________________

Classe ______________________ Date ______________

Activité 7. Pierre est curieux!

Pierre would like to know where Armelle and Corinne "bought" their dresses. Write Pierre a short note describing the girls' shopping trip to Mamie's attic. Use the photos below as a guide. (As always, include appropriate conjunctions and transition words.)

Pierre,

Armelle et Corinne n'ont pas acheté leurs robes! Elles n'ont rien trouvé dans la boutique parce que les robes y étaient trop chères. Alors, Corinne a eu une excellente idée . . .

____

____

____

____

____

____

____

____

____

____

____

____

____

____

Et maintenant, tu sais l'histoire des robes de «chez Mamie»!

Nom ___________________________________

Classe ___________________ Date ___________

Activité 8. Un sketch

Get together with two classmates. Prepare and act out (with props) the situation below. You may wish to borrow and adapt sentences from the «*Phrases utiles*» box. (You will also find other useful words and expressions on pages 375 and 377 of your textbook.)

Characters: One clerk, two customers

Scene: Clothing store

Props: 3 clothing or accessory items of a kind (ties, caps, etc.), each labeled with a price tag

Situation: Two friends are shopping for a specific item. As the store clerk assists, the customers compare the items (appearance, quality, prices, etc.). Then, each customer purchases (and models!) the new item.

Phrases utiles

POUR LE VENDEUR/LA VENDEUSE:	POUR LES CLIENTS:
Vous désirez?	Je cherche (un pull).
Eh bien, nos (pulls) sont ici.	Qu'est-ce que tu penses de (ce pull)?
Regardez (ce pull-ci). (Il) est en solde pour 20 euros.	Regarde le prix!
(Lequel) préférez-vous? (Celui-ci) ou (celui-là)?	(Il) est plus cher et moins joli.
	Je parie que c'est (le pull) le plus cher du magasin!

LEÇON 28 Vidéo-scène: Les vieilles robes de Mamie

Video 2, DVD 2

32:24–35:22

Counter 32:32–33:14 1. CLAIRE: Dans l'épisode précédent, Armelle est allée dans une boutique avec Corinne pour acheter quelque chose pour la soirée, mais elle n'a rien trouvé d'intéressant.

ARMELLE: Et regarde, elle est trop longue pour moi. Vraiment, ces robes sont chères.

CLAIRE: Corinne a proposé à Armelle d'aller chez sa grand-mère qui a une collection de robes anciennes. Les deux amies viennent d'arriver chez la grand-mère de Corinne. Regardez et écoutez.

Counter 33:15–33:24 2. CORINNE: Bonjour, Mamie.

MAMIE: Bonjour, ma chérie. Je suis contente de te voir.

ARMELLE: Bonjour, madame.

MAMIE: Bonjour, Armelle.

Counter 33:25–33:41 3. CORINNE: Dis, Mamie, on peut aller voir tes vieilles robes?

MAMIE: Lesquelles?

CORINNE: Tu sais bien, celles que tu m'as montrées le mois dernier.

MAMIE: Ah oui, tu veux dire celles qui sont dans le grenier?

CORINNE: Oui, c'est ça.

MAMIE: Mais bien sûr, allez les voir si ça vous amuse!

Counter 33:42–34:10 4. ARMELLE: C'est vrai, il y a des tas de robes géniales ici!

CORINNE: Laquelle est-ce que tu vas choisir?

ARMELLE: Je ne sais pas . . . celle-ci peut-être.

Counter 34:11–34:50 5. Je crois que je vais essayer celle-ci aussi et celle-là! Et toi?

CORINNE: Je vais essayer celle-ci, et celle-là. Tu ne veux pas essayer ce chapeau?

ARMELLE: Celui-ci me va très bien! Et toi, essaie donc celui-là!

Counter 34:51–35:22 6. PIERRE: Bonsoir, Armelle. Bonsoir, Corinne. Elles sont géniales, vos robes! Où est-ce que vous les avez achetées?

URB p. 137

LEÇON 28 Les vieilles robes de Mamie

PE AUDIO

CD 4, Track 19

Vidéo-scène, p. 398

CLAIRE: Dans l'épisode précédent, Armelle est allée dans une boutique avec Corinne pour acheter une robe, mais elle n'a rien trouvé d'intéressant. Corinne a proposé à Armelle d'aller chez sa grand-mère qui a une collection de robes anciennes. Les deux amies viennent d'arriver chez la grand-mère de Corinne.

La grand-mère de Corinne est dans son jardin. Elle n'entend pas la sonnette. Les deux amies retrouvent la grand-mère au jardin.

CORINNE: Bonjour, Mamie.

MAMIE: Bonjour, ma chérie. Je suis contente de te voir.

ARMELLE: Bonjour, madame.

MAMIE: Bonjour, Armelle.

CORINNE: Dis, Mamie, on peut aller voir tes vieilles robes?

MAMIE: Lesquelles?

CORINNE: Tu sais bien, celles que tu m'as montrées le mois dernier.

MAMIE: Ah oui, tu veux dire celles qui sont dans le grenier?

CORINNE: Oui, c'est ça.

MAMIE: Mais bien sûr, allez les voir si ça vous amuse!

CLAIRE: Les deux amies sont montées au grenier. Là, elles découvrent des choses très intéressantes.

ARMELLE: C'est vrai, il y a des tas de robes géniales ici!

CORINNE: Laquelle est-ce que tu vas choisir?

ARMELLE: Je ne sais pas . . . Celle-ci peut-être . . . Je crois que je vais essayer celle-ci aussi . . . et celle-là! Et toi?

CORINNE: Je vais essayer celle-ci . . . et celle-là. Tu ne veux pas essayer ce chapeau?

CLAIRE: Corinne et Armelle essaient toutes sortes de robes …

ARMELLE: Celui-ci me va très bien . . . ! Et toi, essaie donc celui-là!

CLAIRE: Le jour de la boum, la soirée de Pierre a commencé, mais Armelle et Corinne ne sont pas là . . . Finalement les voilà qui arrivent.

PIERRE: Bonsoir, Armelle. Bonsoir, Corinne. Elles sont géniales, vos robes! Où est-ce que vous les avez achetées?

CLAIRE: Les robes de «chez Mamie» ont beaucoup de succès!

À votre tour!

CD 4, Track 20

1. Emprunts, p. 403

Écoutez Jérôme qui va vous dire ce qu'il fait quand il a besoin de certaines choses.

Modèle: Si je n'ai pas mon portable, j'emprunte celui de mon frère Pierre.

1. Si je n'ai pas mon livre de français, j'emprunte celui de mon ami Bernard.
2. Si je n'ai pas mes clés, j'emprunte celles de Bernard.
3. Si je n'ai pas mon appareil-photo, j'emprunte celui de mon père.
4. Si je n'ai pas ma calculatrice, j'emprunte celle de mon frère.
5. Quand j'ai besoin d'un baladeur, j'emprunte celui de Bernard.
6. Si j'ai oublié mes CD, j'emprunte ceux d'Armelle.
7. Si j'oublie mes lunettes de soleil, j'emprunte celles de Bernard.
8. Si j'ai oublié mes notes, j'emprunte celles de Cécile.

WORKBOOK AUDIO

Section 1. Vidéo-scène

CD 12, Track 19

Activité A. Compréhension générale, p. 398

Allez à la page 398 de votre texte.

CLAIRE: Dans l'épisode précédent, Armelle est allée dans une boutique avec Corinne pour acheter une robe, mais elle n'a rien trouvé d'intéressant. Corinne a proposé à Armelle d'aller chez sa grand-mère qui a une collection de robes anciennes. Les deux amies viennent d'arriver chez la grand-mère de Corinne.
La grand-mère de Corinne est dans son jardin. Elle n'entend pas la sonnette. Les deux amies retrouvent la grand-mère au jardin.

CORINNE: Bonjour, Mamie.

MAMIE: Bonjour, ma chérie. Je suis contente de te voir.

ARMELLE: Bonjour, madame.

MAMIE: Bonjour, Armelle.

CORINNE: Dis, Mamie, on peut aller voir tes vieilles robes?

MAMIE: Lesquelles?

CORINNE: Tu sais bien, celles que tu m'as montrées le mois dernier.

MAMIE: Ah oui, tu veux dire celles qui sont dans le grenier?

CORINNE: Oui, c'est ça.

MAMIE: Mais bien sûr, allez les voir si ça vous amuse!

CLAIRE: Les deux amies sont montées au grenier. Là, elles découvrent des choses très intéressantes.

ARMELLE: C'est vrai, il y a des tas de robes géniales ici!

CORINNE: Laquelle est-ce que tu vas choisir?

ARMELLE: Je ne sais pas . . . Celle-ci peut-être . . . Je crois que je vais essayer celle-ci aussi . . . et celle-là! Et toi?

CORINNE: Je vais essayer celle-ci . . . et celle-là.
Tu ne veux pas essayer ce chapeau?

CLAIRE: Corinne et Armelle essaient toutes sortes de robes . . .

ARMELLE: Celui-ci me va très bien . . . ! Et toi, essaie donc celui-là!

CLAIRE: Le jour de la boum, la soirée de Pierre a commencé, mais Armelle et Corinne ne sont pas là . . . Finalement les voilà qui arrivent.

PIERRE: Bonsoir, Armelle. Bonsoir, Corinne. Elles sont géniales, vos robes! Où est-ce que vous les avez achetées?

CLAIRE: Les robes de «chez Mamie» ont beaucoup de succès!

CD 12, Track 20

Activité B. Avez-vous compris?

Maintenant ouvrez votre cahier d'activités. Écoutez bien et indiquez si les phrases suivantes sont vraies ou fausses. Vous allez entendre chaque phrase deux fois. Êtes-vous prêts?

1. La grand-mère de Corinne est dans la cuisine. #
2. Elle est contente de voir Corinne. #
3. Corinne veut voir les vieilles robes de sa grand-mère. #
4. Les robes sont dans le salon. #
5. Armelle pense que les robes sont géniales. #
6. Les filles essaient une ou deux robes. #
7. Corinne et Armelle ont beaucoup de succès à la soirée de Pierre. #

Maintenant, corrigez vos réponses.

1. La grand-mère de Corinne est dans la cuisine. Faux. Elle est dans le jardin.
2. Elle est contente de voir Corinne. Vrai.
3. Corinne veut voir les vieilles robes de sa grand-mère. Vrai.
4. Les robes sont dans le salon. Faux. Elles sont dans le grenier.
5. Armelle pense que les robes sont géniales. Vrai.
6. Les filles essaient une ou deux robes. Faux. Elles essaient toutes sortes de robes.
7. Corinne et Armelle ont beaucoup de succès à la soirée de Pierre. Vrai.

Section 2. Langue et communication

CD 12, Track 21

Activité C. Lequel?

Sophie and Sandrine are at the Bon Marché looking at accessories. Sophie points out various items, and Sandrine asks which one. Play the role of Sandrine.

Modèle: Regarde cette nouvelle ceinture!
Laquelle?

1. Regarde cette belle bague! #
   Laquelle?
2. Regarde ce joli collier! #
   Lequel?
3. Regarde ce nouveau foulard! #
   Lequel?
4. Regarde ces bracelets en or! #
   Lesquels?
5. Regarde ce beau parapluie! #
   Lequel?
6. Regarde ces gants en cuir! #
   Lesquels?
7. Regarde ces belles boucles d'oreilles! #
   Lesquelles?
8. Regarde cette chaîne en argent!#
   Laquelle?

CD 12, Track 22

Activité D. Achats

You are shopping with your friend Nicolas. He points out several items, asking if you are going to buy them. Each time you have spotted something better. Respond to his questions as in the model.

Modèle: Est-ce que tu vas acheter cette veste? #
Non, je vais acheter celle-là.

1. Est-ce que tu vas acheter cette cravate? #
Non, je vais acheter celle-là.
2. Est-ce que tu vas acheter ces chaussures blanches? #
Non, je vais acheter celles-là.
3. Est-ce que tu vas acheter ce pantalon? #
Non, je vais acheter celui-là.
4. Est-ce que tu vas acheter ce manteau? #
Non, je vais acheter celui-là.
5. Est-ce que tu vas acheter cette casquette? #
Non, je vais acheter celle-là.
6. Est-ce que tu vas acheter ces tennis? #
Non, je vais acheter ceux-là.
7. Est-ce que tu vas acheter ces gants? #
Non, je vais acheter ceux-là.

CD 12, Track 23

Activité E. Préférences

Pierre and Corinne are looking at a picture of their cousins Christine and Sylvie. The picture was taken at a family wedding where everyone was elegantly dressed. Corinne prefers Christine's outfit, Pierre prefers what Sylvie is wearing. Play the role of Pierre, as in the model.

Modèle: Quelle veste est-ce que tu préfères?
Moi, j'aime celle de Christine.
Eh bien moi, je préfère celle de Sylvie.

1. Quelle jupe est-ce que tu préfères? Moi, j'aime celle de Christine. #
Eh bien moi, je préfère celle de Sylvie.
2. Quel chemisier est-ce que tu préfères? Moi, j'aime celui de Christine. #
Eh bien moi, je préfère celui de Sylvie.
3. Quelles chaussures est-ce que tu préfères? Moi, j'aime celles de Christine. #
Eh bien moi, je préfère celles de Sylvie.
4. Quel chapeau est-ce que tu préfères? Moi, j'aime celui de Christine. #
Eh bien moi, je préfère celui de Sylvie.
5. Quels gants est-ce que tu préfères? Moi, j'aime ceux de Christine. #
Eh bien moi, je préfère ceux de Sylvie.

CD 12, Track 24

Activité F. Choix

Corinne and Armelle are at a department store. As they see varions items, Corinne asks Armelle which ones she likes. Listen to Armelle's answers and circle the corresponding picture in your workbook.

Modèle: —Regarde ces deux bracelets. Lequel est-que tu aimes?
—J'aime celui qui coûte 76 euros.
You would circle the bracelet B.

1. Regarde ces deux fauteuils. Lequel est-ce que tu préfères? #
   Je préfère celui qui est en tissu uni.
2. Voilà deux nouvelles robes. Laquelle est-ce que tu aimes? #
   J'aime celle qui est en velours.
3. Regarde ces deux colliers. Lequel aimes-tu le mieux? #
   J'aime celui qui est en or et argent.
4. Regarde ces bottes. Lesquelles préfères-tu? #
   J'aime beaucoup celles qui sont en cuir.
5. Regardes ces deux beaux foulards. Lequel aimes-tu? #
   Je pense que je préfère celui qui est en soie.

Now check your answers. You should have circled A for items 3, 4, and 5. You should have circled B for items 1 and 2.

LESSON 28 QUIZ

Part I: Listening

CD 21, Track 5

A. Conversations

You will hear a series of short conversations. These conversations are incomplete. Select the most logical CONTINUATION of each conversation and circle the corresponding letter: a, b, or c. You will hear each conversation twice.

Écoutez.

Conversation 1. Alice et Jean-Claude sont allés à une pièce de théâtre au lycée. Après la pièce, Jean-Claude va au vestiaire avec Alice.

ALICE: Qu'est-ce que tu cherches?
JEAN-CLAUDE: Je cherche mon manteau.
ALICE: Est-ce que c'est celui-ci?

Conversation 2. À la plage, Véronique a trouvé des lunettes de soleil. Elle les apporte à Julien.

VÉRONIQUE: Est-ce que ces lunettes de soleil sont à toi?
JULIEN: Non, elles ne sont pas à moi.
VÉRONIQUE: Alors, à qui sont-elles?

Conversation 3. Nicolas et Pauline sont dans une boutique de chaussures.

NICOLAS: Tu aimes ces chaussures marron?
PAULINE: Oui, mais je préfère celles-là là-bas.
NICOLAS: Lesquelles?

Conversation 4. Valérie s'habille pour aller à une boum. Elle parle à sa soeur Catherine.

VALÉRIE: Comment trouves-tu cette robe?
CATHERINE: Elle est bien...mais je préfère celle que tu as achetée aux Galeries Modernes.
VALÉRIE: Celle-ci?

Conversation 5. Philippe a trouvé un sac. Il l'apporte à Christine.

PHILIPPE: C'est ton sac?
CHRISTINE: Non, c'est celui de ma cousine.
PHILIPPE: Tu es sûre?

Conversation 6. Vincent et Sandrine font du shopping.

SANDRINE: Tu aimes cette veste?
VINCENT: Laquelle?
SANDRINE: Celle-ci.
VINCENT: Oui, elle est bien, mais elle est trop chère pour moi.
SANDRINE: Alors, laquelle vas-tu acheter?

Nom ____

Classe ______________________________ Date ________________ ________________

Discovering FRENCH Nouveau!

BLANC

QUIZ 28

Part I: Listening

A. Conversations (30 points: 5 points each)

You will hear a series of short conversations. These conversations are incomplete. Select the most logical continuation of each conversation and circle the corresponding letter: a, b, or c.

Conversation 1. Alice et Jean-Claude sont allés à une pièce de théâtre au lycée. Après la pièce, Jean-Claude va au vestiaire avec Alice. *Jean-Claude répond*:

a. Non, il est chez moi.
b. Oui, je vais l'acheter.
c. Non, mon manteau est beige.

Conversation 2. À la plage, Véronique a trouvé des lunettes de soleil. Elle les apporte à Julien. *Julien répond:*

a. Ce sont mes lunettes de soleil.
b. Ce sont celles de Thomas.
c. Elles sont trop chères.

Conversation 3. Nicolas et Pauline sont dans une boutique de chaussures. *Pauline répond:*

a. Mes chaussures.
b. Tes chaussures.
c. Celles qui sont sur l'étagère.

Conversation 4. Valérie s'habille pour aller à une boum. Elle parle à sa soeur Catherine. *Catherine répond:*

a. Oui, elle est plus jolie.
b. Oui, elle est à moi.
c. Oui, c'est celle que j'ai achetée.

Conversation 5. Philippe a trouvé un sac. Il l'apporte à Christine. *Christine répond:*

a. Oui, c'est celle-là.
b. Oui, c'est mon sac.
c. Oui, regarde, il y a son nom.

Conversation 6. Vincent et Sandrine font du shopping. *Vincent répond:*

a. Celle qui est plus chère.
b. Celle qui est en solde.
c. Celle que je porte.

Part II: Writing

B. Dans un grand magasin (30 points: 3 points each)

Complete the following mini-dialogues with the appropriate forms of lequel and celui-ci.

1. —Voilà deux casquettes. ______________________ préfères-tu?
   —Je préfère ____________________.
2. —Voici nos nouvelles chaussures. ______________________ voulez-vous essayer?
   —Je voudrais essayer ____________________.

Nom ____

Classe ______________________ Date ______________

Discovering FRENCH Nouveau!

BLANC

3. —Combien coûtent ces jeans?

—__________________?

—__________________ sur cette étagère.

—Trente euros.

4. —Tu aimes cette veste?

—Oui, mais je __________________ préfère.

—__________________?

—Cette veste bleue!

—C'est vrai, elle est plus élégante!

5. —Quel blouson est-ce que tu préfères?

—__________________, mais il est trop cher. Je vais acheter une veste.

—Alors, essaie __________________. Elle est en solde!

C. Dialogues (20 points: 4 points each)

Complete the following mini-dialogues with the appropriate forms of **celui de, celui qui,** or **celui que**.

1. —C'est ton portable?

—Non, c'est __________________ Thérèse.

2. —Tu aimes les chaussures que je porte?

—En réalité, je préfère __________________ tu portais hier.

3. —Où sont tes livres?

—Ce sont __________________ sont sur l'étagère là-bas.

4. —Quelle bague est-ce que je mets?

—Mets __________________ tu as achetée hier.

5. —Quels magazines veux-tu?

—__________________ sont sur la table.

D. Expression personnelle (20 points: 5 points each)

Sometimes we need to borrow things from our friends. Imagine you need the following items. Say from whom you will borrow them. Begin your sentences with Je vais emprunter and the appropriate form of **celui de . . .**

- des chaussures de tennis?
- un survêtement?
- des CD pour une boum?
- la clé de la maison?

- __________________________________
- __________________________________
- __________________________________
- __________________________________

UNITÉ 7

Soyez à la mode!

CULTURAL CONTEXT: Clothes and accessories

FUNCTIONS:

- describing what people are wearing
- shopping for clothes
- comparing people, things, and actions
- describing how things are done

RELATED THEMES:

- clothes and accessories
- fabrics and materials
- numbers from 100 to 1,000,000
- descriptive adjectives and adverbs

Communicative Expressions and Thematic Vocabulary

Nom ______________________________

Classe ______________________ Date ______________

Discovering FRENCH Nouveau!

BLANC

Interviews

In this section you will be interviewed by different people who want to get to know you better. If you wish, you may write the answers to the interview questions in the space provided.

Interview 1

Parlons des couleurs que tu portes.

- **De quelle couleur est ton pantalon/ta jupe?**
- **De quelle couleur est ton tee-shirt/ta chemise?**
- **De quelle couleur sont tes chaussures?**
- **Quelle est ta couleur favorite?**

COULEURS

- ______________
- ______________
- ______________
- ______________

Interview 2

Parlons de ce que tu portes aujourd'hui.

- **Portes-tu un tee-shirt, un polo ou une chemise?**
- **De quelle couleur est-il/elle?**
- **En quel tissu est-il/elle?**
- **Est-ce que le dessin est uni? (Sinon, qu'est-ce qu'il représente?)**

VÊTEMENTS

- ______________
- ______________
- ______________
- ______________

Interview 3

Imagine que tu cherches des cadeaux d'anniversaire. Tu vas dans un grand magasin spécialisé en vêtements et accessoires divers.

- **Qu'est-ce que tu vas acheter pour ton meilleur copain?**
- **Qu'est-ce que tu vas acheter pour ta meilleure copine?**
- **Qu'est-ce que tu vas acheter pour ta soeur?**
- **Qu'est-ce que tu vas acheter pour ton grand-père?**

COULEURS

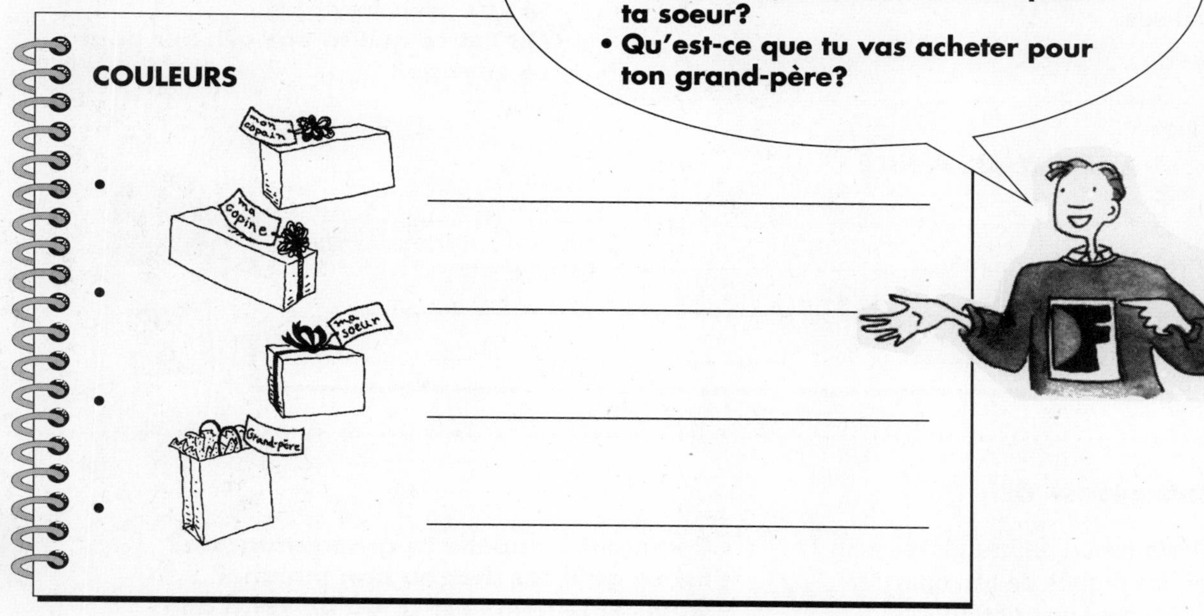

- ________________________
- ________________________
- ________________________
- ________________________

Interview 4

Il fait très beau aujourd'hui et nous allons faire une promenade à pied à la campagne. Dis-moi ce que tu vas mettre.

- **Est-ce que tu vas mettre un short ou un jean?**
- **Est-ce que tu vas mettre des tennis ou des bottes?**
- **Est-ce que tu vas prendre ton chapeau ou ta casquette?**
- **Quelles autres choses est-ce que tu vas prendre?**

UNE PROMENADE À LA CAMPAGNE

- ________________________
- ________________________
- ________________________
- ________________________

Nom ______________________________ Discovering FRENCH Nouveau!

Classe ______________________ Date ______________

BLANC

Interview 5

Tes cousins qui habitent à Nice t'ont invité(e) à passer une semaine du mois d'août chez eux. Maintenant, tu fais tes valises.

- **Combien de chemises est-ce que tu vas prendre?**
- **Quelle sorte de chaussures est-ce qu tu vas prendre?**
- **Quels autres vêtements est-ce que tu vas prendre?**
- **Qu'est-ce que tu vas acheter pour ce voyage?**

UN VOYAGE À NICE

- ______________________
- ______________________
- ______________________
- ______________________

Interview 6

Parle-moi d'un grand magasin où les jeunes de ton quartier achètent leurs vêtements.

- **Comment s'appelle ce grand magasin?**
- **Est-ce qu'il est cher ou bon marché?**
- **Quels vêtements est-ce qu'on vend dans ce magasin?**
- **Quelles autres choses est-ce qu'on vend?**

UN GRAND MAGASIN

- ______________________
- ______________________
- ______________________
- ______________________

Interview 7

Je vais visiter ta région.
Parle-moi de ta ville.

- **Quel est le plus haut (*tallest*) monument?**
- **Quel est le plus grand centre commercial?**
- **Quel est le plus joli quartier?**
- **Quelle est la chose la plus intéressante à voir?**

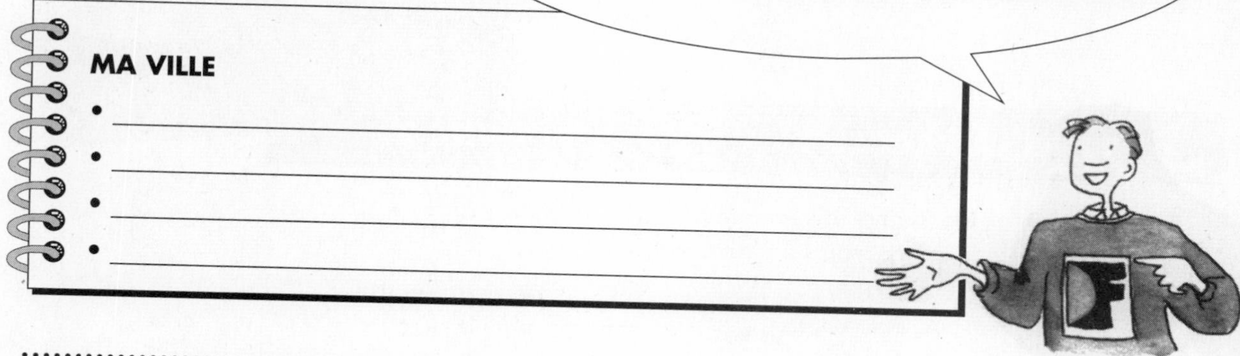

MA VILLE

- ____________________
- ____________________
- ____________________
- ____________________

Interview 8

Je vais habiter dans ton quartier et j'ai besoin de renseignements *(information)*.

- **Quel est le plus grand supermarché?**
- **Quelle est la plus grande boutique de disques?**
- **Quel est le meilleur restaurant?**
- **Quelle est la boutique de vêtements la moins chère?**

MON QUARTIER

- ____________________
- ____________________
- ____________________
- ____________________

Nom ______________________

Classe ______________ Date ______________

Discovering FRENCH Nouveau!

BLANC

Tu as la parole

Read the instructions on the cards below and give your partner the corresponding information in French. Take turns reading your cards and listening to each other.

TU AS LA PAROLE 1 — UNITÉ 7

You are going skiing this weekend. Look at the list and mention four things you will take with you.

- sunglasses
- boots
- a sweatshirt
- a hat
- gloves
- socks
- a sweater
- a jacket
- sneakers

TU AS LA PAROLE 2 — UNITÉ 7

Rain is predicted for this afternoon. Tell Pierre, the young French student who is staying at your house, . . .

- to take an umbrella
- not to forget his boots
- to wear a hat
- to take a raincoat

TU AS LA PAROLE 3 — UNITÉ 7

You have won a prize in the lottery and are splurging on gifts for your family and friends. Select four people and say what you will buy for each one. Among the gifts you might consider are . . .

- a silk scarf
- gold earrings
- a silk tie
- a velvet skirt
- a linen jacket
- a fur coat
- a leather belt
- a silver necklace
- a chain with a medal

TU AS LA PAROLE 4 UNITÉ 7

The department store **Le Printemps** is having a sale. You have found a jacket that you like, but you are not sure whether you will buy it. Tell the salesperson that . . .

- the jacket fits you well
- you like it (= it pleases you)
- it is inexpensive
- you will think it over

TU AS LA PAROLE 5 UNITÉ 7

You are working at a shoe store in Paris. Imagine you are speaking with a customer. Address the customer politely as **vous**.

- Ask the customer which type of shoes he/she is looking for (sandals? sneakers? boots? . . .)
- Ask the customer his/her shoe size.
- Ask the customer which shoes he/she would like to try on.
- Say that the shoes over there are on sale.

TU AS LA PAROLE 6 UNITÉ 7

You have gone into a fashionable Paris boutique. A salesperson comes to greet you.

- Tell the salesperson what you are looking for (a pair of pants? a suit? a jacket? . . .)
- Tell the salesperson your size.
- Ask where you can try the item on.
- Say that the item is a little expensive and say that you will look for something else.

Nom ______________________________

Classe ______________________ Date ______________

Conversations

Read the instructions on the cards below and ask your partner the questions in French. Your partner will play the role of the person in the situation and answer the questions. Take turns asking the questions and answering them.

CONVERSATION 1 **UNITÉ 7**

It is very warm and sunny today, and you feel like going to the beach with your partner.

Ask your partner . . .

- if he/she has a bathing suit
- if he/she has sunglases
- if he/she has a large hat

CONVERSATION 2 **UNITÉ 7**

Next Saturday you are going on a hike with your partner.

Ask your partner . . .

- if he/she is going to wear shorts or pants
- if he/she is going to wear boots or sneakers
- if he/she is going to take a raincoat

CONVERSATION 3 **UNITÉ 7**

Your partner bought some shirts last Saturday.

Ask your partner . . .

- how many shirts he/she bought
- what color they are
- if they are (made of) wool or cotton
- how much he/she paid

CONVERSATION 4 **UNITÉ 7**

Your partner cannot find his/her wallet.

Ask your partner . . .

- what color his/her wallet is
- if it is (made of) leather or plastic
- how much money there is in the wallet

CONVERSATION 5 **UNITÉ 7**

In a department store, you see a jacket that you like.

Ask your partner . . .

- if you can try on the jacket
- if it is on sale
- how much it costs

Nom ______________________________________

Classe ____________________ Date ____________________

CONVERSATION 6 **UNITÉ 7**

You are visiting Paris with your partner. Before leaving he/she went to a jewelry shop to buy a few presents for his/her friends and family.

Ask your partner . . .

- what he/she bought for his/her older sister
- what he/she bought for his/her brother
- what he/she bought for his/her (boy/girl)friend

CONVERSATION 7 **UNITÉ 7**

What we wear depends on the weather.

Ask your partner . . .

- what he/she is going to wear if it is warm tomorrow
- what he/she is going to wear if it is cold
- what he/she is going to wear if it snows **(s'il neige)**

CONVERSATION 8 **UNITÉ 7**

You want to know more about your partner's best friend.

Ask your partner . . .

- what his/her friend's name is
- if the friend is taller than he/she is
- if the friend is younger or older
- if he/she is nice

Nom ______________________

Classe ______________ Date ______________

Échanges

1 Imaginez que vous êtes en vacances à Paris avec vos camarades. Aujourd'hui, c'est votre dernier jour en France. Vous êtes aux «Galeries Lafayette» où vous achetez des cadeaux (vêtements ou accessoires) pour vos amis aux États-Unis.

- Choisissez trois camarades et demandez à chacun ce qu'il/elle va acheter pour les personnes suivantes. (Vos camarades peuvent inventer les réponses.)
- Indiquez les réponses dans le tableau.

LISTE DES CADEAUX

	▶ Stéphanie	1	2	3
• **copain**	polo			
• **copine**				
• **petit frère**				
• **grande soeur**				

- Maintenant, déterminez les cadeaux les plus populaires.

Le cadeau le plus populaire pour un garçon: ______________________

Le cadeau le plus populaire pour une fille: ______________________

Nom ____________________

Classe ____________________ Date ____________________

Discovering FRENCH *Nouveau!*

B L A N C

Échanges

2 Imaginez que vos amis ont reçu 200 dollars chacun pour leur anniversaire. Ils peuvent acheter trois vêtements ou accessoires de leur choix.

- Demandez à cinq camarades à quelle heure ils se lèvent et à quelle heure ils se couchent.

- Indiquez les résultats de votre enquête dans le tableau.

Dis-moi, Sylvia, qu'est-ce que tu vas acheter avec l'argent de ton anniversaire?
Je vais acheter un jean, un survêtement et des boucles d'oreilles.

NOM	VÊTEMENTS/ACCESSOIRES		
▶ Sylvia	1 jean	2 survêtement	3 boucles d'oreilles
•	1	2	3
•	1	2	3
•	1	2	3
•	1	2	3

- Maintenant, utilisez les résultats de votre enquête pour déterminer les deux articles les plus populaires.

Les deux articles les plus populaires: 1. ____________________

2. ____________________

Nom ______________________

Classe ______________ Date ______________

Discovering FRENCH Nouveau!

BLANC

Échanges

3 Vous préparez une brochure touristique pour votre ville (ou pour votre quartier). Dans cette brochure, vous voulez mentionner les endroits les plus intéressants pour les touristes qui visitent votre ville.

- Choisissez quatre camarades et demandez-leur leur opinion.
- Indiquez les résultats de votre enquête dans le tableau.

D'après toi, Alice, quel est le plus élégant hôtel?
Et quel est . . . ?
C'est le Palace Hôtel.

	▶ Alice	1	2	3	4
• le plus élégant hôtel	Palace Hôtel				
• le plus grand supermarché					
• le meilleur restaurant					
• le meilleur magasin pour acheter des vêtements					
• l'endroit le plus intéressant à visiter					

Nom ______________________________

Classe ____________________ Date ____________

Discovering FRENCH *Nouveau!*

BLANC

Élève A

Tête à tête

1 Un grand magasin

a

You are a salesperson in a French department store.

■ Your partner wants to know the price of certain items. Answer him/her.

• **Elle coûte 2 000 €.**

b

Now you are shopping in a French store.

■ Ask the salesperson (your partner) the price of the following items.

• **Combien coûtent les boucles d'oreilles?**

 Record the information you obtain.

Prix	Prix	Prix
________ €	________ €	________ €
________ €	________ €	________ €

Nom ____

Classe ______________________ Date ______________

Discovering FRENCH *Nouveau!*

BLANC

Tête à tête

Élève B

1 Un grand magasin

Now you are shopping in a French store.

■ Ask the salesperson (your partner) the price of the following items.

 Record the information you obtain.

• **Combien coûte la ceinture?**

Prix	Prix	Prix
________ €	________ €	________ €
________ €	________ €	________ €

You are a salesperson in a French department store.

■ Your partner wants to know the price of certain items. Answer him/her.

• **Elle coûte 1 000 [euros].**

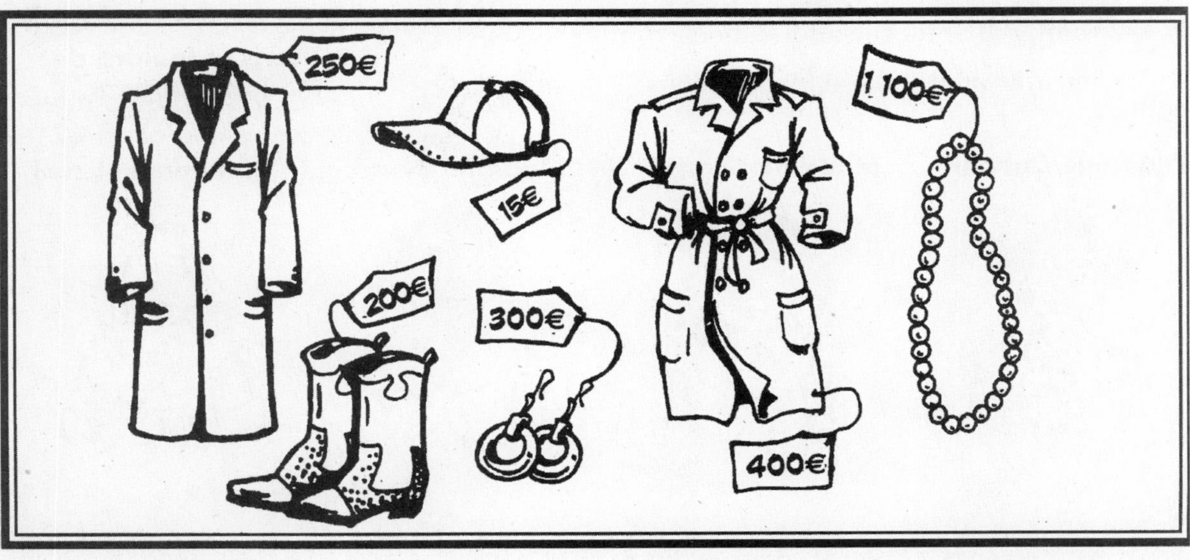

Nom ______________________________

Classe ____________________ Date ____________

Discovering FRENCH Nouveau!

BLANC

Tête à tête

Élève A

2 Cravates et foulards

a

Complete the outfits of the people below by drawing lines to connect each person to an appropriate tie.

■ Your partner will want to know what type of tie each person is wearing. Answer him/her.

• La cravate de Monsieur Thomas est . . .

Monsieur Thomas

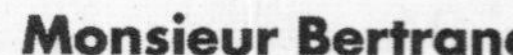

Monsieur Moreau

b

You want to know what types of scarves the following women are wearing.

■ Ask your partner for the information.

Then draw in the appropriate designs.

• Décris le foulard de Madame Dupont.

Madame Dupont | **Madame Charron** | **Madame Boutron** | **Madame Laval**

Élève B

Tête à tête

2 Cravates et foulards

a

You want to know what types of ties the following men are wearing.

■ Ask your partner for the information.

Then draw in the appropriate designs.

• **Décris la cravate de Monsieur Thomas.**

b

Complete the outfits of the people below by drawing lines to connect each person to an appropriate scarf.

■ Your partner will want to know what type of scarf each person is wearing. Answer him/her.

• **Le foulard de Madame Dupont est . . .**

Nom ______________________________

Classe ______________________ Date ______________

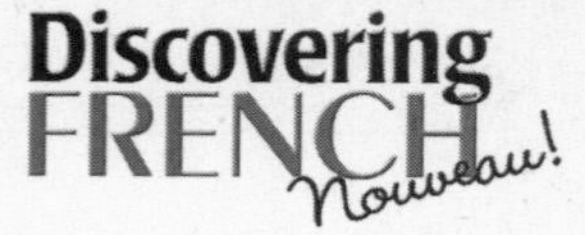

BLANC

Élève A

Tête à tête

3 Comparaisons

a

Your partner would like to compare various people and things, but he/she does not have the information you have.

■ Answer his/her questions.

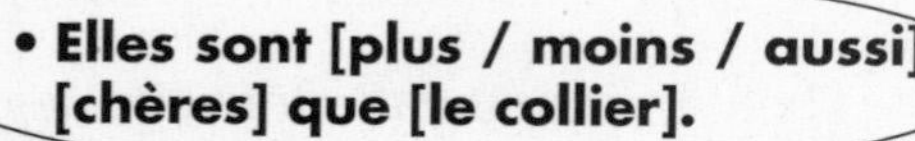

• Elles sont [plus / moins / aussi] [chères] que [le collier].

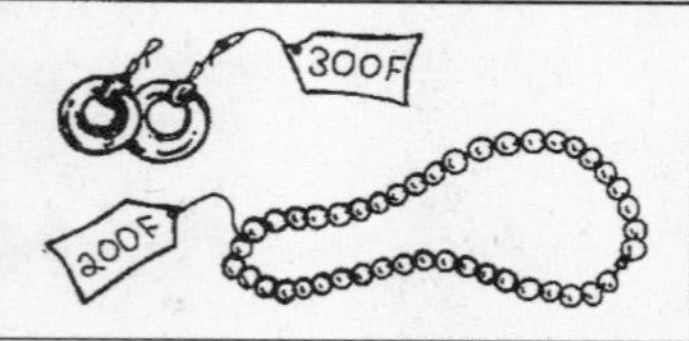

Jean-Pierre Christophe

Alice Hélène

b

You want to compare various people and things.

■ Ask your partner appropriate questions using the cues given below.

• Est-ce que [Madame Simon est] plus ou moins [élégante] que [Madame Carré]?

 Record the information in the boxes as follows:

plus ⊞ moins ⊟ aussi ⊜

- Madame Simon . . . . . . ❑ élégante . . . . . Madame Carré
- Monsieur Lambert . . . . ❑ jeune . . . . Monsieur Thomas
- le portefeuille . . . . ❑ cher . . . . la ceinture
- le chien . . . . ❑ fort . . . . le chat
- la voiture blanche . . . . ❑ grande . . . . . . la voiture noire
- le paquet . . . . ❑ lourd . . . . le sac

Nom ____

Classe ____________________________ Date ____________________

Discovering FRENCH Nouveau!

BLANC

Tête à tête

Élève B

3 Comparaisons

a

You want to compare various people and things.

■ Ask your partner appropriate questions using the cues given below.

Record the information in the boxes as follows:

plus [+] moins [−] aussi [=]

- **Est-ce que [les boucles d'oreilles sont] plus ou moins [chères] que [le collier]?**

- les boucles d'oreilles . . ☐ chères . . . . . . le collier
- le pantalon . . . . ☐ large . . . . la veste
- la jupe . . . . ☐ longue . . . . . . la robe
- la moto . . . . ☐ rapide . . . . . . la voiture
- Jean-Pierre . . . . ☐ fort . . . . Christophe
- Alice . . . . ☐ grande . . . . . . Hélène

b

Your partner would like to compare various people and things, but he/she does not have the information you have.

■ Answer his/her questions.

- **Elle est [plus / moins / aussi] [élégante] que [Madame Carré].**

Mme Simon Mme Carré

M. Lambert M. Thomas

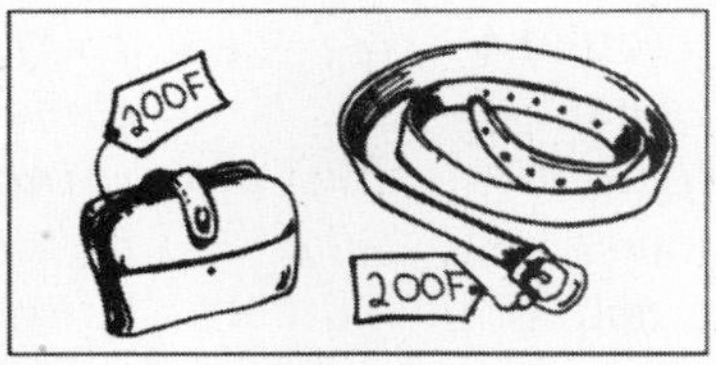

200F 200F

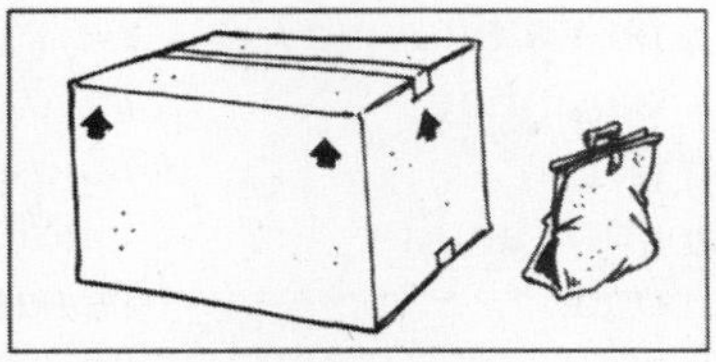

Nom ______________________________

Classe ______________________ Date ______________

Discovering FRENCH Nouveau!

BLANC

Communicative Expressions and Thematic Vocabulary

Pour communiquer

Buying clothes

Ce manteau vous va?	*Does this coat fit you?*
Il me va bien.	*It fits me well.*
Il me plaît.	*I like it.*
Ces bottes vous vont?	*Do these boots fit you?*
Elles ne me vont pas.	*They don't fit.*
Elles ne me plaisent pas.	*I don't like them.*

Making comparisons

La robe est plus courte que la jupe.	*The dress is shorter than the skirt.*
Le blazer est aussi cher que la veste.	*The blazer is as expensive as the jacket.*
Les sandales sont moins chères.	*The sandals are less expensive.*
Ce tailleur est le plus élégant.	*This suit is the most elegant.*
Cette casquette est la moins chère.	*This cap is the least expensive.*
Ces bottes sont les meilleures.	*These boots are the best.*
Tu travailles moins vite que moi.	*You work less quickly than I do.*
Pierre danse mieux que Marc.	*Pierre dances better than Mark.*

Mots et expressions

L'achat des vêtements

un catalogue	*catalog*
un grand magasin	*department store*
un magasin	*store*
un rayon	*department (in a store)*
une boutique	*boutique*
une boutique de soldes	*discount shop*
la couleur	*color*
la pointure	*(shoe) size*
la taille	*(clothing) size*

Les vêtements

un accessoire	*accessory*
des baskets	*high tops*
un blazer	*blazer*
un blouson	*jacket*
un chapeau	*hat*
un chemisier	*blouse*
des collants	*tights, pantyhose*
un costume	*suit*
un foulard	*scarf*
des gants	*gloves*
un imper(méable)	*raincoat*
un jean	*pair of jeans*
un maillot de bain	*bathing suit*
un manteau	*coat*
un pantalon	*pair of pants*
un parapluie	*umbrella*
un polo	*polo shirt*
un portefeuille	*wallet*
un pull	*sweater*
un sac	*handbag, pocketbook*
un short	*pair of shorts*
un survêtement	*jogging, track suit*
un sweat	*sweatshirt*
un tailleur	*suit*
un tee-shirt	*t-shirt*
des tennis	*sneakers, running shoes*
un vêtement	*item of clothing*
des bottes	*boots*
une casquette	*cap*
une ceinture	*belt*
une chaussette	*sock*
des chaussures	*shoes*
une chemise	*long-sleeved shirt*
une cravate	*tie*
une jupe	*skirt*
des lunettes de soleil	*sunglasses*
une robe	*dress*
des sandales	*sandals*
une veste	*jacket*

Les bijoux

un bijou	*piece of jewelry*	une bague	*ring*
un bracelet	*bracelet*	des boucles d'oreilles	*earrings*
un collier	*necklace*	une chaîne	*chain*
		une médaille	*medal*

Les tissus et les autres matières

l'argent	*silver*	la fourrure	*fur*
le caoutchouc	*rubber*	la laine	*wool*
le coton	*cotton*	la matière	*material*
le cuir	*leather*	la soie	*silk*
le nylon	*nylon*	la toile	*linen, canvas*
l'or	*gold*		
le plastique	*plastic*		
le polyester	*polyester*		
le tissu	*fabric*		
le velours	*velvet*		
le velours côtelé	*corduroy*		

Les couleurs

blanc (blanche)	*white*	marron	*brown*
beige	*tan, beige*	noir(e)	*black*
bleu(e)	*blue*	orange	*orange*
bleu clair	*light blue*	rose	*pink*
bleu foncé	*dark blue*	rouge	*red*
gris(e)	*grey*	vert(e)	*green*
jaune	*yellow*	violet(te)	*purple*

Le dessin *(pattern, design)*

à carreux	*checked*	à rayures	*striped*
à fleurs	*floral*	uni	*solid*
à pois	*dotted, polka-dotted*		

Adjectifs déscriptifs

affreux (-euse)	*awful*	inutile	*useless*
bon marché	*inexpensive, cheap*	large	*wide, baggy*
chaud	*warm, hot*	léger (-ère)	*light*
cher (-ère)	*expensive*	lent	*slow*
court	*short*	long(ue)	*long*
difficile	*difficult*	lourd	*heavy*
élégant	*elegant*	méchant	*mean, nasty*
étroit	*tight*	meilleur marché	*cheaper*
facile	*easy*	moche	*ugly*
faible	*weak*	petit	*small*
fort	*strong*	rapide	*fast*
froid	*cold*	ridicule	*ridiculous*
gentil(le)	*nice*	trop cher (-ère)	*too expensive*
grand	*big*	utile	*usefull*

Adjectifs irréguliers

beau (bel, belle; beaux, belles)	*beautiful*
nouveau (nouvel, nouvelle; nouveaux, nouvelles)	*new*
vieux (vieil, vieille; vieux, vieilles)	*old*

Nom ______________________________ Discovering FRENCH Nouveau!

Classe ______________________ Date ______________ ______________

BLANC

Quelques adverbes

tôt	*early*	calmement	*calmly*
tard	*late*	sérieusement	*seriously*
vite	*fast, quickly*		
lentement	*slowly*	élégamment	*elegantly*
longtemps	*(for) a long time*	patiemment	*patiently*

Le comparatif des adjectifs / adverbes — Le superlatif des adjectifs

plus . . . que	*more . . . than*	le/la/les plus . . .	*the most . . .*
moins . . . que	*less . . . than*	le/la/les moins . . .	*the least . . .*
aussi . . . que	*as . . . as*		
meilleur que	*better than*	le/la/les	*the best . . .*
mieux que	*better than*	meilleure(e)(s) . . .	

Verbes réguliers — Verbes irréguliers

décider	*to decide*	faire du [40]	*to wear size [40]*
essayer (j'essaie)	*to try on*		
porter	*to wear*	mettre	*to put on, to wear*
porter du [38]	*to wear size [38]*		
réfléchir	*to think it over*		

Expressions utiles

lequel/laquelle	*which one*	à la mode	*in fashion*
lesquels/lesquelles	*which ones*	en solde	*on sale*
celui/celle	*this one*	quelque chose d'autre	*something else*
ceux/celles	*these*		

Les nombres de 100 à 1 000 000

100	cent	1 000	mille
101	cent un	2 000	deux mille
110	cent dix	5 000	cinq mille
200	deux cents	10 000	dix mille
250	deux cent cinquante	100 000	cent mille
900	neuf cents	1 000 000	un million

Nombres ordinaux

premier (première)	*first*	cinquième	*fifth*
deuxième	*second*	neuvième	*ninth*
troisième	*third*	centième	*one hundredth*

UNITÉ 7 Reading Comprehension

Lecture

A

andré

En voyage pour l'été !

Destination : la nouvelle collection André.
Quand la chaussure rime avec mode et qualité.

Pour la femme, les nuances parlent de voyage.
Un savoureux parfum d'exotisme vogue à l'horizon.
Et les matières s'en mêlent, cuirs ajourés, denim,
toiles imprimées. Tendance rouge, impressions
noires, les contrastes se font graphiques.
Voilà que la voyageuse des mille et une nuits
se mue en citadine sagement sophistiquée.

Pour l'homme, l'été sera décontracté.
Le confort prime, l'allure chic et raffinée domine.
Une nouvelle saison baignée de modernité.

André fête l'été en vous offrant des prix légers.

Compréhension

1. Que fabrique André?
   des chaussures
2. Quelles sont les trois matières mentionnées pour les chaussures de femmes?
   a) cuir b) denim c) toile
3. Quelles sont les deux couleurs de la saison, pour les femmes?
   a) rouge b) noir
4. Que veut dire **citadin(e)**?
   (habitant(e) d'une ville ou cité) habitant(e) de la campagne
5. Est-ce que les chaussures André coûtent cher?
   oui (non)

Que pensez-vous?

1. Quel est le synonyme de **décontracté**?
   sérieux (débonaire)
2. Quel est le synonyme de **à la mode**?
   nuances (tendance)

Nom ______________________________

Classe ____________________ Date ______________

B

Vêtements interdits, collégiens mécontents

Les élèves d'un collège d'Amiens sont en colère. Le proviseur leur a interdit de porter certains vêtements et chaussures jugés trop vulgaires. Les élèves n'ont plus le droit de porter des chaussures à bouts renforcés, qui peuvent causer des dégâts dans les couloirs. Les jeans sont toujours permis, mais les jeans troués et les casquettes aussi doivent rester à la maison. Les filles sont encore moins contentes puisque les jupes courtes et les longues boucles d'oreilles sont également sur la liste!

Compréhension

1. Que veut dire **mécontents**?

   heureux — pas satisfaits (circled) — nerveux

2. Quelles sortes de vêtements sont interdits à ce collège d'Amiens?

   les jeans troués (circled) — les blousons — les casquettes (circled)

   les baskets — les jeans normaux — les jupes courtes (circled)

3. Quelles sortes de bijoux sont interdits?

   les bagues — les chaînes et les médailles

   les colliers — les boucles d'oreilles longues (circled)

4. Que veut-dire **vulgaire**?

   distingué — sans élégance (circled)

5. Quel est le synonyme de **dégat**?

   embellissement — destruction (circled)

Qu'est-ce que vous en pensez?

1. Est-ce que certains vêtements sont interdits dans votre école? (sample answer)

   non

2. Est-ce que cet article révèle une différence culturelle entre la France et les États-Unis? Laquelle? (sample answer)

   Oui. Aux États-Unis, on est généralement libre de porter des casquettes ou des boucles d'oreilles longues et de s'habiller avec un style personnel.

C

-10%
SUR TOUT LE MAGASIN

sauf TV, Hi-Fi, Video, Electroménager, Librairie, Alimentation, Points rouges et Prix Défis. Réduction non cumulable avec d'autres escomptes en vigueur dans le magasin et non remboursable à posteriori.

COMMENT EN BÉNÉFICIER ?

Cette réduction est exclusivement réservée à la clientèle individuelle, munie d'une pièce d'identité étrangère. Il faut présenter ce bon de réduction en caisse avec passeport ou pièce d'identité ***avant l'enregistrement des achats.***

-13%*
DÉTAXE EXPORTATION

CONDITIONS :

- être résident hors zone C.E.E.,
- montant minimum de 125€ d'achats dans la même journée,
- se présenter au bureau de Détaxe du Welcome Service International.

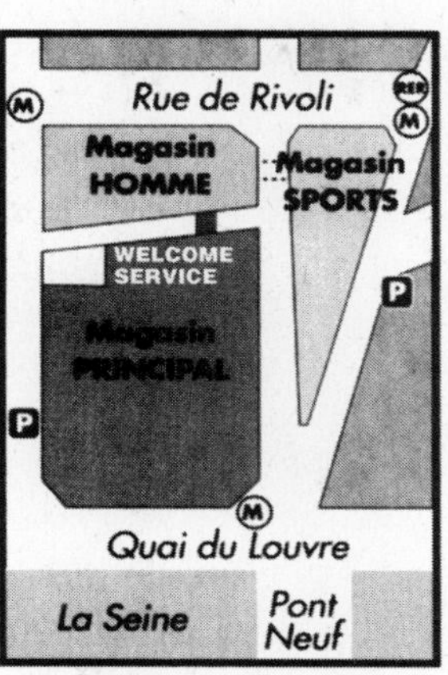

Heures d'ouverture :
9h30 - 19h00
du lundi au samedi

Nocturne le jeudi
jusqu'à 22h00

*selon la réglementation gouvernementale

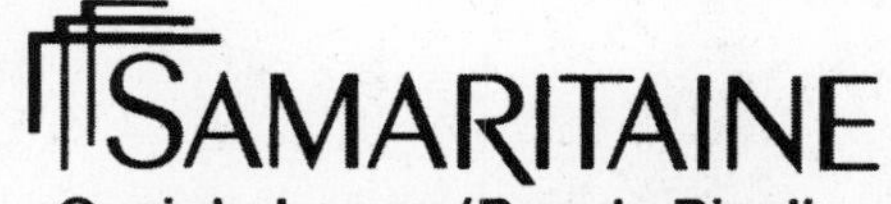

Quai du Louvre/Rue de Rivoli.
Tél. : 01 40 41 22 54 - Fax : 01 40 41 21 70.

Compréhension

1. Quel jour de la semaine est-ce que le magasin est ouvert le plus tard? jeudi
2. Quel est le synonyme de **réduction**? escompte
3. Que veut dire **non cumulable**? On ne peut pas l'utiliser avec une autre réduction.
4. À qui est-ce que cette réduction est réservée? aux étrangers
5. Combien faut-il dépenser en une journée pour bénéficier de la détaxe? cent quatre-vingt-cinq euros

Qu'est-ce que vous en pensez?

1. Comment dit-on **non-refundable** en français? non remboursable
2. Comment dit-on **une pièce d'identité** en anglais? I.D.

UNITÉ 7 Reading and Culture Activities

Aperçu culturel

Prenez votre manuel de classe et relisez les pages 370 et 371. Ensuite, complétez les paragraphes avec les mots suggérés.

boutique	couturiers	collier	mode
pointure	boucles d'oreilles	soldes	style

1. Patrick est dans une boutique boutique de chaussures. Il aime beaucoup le style de ces chaussures-ci. Malheureusement *(unfortunately)*, elles ne sont pas à sa pointure.
2. Catherine est invitée à une soirée ce week-end. Elle va mettre les nouveaux accessoires qu'elle a achetés pendant les vacances: un collier africain et des boucles d'oreilles en argent.
3. Caroline adore lire les magazines de mode. Elle aime regarder les collections présentées par les grands couturiers. Bien sûr, ces vêtements sont beaucoup trop chers pour elle! Comme *(Since)* elle n'a pas beaucoup d'argent, elle attend la période des soldes pour acheter ses vêtements.

FLASH culturel

La fameuse chemise Lacoste a été créé en France en 1932. Reconnaissable à son emblème de crocodile, cette chemise est aujourd'hui portée dans le monde entier.

- Qui était René Lacoste, son créateur?

A. Un couturier.
B. Un joueur de polo.
C. Un musicien.
(D.) Un champion de tennis.

Pour vérifier votre réponse, allez à la page 257.

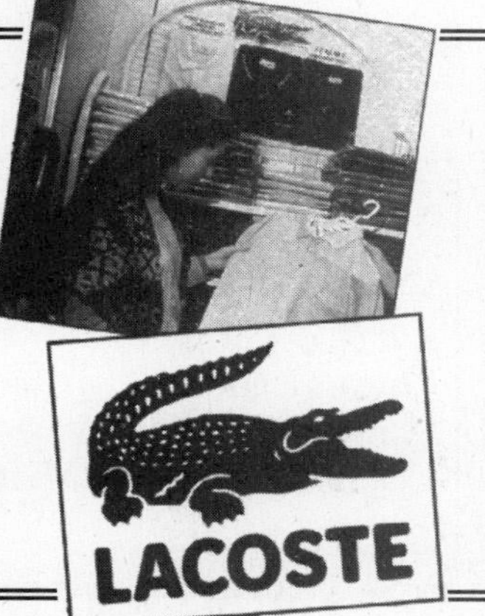

Nom ______________________________

Classe ____________________ Date ____________

Discovering FRENCH Nouveau!

BLANC

DOCUMENTS

Read the following documents and select the correct completion for each of the accompanying statements. Place a check in the corresponding box.

1. On trouve ces choses au rayon des . . .
   - ❑ raquettes de tennis.
   - ☑ vêtements de sport.
   - ❑ vêtements d'hiver.

TENNIS dessus synthétique, semelle caoutchouc cousue, blanc/vert, du 28 au 38 **12€**

SURVETEMENT 100 % polyamide, coloris assortis, du 6 au 14 ans **23€**

PANTALON DE SURVETEMENT 100 % polyamide, vert/marine/violet/bleu, du 6 au 16 ans **9€**

2. Dominique Aurientis est le nom d'une boutique parisienne.
   - Ici on peut acheter . . .
     - ☑ une bague.
     - ❑ un imper.
     - ❑ un manteau.
   - On peut aussi acheter . . .
     - ❑ des chaussures en cuir.
     - ☑ un foulard en soie.
     - ❑ une chemise en coton.

Dominique Aurientis
PARIS

Bijoux
Accessoires

3. Mod' Chic est une boutique de mode.
   - Cette boutique vend . . .
     - ❑ des vêtements de sport.
     - ❑ des vêtements d'hommes.
     - ☑ des vêtements de femmes.

Mod/Chic
120 Avenue de Strasbourg
du 1er au 15 avril seulement

Jupes laine	~~54€~~	38€
Chemisiers soie	~~61€~~	46€
Tailleurs velours	~~153€~~	107€

Détaxe à l'exportation — fermé le lundi

- Mod' Chic annonce à sa clientèle . . .
  - ☑ des soldes.
  - ❑ sa collection de printemps.
  - ❑ la fermeture *(closing)* de sa boutique.
- Pour chaque type de vêtement, l'annonce indique . . .
  - ❑ le style.
  - ☑ le tissu.
  - ❑ la couleur.
- Le vêtement le moins cher est . . .
  - ☑ la jupe.
  - ❑ le chemisier.
  - ❑ le tailleur.

4. Cette annonce décrit les caractéristiques d'un vêtement excepté . . .
   - ❑ sa couleur.
   - ❑ son prix.
   - ☑ sa taille.

MARQUE EXCLUSIVE MONOPRIX

PANTALON FLANELLE,
70% LAINE, 30% polyester.
Gris foncé ou gris moyen________35€

---

5. Voici une publicité pour un pantalon.
   - Ce pantalon est en . . .
     - ❑ laine.
     - ❑ velours côtelé.
     - ☑ fibre synthétique.
   - Ce pantalon n'existe pas en . . .
     - ☑ jaune.
     - ❑ bleu.
     - ❑ vert.

PANTALON SUEDE CUP'S
ADULTE
85% polyester, 15% polyamide
1 poche couture, 1 poche zippée,
bas de Pantalon zippé, coloris noir,
royal, vert, marine ou violet
Toille 1 à 5

15€

---

6. Lisez ces publicités. Puis indiquez si les phrases sont vraies ou fausses.

50€
mocassins homme à boucle et franges en box.
Couleur: noir.
Du 39 au 45.
SERGIO VITTO.

- On trouve cet article au rayon des chaussures homme. (vrai) faux
- On peut choisir la pointure. (vrai) faux
- On peut choisir la couleur. vrai (faux)

45€
parka en chambray matelassé, col châle, manches raglan, fermetures pression, 100% coton.
Existe en bleu ciel, noir, gris, kaki, taille unique.
CAROLE LAURENT.

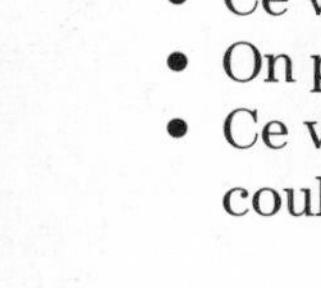

- Ce vêtement est en cuir. vrai (faux)
- On peut choisir la taille. vrai (faux)
- Ce vêtement existe en quatre couleurs différentes. (vrai) faux

70€
Blouson Teddy Stanford,
doublé écossais,
70% laine cardée,
15% polyamide,
10% polyester,
5% autres fibres.
Existe en marine et vert. Tailles 1 à 4.

- Ce blouson est en cuir. vrai (faux)
- On peut choisir la taille. (vrai) faux
- Ce blouson existe en cinq couleurs différentes. vrai (faux)
- Il coûte soixante-dix euros. (vrai) faux

Nom ______________________________ Discovering FRENCH Nouveau!

Classe ______________________ Date ______________ BLANC

C'est La Vie

1. Shopping

Les boutiques ci-dessous vendent des marchandises différentes.

Chaque boutique est identifiée par un numéro: 1, 2, 3, 4, 5, 6.

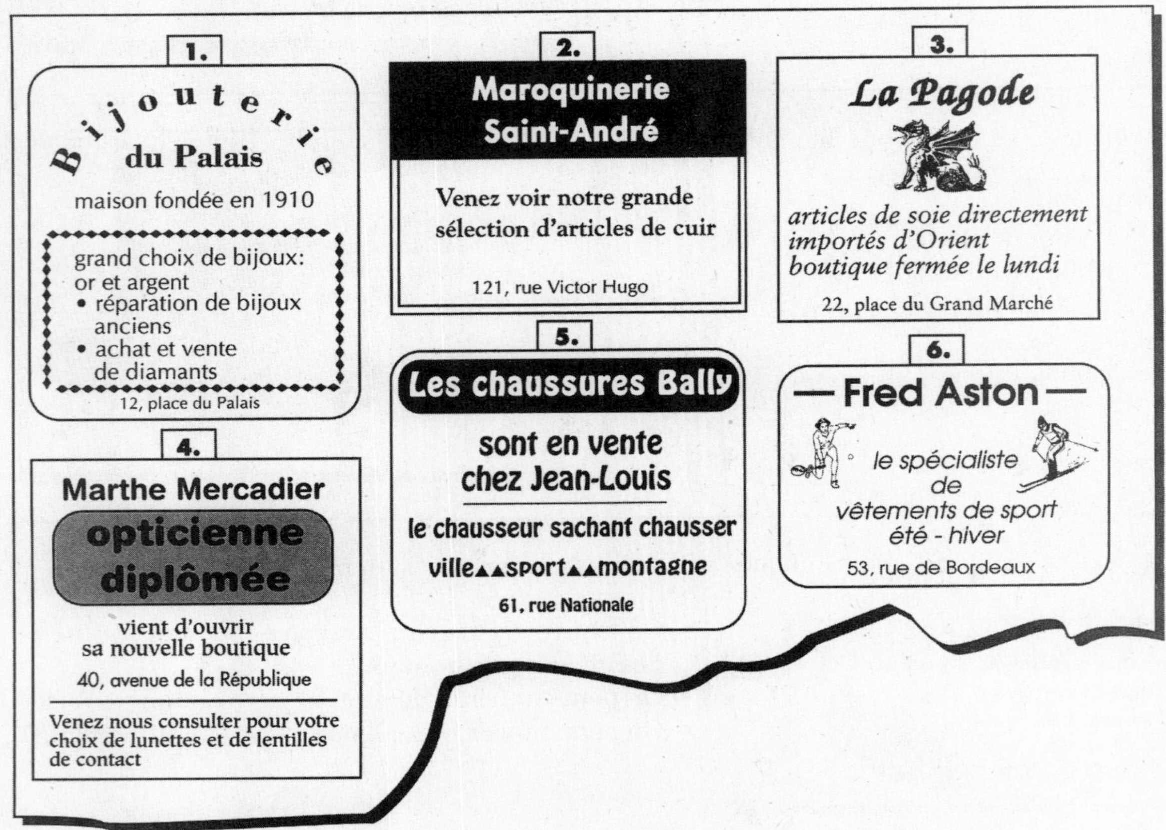

Écrivez le numéro de la boutique où vous pouvez acheter les articles suivants.

ARTICLE	BOUTIQUE
• des lunettes de soleil	4(6)
• un portefeuille	2
• des bottes en caoutchouc	5(6)
• un foulard en soie	3
• des boucles d'oreilles	1

ARTICLE	BOUTIQUE
• un survêtement	6
• une ceinture	2
• une bague	1
• un maillot de bain	6
• un sac en cuir	2

2. Aux Galeries Modernes

Vous êtes aux Galeries Modernes. Dites à quel étage vous devez aller dans les circonstances suivantes:

a. Vous voulez acheter des boucles d'oreilles pour l'anniversaire de votre soeur. étage rez-de-ch.

b. Vous avez besoin d'un dictionnaire français-anglais. étage rez-de-ch.

c. Vous avez acheté une mini-chaîne qui ne marche pas. Vous voulez l'échanger. étage 4e.

d. Vous voulez acheter une lampe pour votre bureau. étage 5e.

e. Vous voulez voir les nouveaux modèles de lunettes de ski. étage 4e.

f. Vous voulez acheter des gants pour l'anniversaire de votre oncle. étage 2e.

g. Vous voulez acheter un service *(set)* de verres pour le mariage de votre cousin. étage sous-sol.

h. Vous voulez acheter un collier pour l'anniversaire d'une copine. étage rez-de-ch.

✥ Les Galeries Modernes ✥	
6e	cafétéria - restaurant self service
5e	meubles - literie
4e	tv - hi-fi - électronique photo - optique
3e	chaussures vêtements de sport
2e	mode homme bagagerie
1e	mode femme - lingerie
Rez-de-chaussée	parfumerie - bijouterie librairie - papeterie
Sous-sol	arts de la table meubles de cuisine électroménager

FLASH culturel: Réponse

➜ **D.** René Lacoste est l'un des plus grands champions de tennis français. Avec lui, l'équipe de France a gagné six fois la Coupe Davis entre 1927 et 1932. Les joueurs américains, contre qui il jouait, l'ont nommé «The Crocodile». Voilà pourquoi il a choisi cet emblème pour la marque de chemise qu'il a fondée en 1932.

Nom ________________________________

Classe ____________________ Date ____________

C'est La Vie (continued)

3. Les Cadeaux

Vous avez passé un mois en France. Avant de partir, vous voulez acheter des cadeaux pour vos amis et pour les membres de votre famille. Vous allez à La Boîte à cadeaux. Regardez la liste des objets qui sont proposés.

La Boîte à cadeaux
49, rue du Four
Tél. 01-44-31-65-34

PULLS, pure laine d'agneau. Bleu roi, jaune, marine, rouge, gris ou vert. ______ 15€

FOULARDS, soie 28 x 160 cm. Violet, jaune, marine, turquoise, noir, rouge ou vert. ______ 23€

CRAVATES unies, 70% laine, 30% polyamide. Bleu, violet, jaune, marine, noir, rouge, gris chiné ou vert. La paire ______ 5€

CRAVATES, polyester ______ 10€

CRAVATES, soie ______ 15€

CEINTURES, coton et viscose. Marine, noir ou vert. ______ 9€

BAGUES, plastique. Bleu, jaune, rouge ou crème. ______ 3€

BOUCLES D'OREILLES double créoles. Gris ou bronze. ______ 5€

SAC à rabat, vinyl. Noir, havane ou vert. ______ 25€

BRACELETS, plastique. ______ 3€

BRACELETS, métal doré ou argenté. ______ 3€

Maintenant, faites votre liste de cadeaux. Pour cela indiquez . . .

- le nom de cinq personnes à qui vous allez offrir quelque chose
- le cadeau que vous allez acheter pour chaque personne (Pour chaque objet, indiquez un détail, par exemple, la couleur ou la matière que vous allez choisir.)
- le prix de chaque article.

Puis, faites le total de vos achats.

Liste Des Cadeaux

Pour . . .	Article	Prix
1. ma mère	foulard en soie jaune	23€
2. mon père	cravate en soie gris	15€
3. ma soeur	bracelet en métal doré	3€
4. mon amie Joanne	bracelet en plastique	3€
5. mon amie Karen	bague en plastique	3€
Prix Total		47€

4. Chez Auchan (sample answer)

Auchan est un centre commercial où on peut acheter beaucoup d'objets différents. Avec l'argent que vous avez gagné, vous avez décidé d'acheter quelque chose. Choisissez l'un des objets representés et payez par chèque. Etablissez votre cheque au nom de «Auchan».

Auchan
MAUREPAS
CENTRE COMMERCIAL PARIWEST
RADIO CASSETTE CD SANYO MCD Z2
Lecteur de cassette stéréo, radio 3 gammes d'ondes, lecteur CD programmable. Garantie 1 an.
152€
BALADEUR HAMPTON W 32
Baladeur lecteur de cassette stéréo, radio 2 gammes d'ondes, PO FM, livré avec casque. Garantie 1 an.
16€
RADIO CASSETTE KAISUI KR 350
Lecteur de cassette mono, radio 3 gamme d'ondes, fonctionne sur piles ou secteur. Garantie 1 an.
24€
BALADEUR AIWA HSG 15
Baladeur lecteur de cassette, autostop, bass boost, livré avec casque Aiwa. Garantie 1 an.
24€
RADIO CASSETTE SABA RCR 575
Lecteur de cassette stéréo, radio 3 gammes d'ondes, fonctionne sur piles ou secteur. Garantie 1 an.
60€

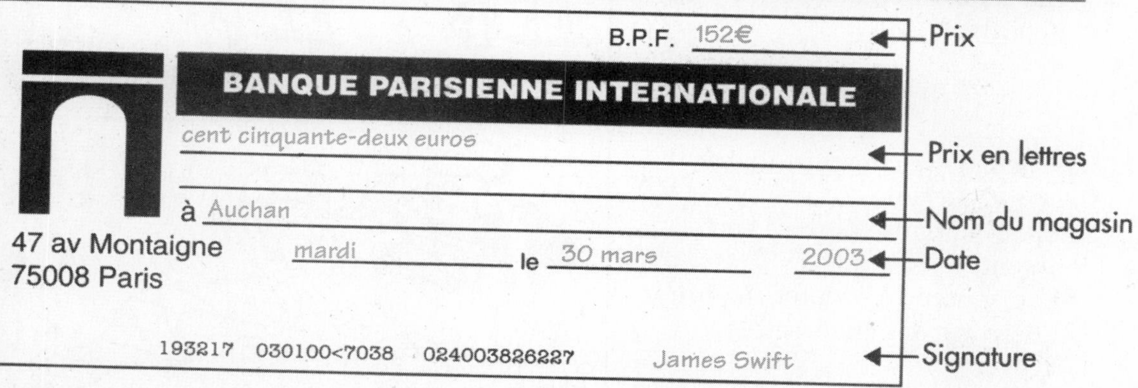
B.P.F. 152€ ← Prix

BANQUE PARISIENNE INTERNATIONALE

cent cinquante-deux euros ← Prix en lettres

à Auchan ← Nom du magasin

47 av Montaigne
75008 Paris

mardi le 30 mars 2003 ← Date

193217 030100<7038 024003826227 James Swift ← Signature

Nom ______________________________

Classe ____________________ Date ____________

C'est La Vie (continued)

5. Mode et langage

Certaines expressions françaises contiennent des noms de vêtements ou de textiles. Lisez les phrases suivantes et cherchez le sens des expressions soulignées. Faites un cercle autour de la lettre correspondante: a, b ou c.

Puis, vérifiez vos réponses à la page 261.

1. Vous avez couru un marathon? Chapeau!
   a. Bravo!
   b. Ce n'est pas vrai!
   c. Vous êtes très courageux!

2. Oh là là, j'ai les jambes en coton!
   a. Je me sens faible.
   b. J'ai mal aux pieds.
   c. Je porte de nouvelles chaussettes.

3. Notre équipe de foot a de bons joueurs, mais la semaine dernière elle a pris une veste.
   a. Elle a changé d'uniforme.
   b. Elle a gagné le championnat.
   c. Elle a perdu un match important.

4. Marie-Jeanne se constitue un bas *(stocking)* de laine.
   a. Elle économise *(saves)* son argent.
   b. Elle apprend à tricoter *(to knit)*.
   c. Elle porte des chaussettes d'hiver.

5. <u>C'est bonnet blanc et blanc bonnet</u>!
   a. C'est injuste *(unfair)*!
   (b.) C'est la même chose!
   c. C'est très intéressant!

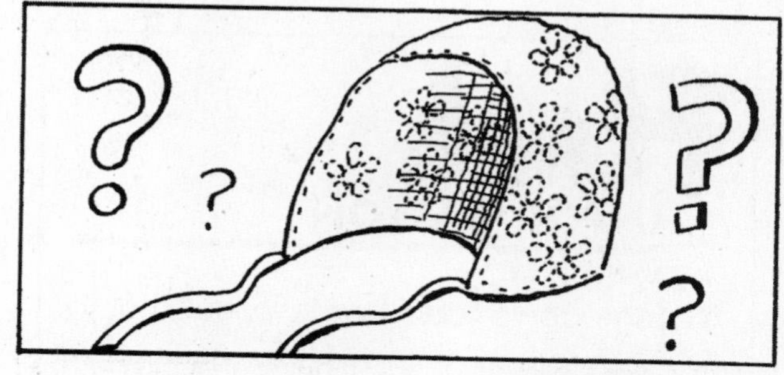

6. Monsieur Martin dîne chez son patron. <u>Il est dans ses petits souliers.</u>
   (a.) Il est intimidé.
   b. Il parle beaucoup.
   c. Il porte ses nouvelles chaussures.

7. Philippe a <u>retourné sa veste</u>.
   a. Il est parti.
   (b.) Il a changé d'opinion.
   c. Il a acheté une autre veste.

8. Julien est très susceptible. <u>Mets des gants</u> quand tu vas lui dire la vérité.
   a. Protège-toi.
   b. Sois honnête.
   (c.) Sois diplomate.

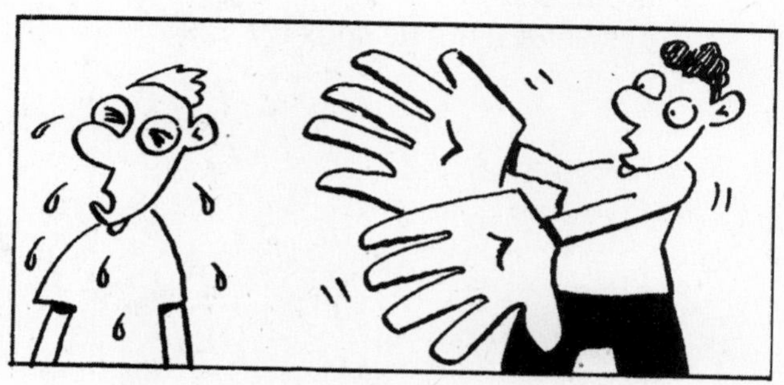

Réponses: 1-a, 2-a, 3-c, 4-a, 5-b, 6-a, 7-b, 8-c

URB p. 181

Nom ______________________________

Classe ______________________ Date ______________

Textes

Read the following selections and select the correct completion for each of the accompanying statements. Place a check in the corresponding box.

Flash INFORMATION

La compagnie suisse Swatch vient d'ouvrir une nouvelle boutique en France. Cette boutique, située rue Royale à Paris, offre une collection de 90 modèles de montres et de lunettes à un prix moyen de 46€. Parmi ses premiers clients, on a noté la présence de beaucoup de touristes japonais, allemands, italiens et ... même suisses!

CHRONO CHIC

Swatch lance, pour la fête des Pères, le chronographe (77€ maximum)! Très élégant avec son bracelet de cuir ou de plastique, il existe en cinq versions: Sand Storm, Skipper, Signal Flag, Black Friday et Skate Bike suivant le look du papa, classique ou branché. Cette montre a les fonctions start-stop, split, plus une échelle de tachymètre. D. G.

En vente chez royal Quartz, 10 rue Royale. 75008 Paris. Tél. : 01.42.60.58.58. Ouvert du lundi au samedi de 9h30 à19h. Toutes cartes de crédit.

1. Dans cet article, la compagnie Swatch annonce . . .
   - ❑ des soldes.
   - ❑ une nouvelle collection de montres.
   - ☑ l'ouverture *(opening)* d'une boutique à Paris.
2. Cette compagnie vend . . .
   - ❑ des bijoux.
   - ☑ des accessoires.
   - ❑ des vêtements de sport.

LE JEAN

Le «jean» a une origine véritablement multinationale. Ce vêtement, au nom d'origine italienne, a été créé aux États-Unis par un immigrant d'origine allemande avec du tissu d'origine française. Le jean est né en Californie vers 1850. Son créateur, Oscar Lévi-Strauss, était un marchand originaire de Bavière. Un jour, il a eu l'idée de tailler des pantalons dans la toile de tente qu'il vendait aux chercheurs d'or. La toile de coton qu'il utilisait, le «denim», venait de Nîmes, ville située dans le sud de la France. Cette toile était aussi utilisée dans la fabrication des costumes des marins de Gênes. Le mot «jean» est dérivé du nom de cette ville italienne.

Aujourd'hui, ce vêtement solide, confortable et bon marché est devenu l'uniforme des jeunes du monde entier.

Auchan
MAUREPAS
PANTALON JEAN, 100% coton
35€
Jean Western, 5 POCHES 100% coton
30€

1. Le thème principal de ce texte est . . .
   - ☑ l'histoire du jean.
   - ❑ la fabrication du jean.
   - ❑ la mode des jeunes.
2. La création du jean coïncide avec . . .
   - ❑ la Révolution américaine.
   - ❑ l'exploration française des Grands Lacs.
   - ☑ la découverte de l'or en Californie.
3. La ville de Nîmes en France a donné son nom à . . .
   - ☑ un tissu de coton.
   - ❑ une marque *(brand)* de jeans.
   - ❑ une ville de Californie.
4. Oscar Lévi-Strauss était . . .
   - ❑ un marin italien.
   - ☑ un immigrant allemand.
   - ❑ un créateur de mode français.
5. L'origine du mot «jean» vient . . .
   - ❑ du prénom français «Jean».
   - ❑ de l'expression «uniforme des jeunes».
   - ☑ de la ville italienne de Gênes *(Genoa)*.

Nom ______________________________

Classe ______________________ Date ______________

Discovering FRENCH *Nouveau!*

BLANC

INTERLUDE 7: L'affaire des bijoux

Le jeu des 5 erreurs (sample answers)

Voici un résumé de l'histoire «L'affaire des bijoux». Dans ce résumé il y a cinq erreurs. D'abord relisez l'histoire (pages 412–421 de votre manuel de classe). Puis lisez attentivement le résumé de cette histoire. Découvrez les cinq erreurs et expliquez-les brièvement.

Depuis un mois, on signale des vols dans les bijouteries de Chatel-Royan. On pense que le voleur est un mystérieux homme blond qui parle français avec un accent russe.

Monsieur Rochet est le propriétaire d'une bijouterie qui s'appelle Top Bijou. Il demande à son employée de faire très attention. Un matin, deux personnes entrent dans la boutique de Monsieur Rochet: une vieille dame et un jeune homme blond. Ce jeune homme porte des lunettes de soleil comme l'homme décrit dans le journal. Il demande à voir plusieurs bijoux. Il regarde des bagues assez bon marché, puis d'autres bagues ornées d'émeraudes et de diamants. Finalement, il achète un collier de perles qui coûte 77 000 euros et qu'il paie avec des traveller's chèques. La vieille dame regarde la scène, mais elle n'achète rien.

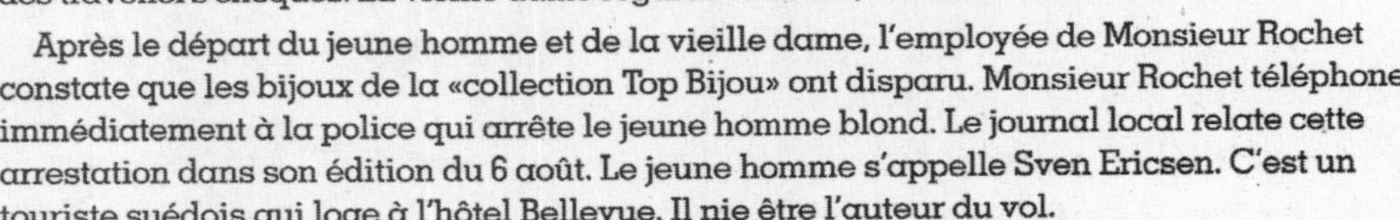

Après le départ du jeune homme et de la vieille dame, l'employée de Monsieur Rochet constate que les bijoux de la «collection Top Bijou» ont disparu. Monsieur Rochet téléphone immédiatement à la police qui arrête le jeune homme blond. Le journal local relate cette arrestation dans son édition du 6 août. Le jeune homme s'appelle Sven Ericsen. C'est un touriste suédois qui loge à l'hôtel Bellevue. Il nie être l'auteur du vol.

La vieille dame lit le journal, mais elle n'est pas satisfaite des explications qui y sont données. Elle téléphone à quelqu'un, puis elle va voir l'inspecteur Poiret chargé de l'enquête. Elle lui explique que Monsieur Ericsen n'est pas le voleur. D'abord, l'inspecteur ne la croit pas, mais la vieille dame dit qu'elle était dans la bijouterie et qu'elle a tout vu. L'inspecteur décide d'aller à la bijouterie avec la vieille dame qui explique où sont les bijoux. Elle accuse Monsieur Rochet d'avoir simulé le vol pour obtenir de l'argent d'une compagnie d'assurance.

Peu après, Monsieur Ericsen retourne chez lui avec les excuses de la police et la vieille dame reçoit une prime de 1 525 euros de la compagnie d'assurance.

Les 5 erreurs (Si c'est nécessaire, utilisez une feuille de papier séparée.)

1ère erreur D'après le journal, le suspect parle avec un accent britannique, et non pas un accent russe.

2ème erreur Le jeune homme qui entre dans le magasin a un imperméable beige sur le bras, mais il ne porte pas de lunettes de soleil.

3ème erreur Il achète une bague très chère, et non pas un collier.

4ème erreur Monsieur Ericson loge à l'hôtel Excelsior, et non pas à l'hôtel Bellevue.

5ème erreur La dame ne reçoit pas de prime de 1 525 euros de la compagnie d'assurance. Elle reçoit seulement une médaille.

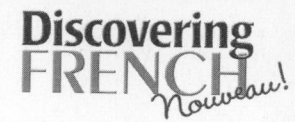

IMAGES DU MONDE FRANCOPHONE L'Afrique, page 422

Objectives

Cultural Goals To learn about the French-speaking countries of Africa
To be aware of historical and current French influence in West and North Africa
To learn about the wide variety of indigenous cultures in French-speaking Africa
To recognize the importance of African masks
To read an example of African poetry

Note: This *Images* section presents information about countries and cultures of French-speaking Africa. You may want to refer back to sections of Images as students work on further lessons.

Motivation and Focus

- ❑ As students preview the pictures on pages 422–429, ask them to describe the people, clothing, environment, cities, buildings, and activities. What different countries are pictured? What do the people look like? What are they doing? Read the titles and headings together to get an overview of the content of the Images section.
- ❑ Encourage students to share information they know about Africa. Have students locate the countries on **Overhead Transparencies** 2a and 2c or on *Appendix B* pages R14–R15.

Presentation and Explanation

- ❑ Read about *Le français en Afrique* together, pages 422–423. Students can locate the countries on the map, page 422, and find the corresponding flags on page 423. Guide students to comment on the extent and variety of African countries that use French.
- ❑ Have students follow along in their books as you read about *L'Afrique occidentale* and *L'Afrique du nord* on pages 425–426. Guide students to identify the countries in each of these sections. Explain the PHOTO and CULTURAL NOTES in the TE margins. Encourage students to comment on the influence of France on these regions in the past and present.
- ❑ Introduce *Images d'Afrique*, page 427. Read the information about each of the photos as students follow along in their books. Discuss the variety of people and places represented in the French-speaking world.
- ❑ Guide discussion of the masks on pages 428–429. Encourage students to describe the masks. Read the lines of the poem at the top of page 428 and have students suggest which masks might be described in the poem. Read the text as students follow along in their books. Explain the CULTURAL EXPANSION and PHOTO NOTES in the TE margins.
- ❑ Introduce the poem on page 430 by reading the introductory paragraph at the top of the page. Read the poem as students follow along in their books. Discuss references to the universality of mankind in the poem.

Guided Practice and Checking Understanding

- ❑ Check understanding of the essay selections with the COMPRÉHENSION DU TEXTE: VRAI OU FAUX? and/or CHALLENGE ACTIVITIES on pages 422–431 of the TE.
- ❑ Students can do the *Activité*, page 430, to explain the meaning and literary merits of the poem on page 430.

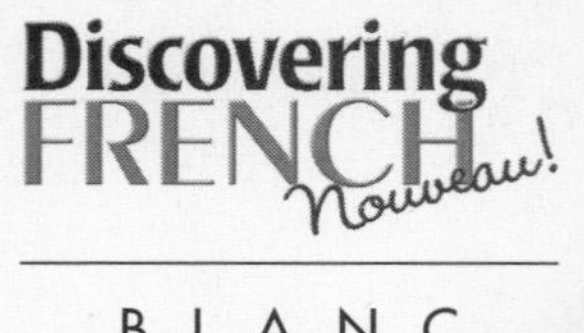

Independent Practice

- ❑ Have students read pages 422–430 on their own or in pairs. Encourage students to summarize the information and share interesting facts that they found as they read.
- ❑ Students can work individually or in small groups to complete the *Le savez-vous?* quiz, page 431.

Monitoring and Adjusting

- ❑ Monitor students' understanding of French in Africa as they share their responses to *Le savez-vous?*. Clarify information as needed.

Assessment

- ❑ Use students' responses to *Le savez-vous?* as an informal assessment of their awareness of the cultures of French-speaking Africa.
- ❑ To assess recognition of countries mentioned in the essay, show **Overhead Transparency** 2c. Invite students to locate countries on the map as you name them.

Reteaching

- ❑ Use **Overhead Transparency** 2c to reteach regions and countries in Africa; then follow the instructions for the activity on page A42.

Extension and Enrichment

- ❑ Have students note similarities and differences among the flags on page 423. Are there any symbols that are often used? What colors are commonly used? Students may want to research the significance of the symbols and colors on the flags.
- ❑ Discuss information on African languages in CULTURAL NOTES, page 424 of the TE. If students are interested, have them find out about other languages used in French-speaking African countries.
- ❑ Share the CULTURAL EXPANSION notes, page 428 of the TE. Students can choose to research one of the images on pages 426–427, explore the influence of African art on modern art, or learn about other African writers. Students can share their findings with the class.

Summary and Closure

- ❑ Show **Overhead Transparency** S17. Ask students to plan a trip to one of the countries mentioned in the essay. Follow the activity suggestions on page A30. After students present their conversations or travel plans, guide them to summarize the cultural goals reflected in the activity.

IMAGES DU MONDE FRANCOPHONE L'Afrique, page 422

Block Scheduling (1 Day to Complete—optional)

Objectives

Cultural Goals To learn about the French-speaking countries of Africa
To be aware of historical and current French influence in West and North Africa
To learn about the wide variety of indigenous cultures in French-speaking Africa
To recognize the importance of African masks
To read an example of African poetry

Note: This *Images* section presents information about countries and cultures of French-speaking Africa. You may want to refer back to sections of Images as students work on further lessons.

Motivation and Focus

- ❑ As students preview the pictures on pages 422–429, ask them to describe the people, clothing, environment, cities, buildings, and activities. What different countries are pictured? What do the people look like? What are they doing? Read the titles and headings together to get an overview of the content of the Images section.
- ❑ Encourage students to share information they know about Africa. Have students locate the countries on **Overhead Transparencies** 2a and 2c or on *Appendix B* pages R14–R15.

Presentation and Explanation

- ❑ Read about *Le français en Afrique* together, pages 422–423. Students can locate the countries on the map, page 422, and find the corresponding flags on page 423. Guide students to comment on the extent and variety of African countries that use French.
- ❑ Have students follow along in their books as you read about *L'Afrique occidentale* and *L'Afrique du nord* on pages 425–426. Guide students to identify the countries in each of these sections. Explain the PHOTO and CULTURAL NOTES in the TE margins. Encourage students to comment on the influence of France on these regions in the past and present.
- ❑ Introduce *Images d'Afrique*, page 427. Read the information about each of the photos as students follow along in their books. Discuss the variety of people and places represented in the French-speaking world.
- ❑ Guide discussion of the masks on pages 428–429. Encourage students to describe the masks. Read the lines of the poem at the top of page 428 and have students suggest which masks might be described in the poem. Read the text as students follow along in their books. Explain the CULTURAL EXPANSION and PHOTO NOTES in the TE margins.
- ❑ Introduce the poem on page 430 by reading the introductory paragraph at the top of the page. Read the poem as students follow along in their books. Discuss references to the universality of mankind in the poem.

Guided Practice and Checking Understanding

- ❑ Check understanding of the essay selections with the COMPRÉHENSION DU TEXTE: VRAI OU FAUX? and/or CHALLENGE ACTIVITIES on pages 422–431 of the TE.
- ❑ Students can do the *Activité*, page 430, to explain the meaning and literary merits of the poem on page 430.

Independent Practice

- ❑ Have students read pages 422–430 on their own or in pairs. Encourage students to summarize the information and share interesting facts that they found as they read.
- ❑ Students can work individually or in small groups to complete the *Le savez-vous?* quiz, page 431.

Monitoring and Adjusting

- ❑ Monitor students' understanding of French in Africa as they share their responses to *Le savez-vous?*. Clarify information as needed.

Assessment

- ❑ Use students' responses to *Le savez-vous?* as an informal assessment of their awareness of the cultures of French-speaking Africa.
- ❑ To assess recognition of countries mentioned in the essay, show **Overhead Transparency** 2c. Invite students to locate countries on the map as you name them.

Reteaching

- ❑ Use **Overhead Transparency** 2c to reteach regions and countries in Africa; then follow the instructions for the activity on page A42.

Extension and Enrichment

- ❑ Have students note similarities and differences among the flags on page 423. Are there any symbols that are often used? What colors are commonly used? Students may want to research the significance of the symbols and colors on the flags.
- ❑ Discuss information on African languages in CULTURAL NOTES, page 424 of the TE. If students are interested, have them find out about other languages used in French-speaking African countries.
- ❑ Share the CULTURAL EXPANSION notes, page 428 of the TE. Students can choose to research one of the images on pages 426–427, explore the influence of African art on modern art, or learn about other African writers. Students can share their findings with the class.

Summary and Closure

- ❑ Show **Overhead Transparency** S17. Ask students to plan a trip to one of the countries mentioned in the essay. Follow the activity suggestions on page A30. After students present their conversations or travel plans, guide them to summarize the cultural goals reflected in the activity.

Nom ______________________________ Discovering FRENCH Nouveau!

Classe ____________________ Date ______________

BLANC

UNIT TEST 7 (Lessons 25, 26, 27, 28) FORM A

Première Partie: Compréhension

1. La réponse logique (20 points)

You will hear a series of questions. Listen carefully to each question and select the most logical answer. On your test sheet, circle the corresponding letter: a, b, or c. You will hear each question twice.

Vous allez entendre une série de questions. Écoutez bien chaque question et choisissez la réponse logique à cette question. Marquez la lettre correspondante—a, b ou c—avec un cercle. Chaque question sera répétée.

Modèle: [De quelle couleur est la veste que tu as achetée?]
a. Jolie.
b. Petite.
(c.) Jaune.

1. a. Au supermarché.
   b. Au rayon des accessoires.
   c. Dans une boutique de soldes.
2. a. Oui, ça va.
   b. Non, je ne suis pas décidé.
   c. Je cherche un pull en laine.
3. a. Je suis petit.
   b. Je fais du 37.
   c. Je vais réfléchir.
4. a. Non, il est en solde.
   b. Oui, il est moche.
   c. Non, il est trop étroit.
5. a. Oui, il est joli.
   b. Non, il est rouge.
   c. Non, il est en polyester.
6. a. Oui, j'aime ce dessin.
   b. Non, je n'ai pas de fleurs.
   c. Oui, il est très cher.
7. a. Oui, il fait froid ce matin.
   b. Oui, il fait chaud.
   c. Oui, il est affreux.
8. a. Un costume.
   b. Un beau chemisier.
   c. Un tailleur.
9. a. Une chemise en nylon.
   b. Une veste en velours.
   c. Des bottes en cuir.
10. a. Cette bague.
    b. Ce foulard.
    c. Cette casquette.

Nom ______________________________

Classe ____________________ Date ____________

Discovering FRENCH Nouveau!

BLANC

Deuxième Partie: Vocabulaire et Structure

2. L'intrus (8 points)

In each of the following categories, one of the three items does NOT fit. This is the INTRUDER. Cross it out.

▶ Sports:	tennis	volleyball	~~clarinette~~
1. Couleurs:	rose	étroit	bleu foncé
2. Textiles:	laine	toile	fourrure
3. Métaux précieux:	cuir	argent	or
4. Chaussures:	tennis	bottes	lunettes
5. Vêtements:	portefeuille	imperméable	manteau
6. Vêtements de sport:	tee-shirt	ceinture	survêtement
7. Vêtements de femme:	chemisier	jupe	costume
8. Bijoux:	tailleur	bague	boucles d'oreilles

3. Le bon mot (12 points)

Find the logical completion for each of the following sentences and circle the corresponding letter: a, b, or c.

1. Juliette va mettre _____ parce qu'il fait très froid aujourd'hui.
   a. un manteau b. une chemise c. une jupe
2. Il pleut. Monsieur Martin va prendre _____.
   a. son sac b. sa cravate c. son parapluie
3. Charlotte va à la piscine. Elle prend _____.
   a. son imper b. ses gants c. son maillot de bain
4. Je mets mon argent dans _____.
   a. un portefeuille b. un foulard c. un collier
5. Sur la tête, Antoine porte sa nouvelle _____.
   a. chaussette b. casquette c. bague
6. Ces sandales ne sont pas en caoutchouc. Elles sont en _____.
   a. cuir b. laine c. velours
7. Je préfère le chemisier _____.
   a. à pois b. en or c. de soleil
8. Je ne suis pas décidé. Je vais _____.
   a. réfléchir b. essayer c. acheter
9. Ce blazer est en solde. Voilà pourquoi il est _____.
   a. cher b. affreux c. bon marché
10. Je vais _____ ces chaussures parce que je veux savoir si elles me vont.
   a. essayer b. acheter c. vendre

11. Moi, je fais du 40. Et toi, quelle est ____?
    a. ton dessin b. ta pointure c. ton prix
12. Cette veste ne me va pas. Elle est trop ____.
    a. courte b. chère c. beige

4. Le contraire (10 points)

Complete the following sentences with the adjective that has the opposite meaning of the underlined adjective. (Be sure to make the necessary agreements.)

▶ La soupe est bonne. Elle n'est pas mauvaise.

1. Cette robe est courte. Elle n'est pas ______________________.
2. Monsieur Rémi est jeune. Il n'est pas ______________________.
3. Cette chemise est moche. Elle n'est pas ______________________.
4. Cet exercise est facile. Il n'est pas ______________________.
5. Cette rue est large. Elle n'est pas ______________________.

5. Comparaisons (12 points)

Compare the following objects and people, using the words in parentheses.

(le paquet / lourd / la lettre)

____

____

(Paul / grand / Éric)

____

____

(la jupe / long / la robe)

____

____

(Stéphanie / bon en maths / Caroline)

____

____

Nom ____

Classe ______________________ Date ______________ ______________

Discovering FRENCH Nouveau!

BLANC

6. La bonne forme (8 points)

Complete the sentences with the appropriate form of the adjectives in parentheses.

1. (beau) Mes cousins habitent dans une ________________ maison.
2. (nouveau) Combien coûte ton ________________ imper?
3. (vieux) J'ai trouvé ces ________________ chaussures dans le grenier.
4. (beau) Ces vêtements sont ________________ mais ils sont très chers.

7. Contextes et dialogues (10 points)

Complete the dialogues by selecting the appropriate words or expressions and writing them in the corresponding blanks.

A. Philippe cherche une veste pour le mariage de sa cousine. Il fait du shopping avec Catherine.

CATHERINE: Regarde ces deux vestes. ____________ est-ce que tu préfères? (Quelle / Laquelle)

PHILIPPE: ____________ avec des rayures. (Cette / Celle-ci)

CATHERINE: Pourquoi?

PHILIPPE: Parce qu'elle est ____________ jolie. (plus / moins)

CATHERINE: Pourquoi est-ce que tu ne choisis pas l'autre?
Elle est ____________ marché. (moins / meilleur)

PHILIPPE: C'est possible. Mais je veux m'habiller
____________ pour aller au mariage de ma cousine. (élégant / élégamment)

B. Mariama et Yasmina discutent de l'achat de leurs vêtements.

MARIAMA: Où est-ce que tu achètes tes vêtements?

YASMINA: Chez «Mod' Chic».

MARIAMA: Mais c'est la boutique ____________ chère de la ville. (plus / la plus)

YASMINA: C'est vrai, mais c'est ____________ a (celle / celle qui)
le ____________ grand choix de vêtements. (moins / plus)

MARIAMA: À mon avis, tu dépenses ton argent trop ____________. (facile / facilement)

YASMINA: C'est ____________, mais c'est mon argent. (possible / possiblement)

Troisième Partie: Expression personnelle

8. Comparaisons personnelles (20 points)

In a paragraph, compare yourself to a classmate or friend (real or imaginary). Use complete sentences. Mention:

- the name of your classmate
- if you are older or younger than your classmate
- if he/she is taller or shorter than you are
- if you are a better student than he/she is
- who is better in English
- of the two of you, who is the more athletic **(sportif)**
- who runs faster
- who swims better

Mon/Ma camarade de classe s'appelle ___________________________

Nom ______________________________

Classe ____________________ Date ______________ ______________

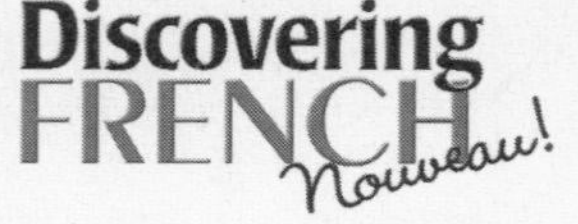

BLANC

UNIT TEST 7 (Lessons 25, 26, 27, 28) FORM B

Première Partie: Compréhension

1. La réponse logique (20 points)

You will hear a series of questions. Listen carefully to each question and select the most logical answer. On your test sheet, circle the corresponding letter: a, b, or c. You will hear each question twice.

Vous allez entendre une série de questions. Écoutez bien chaque question et choisissez la réponse logique à cette question. Marquez la lettre correspondante—a, b ou c—avec un cercle. Chaque question sera répétée.

Modèle: [De quelle couleur est la veste que tu as achetée?]
a. Jolie.
b. Petite.
(c.) Jaune.

1. a. Au rayon des accessoires.
   b. Au supermarché.
   c. Dans une boutique de soldes.
2. a. Je cherche un manteau de fourrure.
   b. Non, je ne suis pas décidé.
   c. Oui, ça va.
3. a. Je suis grand.
   b. Je fais du 40.
   c. Je ne suis pas décidé.
4. a. Oui, il est joli.
   b. Non, il est en rayures.
   c. Non, il est en laine.
5. a. Je vais à une boum.
   b. Je vais à la plage.
   c. Je vais en ville.
6. a. Oui, il fait chaud ce matin.
   b. Oui, il fait froid.
   c. Oui, il est affreux.
7. a. Une cravate et une veste.
   b. Un chemisier à pois.
   c. Un tailleur.
8. a. Une chemise en nylon.
   b. Un pantalon en velours côtelé (*ribbed*).
   c. Des bottes en cuir.
9. a. Ces boucles d'oreilles.
   b. Ces collants.
   c. Ce foulard.
10. a. Oui, elle est en argent.
    b. Non, elle est en or.
    c. Zut, je n'ai pas pris mon portefeuille!

Nom ______________________________ **Discovering FRENCH** *Nouveau!*

Classe ______________________ Date ______________

BLANC

Deuxième Partie: Vocabulaire et Structure

2. L'intrus (8 points)

In each of the following categories, one of the three items does NOT fit. This is the INTRUDER. Cross it out.

▶ Sports:	tennis	volleyball	~~clarinette~~
1. Couleurs:	jaune	vert	moche
2. Textiles:	laine	fourrure	velours
3. Métaux précieux:	or	argent	soie
4. Chaussures:	chaussettes	baskets	sandales
5. Vêtements:	manteau	parapluie	blouson
6. Vêtements de sport:	foulard	tee-shirt	survêtement
7. Vêtements de femme:	costume	tailleur	jupe
8. Bijoux:	collier	collants	bracelet

3. Le bon mot (12 points)

Find the logical completion for each of the following sentences and circle the corresponding letter: a, b, or c.

1. Pierre va jouer au baseball. Il met _____.
   a. son foulard b. sa ceinture c. sa casquette
2. Il pleut. Je vais mettre _____.
   a. mon imperméable b. une ceinture c. des lunettes
3. Si tu as froid aux mains, mets _____.
   a. un bracelet b. des gants c. des bagues
4. Ces boucles d'oreilles sont en _____.
   a. or b. soie c. velours
5. Ces sandales ne sont pas en caoutchouc. Elles sont en _____.
   a. cuir b. argent c. soie
6. J'aime beaucoup ce dessin _____.
   a. à carreaux b. en nylon c. en tissu
7. Il fait très beau aujourd'hui. Je vais mettre _____ pour aller à la piscine.
   a. mon parapluie b. mon blouson c. mes lunettes de soleil
8. Quand il travaille à son bureau, Monsieur Duval porte toujours une chemise blanche et _____.
   a. une cravate b. un collier c. des collants
9. Ce foulard est bon marché parce qu'il est _____.
   a. en solde b. trop cher c. bleu foncé
10. Ce pantalon ne me va pas. Il est trop _____.
    a. long b. cher c. joli

Nom ____

Classe ______________________ Date ______________ ______________

Discovering FRENCH Nouveau!

BLANC

11. Je fais du 37. Et toi, quelle est _____ de chemise?
    a. ta taille b. ton dessin c. ta couleur préférée

12. Je viens de (d') _____ cette robe. Elle est trop petite.
    a. ouvrir b. essayer c. calculer

4. Le contraire (10 points)

Complete the following sentences with the adjective that has the opposite meaning of the underlined adjective. (Be sure to make the necessary agreements.)

▶ La soupe est bonne. — Elle n'est pas mauvaise .

1. L'examen est difficile. — Il n'est pas ______________________.
2. Ce pantalon est bon marché. — Il n'est pas ______________________.
3. L'eau est froide. — Elle n'est pas ______________________.
4. Cette avenue est large. — Elle n'est pas ______________________.
5. Le sac est léger. — Il n'est pas ______________________.

5. Comparaisons (12 points)

Compare the following objects and people, using the words in parentheses.

(la moto / rapide / la voiture)

____

____

(le pantalon / cher / la veste)

____

____

(Jean-Paul / rapide / Claire)

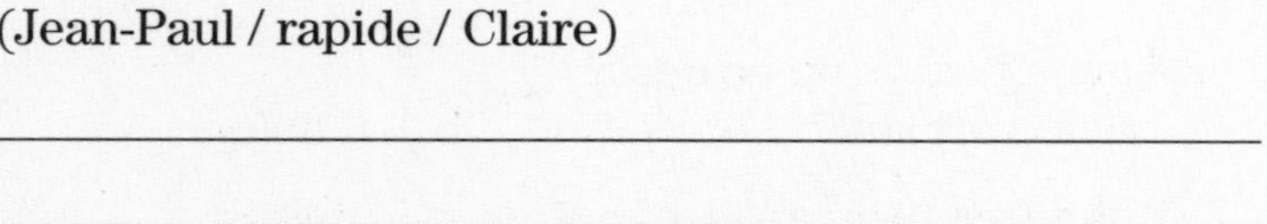

____

____

(le tee-shirt / bon marché / la chemise)

____

____

6. La bonne forme (8 points)

Complete the sentences with the appropriate form of the adjectives in parentheses.

1. (beau) Cette bague est très ______________. Combien coûte-t-elle?
2. (nouveau) J'aime tes ______________ chaussures. Elles te vont bien.
3. (vieux) S'il pleut, je vais mettre mon ______________ imperméable.
4. (vieux) Qu'est-ce que tu vas faire avec tes ______________ chemises?

7. Contextes et dialogues (10 points)

Complete the dialogues by selecting the appropriate words or expressions and writing them in the corresponding blanks.

A. Stéphanie et Nathalie sont dans une boutique de mode.

STÉPHANIE: Combien coûte ___________ robe? (cette / celle-ci)
NATHALIE: ___________? (Quelle / Laquelle)
STÉPHANIE: ___________ a des rayures noires. (Celle / Celle qui)
NATHALIE: Elle coûte 155 euros.
STÉPHANIE: Oh la la! C'est certainement la robe ___________ chère de tout le magasin. (plus / la plus)
NATHALIE: C'est vrai. Mais c'est aussi ___________ jolie. (la plus / la moins)
STÉPHANIE: Tu as raison. Elle est ___________ très belle. (vrai / vraiment)

B. Georges et Delphine choisissent leurs vêtements pour la boum de samedi.

DELPHINE: Comment est-ce que tu vas t'habiller pour la boum?
GEORGES: Très ___________. Et toi? (simple / simplement)
DELPHINE: Moi, je vais mettre ma ___________ robe. (nouvelle / vieille)
GEORGES: ___________ que tu as achetée la semaine dernière? (Cette / Celle)
DELPHINE: Oui, c'est ça!
GEORGES: Oh la la! Tu vas être très élégante.
DELPHINE: Tu sais, moi, j'aime m'habiller ___________. (élégant / élégamment)

Nom ____

Classe ______________________ Date ______________

Discovering FRENCH Nouveau!

BLANC

Troisième Partie: Expression personnelle

8. Comparaisons personnelles (20 points)

In a paragraph, compare yourself to your best friend (or to an imaginary friend). Use complete sentences. Mention:

- the name of your friend
- if you are older or younger than your friend
- if he/she is taller or shorter than you are
- if you are a better student than he/she is
- who is better in math
- of the two of you, who is the more athletic **(sportif)**
- who runs faster
- who sings better

Mon ami(e) s'appelle ______________________________________

Nom ______________________________

Classe ______________________ Date ______________

UNITÉ 7 Listening Comprehension Performance Test

Partie A. Scènes et situations (40 points: 5 points per item)

Listen carefully to each sentence and determine whether it is related to Scene A, B, C, or D. Then circle the corresponding letter.

▶ A B C D

1. A B C D
2. A B C D
3. A B C D
4. A B C D
5. A B C D
6. A B C D
7. A B C D
8. A B C D

Nom ______________________________

Classe ____________________ Date ____________

Discovering FRENCH Nouveau!

BLANC

Partie B. Conversations (30 points: 5 points per question)

You will hear six short conversations. These conversations are incomplete. Select the most logical CONTINUATION for each conversation and circle the corresponding letter.

1. Olivier et Stéphanie sont dans un grand magasin.
   Stéphanie répond:
   a. J'ai besoin d'un portefeuille.
   b. Je voudrais regarder les survêtements.
   c. Je vais acheter un costume.

2. Nathalie est dans une boutique de chaussures. Le vendeur arrive.
   Nathalie répond:
   a. Oui, merci, ça va. Et vous?
   b. Oui, elles sont bon marché.
   c. Non, elles sont trop étroites.

3. Jean-François parle à sa soeur Caroline.
   Caroline répond:
   a. Mon tailleur.
   b. Un pantalon de velours.
   c. Mon chemisier bleu pâle.

4. Cet après-midi Philippe est allé chez sa cousine Cécile. Maintenant il va rentrer chez lui. *Cécile dit à Philippe:*
   a. Voici un survêtement.
   b. Je vais te prêter un parapluie.
   c. Est-ce que tu veux mes lunettes de soleil?

5. Thomas téléphone à sa cousine Juliette. Il lui parle de sa nouvelle copine.
   Juliette répond:
   a. Elle était plus snob.
   b. Elle était moins gentille.
   c. Elle était plus sympathique.

6. Nicolas et Sandrine font une promenade en ville. Il est midi. *Sandrine répond:*
   a. Oui, il est bon marché.
   b. Mais oui, c'est le meilleur restaurant du quartier.
   c. C'est un restaurant italien.

Partie C: Contexte (30 points: 6 points per item of information)

GALERIES MODERNES
Ventes par Correspondance

BON DE COMMANDE

Nom du client: Olivier Papin

Adresse: 145, rue de l'Hermitage
Tours 37000

Article: ____________ **Taille:** ____________

Textile/Matière: ____________ **Prix:** ____________

Couleur: ____________

UNITÉ 7 Speaking Performance Test

Part I: Conversations

In this part of the Speaking Performance Test, I will describe a situation and then ask you some related questions. In your answers, use only the vocabulary and structures you have learned. Also use your imagination.

CONVERSATION A — UNITÉ 7

The holiday season is coming soon and it is time to think about gifts. Tell me what items of clothing or accessories you are going to buy for the following people.

- Qu'est-ce que tu vas acheter à ton frère?
- Qu'est-ce que tu vas acheter à ta tante?
- Qu'est-ce que tu vas acheter à ton meilleur copain?
- Qu'est-ce que tu vas acheter à ta meilleure copine?

CONVERSATION B — UNITÉ 7

I own a small boutique in the **Quartier Latin**. You have come to buy a scarf **(un foulard)**. Please answer my questions.

- Vous désirez, Monsieur (Mademoiselle)?
- En soie ou en coton?
- Quelles sont vos couleurs favorites?
- Préférez-vous un dessin à fleurs ou à pois?

CONVERSATION C — UNITÉ 7

I am a salesperson in a shoe store. You have come in to buy boots and I am waiting on you. Please answer my questions.

- Vous désirez, Monsieur (Mademoiselle)?
- En cuir ou en caoutchouc?
- Quelle est votre peinture?
- Est-ce que celles-ci vous vont?

Nom ______________________________

Classe ____________________ Date ____________

Discovering FRENCH Nouveau!

BLANC

CONVERSATION D	UNITÉ 7

I have not met your family, but I hope that one day I will. Can you tell me a little bit about the members of your family?

- Qui est la personne la plus jeune?
- Qui est la personne la plus âgée?
- Qui est la plus gentille?
- Qui est la moins généreuse?

CONVERSATION E	UNITÉ 7

Think of a boy you know—maybe a friend, a neighbor, a classmate—and compare yourself to him.

- Est-ce que tu es plus jeune ou plus âgé(e) que lui?
- Tu es plus grand(e) ou plus petit(e) que lui?
- Tu es plus sportif (sportive) ou moins sportif (sportive) que lui?
- Tu es meilleur(e) ou moins bon(ne) en français que lui?

CONVERSATION F	UNITÉ 7

I am going to register at your school next semester and I am beginning to plan my courses. Can you give me some information?

- Quel est le cours le plus intéressant?
- Quel est le cours le moins difficile?
- Qui est le prof le plus gentil?
- Qui est le meilleur prof?

Nom ______________________________ Discovering FRENCH Nouveau!

Classe ______________________ Date ______________

BLANC

Part II: Tu as la parole

In this part of the Speaking Performance Test, you will have the opportunity to make four comments about a familiar topic. Use only the vocabulary and structures you have learned. Also use your imagination.

TU AS LA PAROLE (A) UNITÉ 7

You are going to spend the weekend at the beach. Look at the list and mention four (4) things that you will take with you.

- sunglasses
- a swimming suit
- a sweater
- a jogging suit
- sandals
- tennis shoes
- a cap
- a hat

TU AS LA PAROLE (B) UNITÉ 7

You just spent the summer in France and are on your way back to the United States. Right now you are in the duty-free shop in Roissy airport. Name four (4) of the following items that you might buy as gifts for your family and friends.

- a scarf
- gloves
- a silver ring
- earrings
- a leather belt
- a linen handbag
- a velvet shirt
- a silk tie

TU AS LA PAROLE (C) UNITÉ 7

The weather forecaster has predicted lots of rain. Your little cousin Valérie is planning to go out. Tell her . . .

- to put her boots on
- to take her raincoat
- to put on a hat
- not to forget her umbrella

Nom ________________________________

Classe ____________________ Date ____________

Discovering FRENCH Nouveau!

BLANC

TU AS LA PAROLE (D) UNITÉ 7

You are at **La Sweaterie** trying on all kinds of sweaters. You have found one that you particularly like but you are not sure whether you will buy it. Tell the salesperson that . . .

- the sweater fits you
- you like it (= it pleases you)
- it is a little bit expensive
- you will think it over

TU AS LA PAROLE (E) UNITÉ 7

You are in a shoe store that offers a wide variety of good shoes. A salesperson comes to greet you.

- Tell the salesperson that you are looking for a certain kind of shoe. *[Say which type: sandals, boots, running shoes, regular shoes.]*
- Tell the salesperson your size.
- Tell him/her that you would like to try on the ones over there.
- Ask the salesperson whether they are on sale.

TU AS LA PAROLE (F) UNITÉ 7

You have found a job in a boutique that has many foreign customers. You are helping a Frenchman who is looking for a blazer. (Of course, you address him politely as **vous**.) Ask him . . .

- what his size is
- if he prefers wool or cotton
- if he wants to try this blazer on
- if he prefers that one over there

UNITÉ 7 Reading Comprehension Performance Test

DOCUMENTS

Read each document and then select the correct completion for each of the statements that follow. On your Answer Sheet, place a check next to the corresponding letter: a, b, or c.

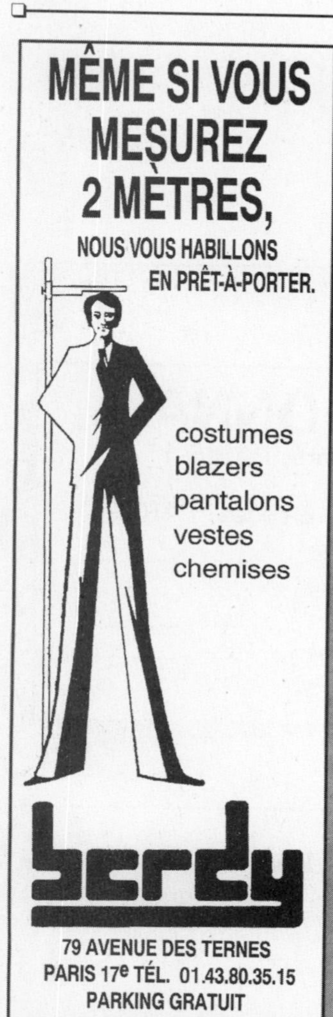

MÊME SI VOUS MESURES 2 MÈTRES,
NOUS VOUS HABILLONS EN PRÊT-À-PORTER.
costumes
blazers
pantalons
vestes
chemises
bcrdy
79 AVENUE DES TERNES
PARIS 17e TÉL. 01.43.80.35.15
PARKING GRATUIT

1. Ce magasin se spécialise dans . . .
   a. la mode des jeunes.
   b. les vêtements importés.
   c. les grandes tailles homme.

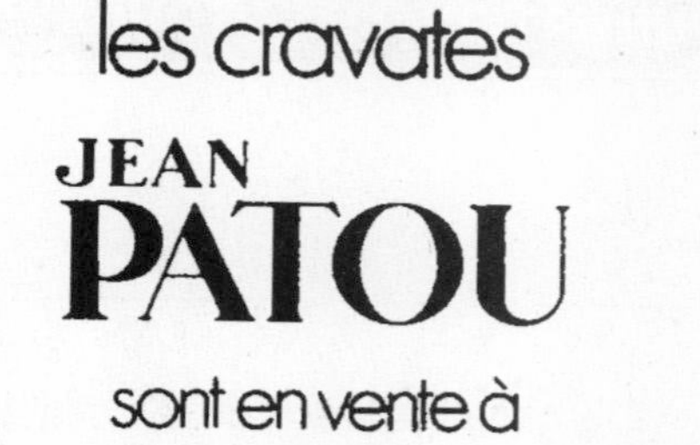

les cravates
JEAN PATOU
sont en vente à
MADELIOS
PLACE DE LA MADELEINE - PARIS.

2. Dans ce magasin, on peut acheter . . .
   a. des chaussures de sport.
   b. un cadeau pour son père.
   c. un cadeau pour sa mère.

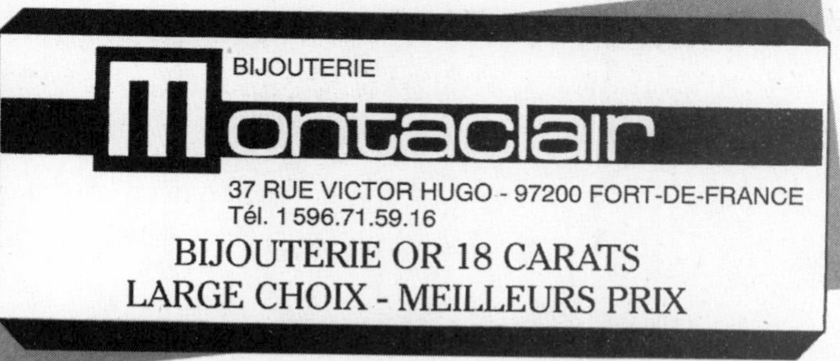

BIJOUTERIE
Montaclair
37 RUE VICTOR HUGO - 97200 FORT-DE-FRANCE
Tél. 1 596.71.59.16
BIJOUTERIE OR 18 CARATS
LARGE CHOIX - MEILLEURS PRIX

3. Ce magasin vend . . .
   a. des bagues.
   b. des ceintures.
   c. des foulards en soie.

Nom ______________________________

Classe ____________________ Date ____________

Vêtements Féminins
Vêtements pour enfants
Objets exotiques
Bijouterie
Accessoires

le moins cher des grands magasins...

4. On va dans ce magasin parce que les choses sont . . .
   a. à la mode.
   b. bon marché.
   c. de qualité supérieure.

---

5. Ce magasin annonce . . .
   a. sa nouvelle collection de printemps.
   b. des soldes sur les vêtements de femmes.
   c. des soldes sur les accessoires.

LINEA DONNA

237, rue St-Honoré, PARIS-1er

100, av. des Champs-Elysées, PARIS-8e

Tailleurs	~~175€~~	150€
Jupes	~~100€~~	75€
Robes du soir	~~350€~~	250€
Chemisiers	~~75€~~	25€
Impers	~~170€~~	100€

6. Cette annonce décrit les caractéristiques d'un vêtement <u>excepté</u> . . .
   a. son dessin.
   b. sa couleur.
   c. sa taille.

Nom ______________________

Classe ______________ Date ______________

Discovering FRENCH *Nouveau!*

BLANC

Textes

Read each text for general understanding. Then select the correct completion for each of the statements that follow. On your Answer Sheet, place a check next to the corresponding letter: a, b, or c.

Flash MODE

Après ses deux boutiques de Paris, Inès de la Fressange vient d'ouvrir une boutique à Milan. L'ancien mannequin de chez Chanel propose à sa clientèle italienne sa nouvelle collection de vêtements ainsi que des foulards, bijoux et autres accessoires.

7. Cet article annonce . . .
   a. des soldes.
   b. un défilé de mode.
   c. l'ouverture *(opening)* d'une boutique de mode.

Chapeau

Un collectionneur allemand a acheté pour la somme de 40.000 euros (ou 50 000 dollars!) un chapeau de Napoléon. Ce n'est pas une pièce unique. On compte, en effet, au moins onze chapeaux du célèbre empereur dans les collections publiques et privées. L'acquisition du collectionneur allemand est un simple bicorne de feutre noir et ne porte pas de décoration particulière.

Malgré son prix élevé, le chapeau de Napoléon n'est pas le couvre-chef le plus cher du monde. Ce record appartient à un casque cérémonial Tlingit datant de 1600. Cet objet a été acquis en 1981 par le musée de l'état de l'Alaska pour la somme de 66 000 dollars.

8. Cet article a paru dans un journal français. Dans quelle section de ce journal?
   a. Mode.
   b. Finances.
   c. Faits Divers *(miscellaneous news items)*.
9. Qu'est-ce que le collectionneur allemand a acheté?
   a. Un souvenir historique.
   b. Une pièce de musée.
   c. Le chapeau le plus cher du monde.
10. Combien coûte le chapeau le plus cher du monde?
    a. 50 000 euros.
    b. 66 000 dollars.
    c. 40 000 euros.

Nom ______________________________

Classe ____________________ Date ______________

Discovering FRENCH Nouveau!

BLANC

UNITÉ 7 Writing Performance Test

1. Au café (20 points: 2 per item)

You met two French teenagers at a café. Describe the clothes and accessories that they were wearing. Mention five items for each person.

Le garçon portait . . .

- ______________________
- ______________________
- ______________________
- ______________________
- ______________________

La fille portait . . .

- ______________________
- ______________________
- ______________________
- ______________________
- ______________________

2. Achats (16 points: 4 per item)

You are spending two weeks in Paris. On your last day there, you go to a department store to buy some things for yourself and your friends. You buy one item in each of the following departments. Name each purchase and say what material it is made of.

RAYONS	ACHATS
vêtements	▶ *J'achète une chemise de laine.*
vêtements de sport	•
chaussures	•
bijoux	•
accessoires divers	•

3. Les chèques

(12 points: 4 per check)

While visiting France, your parents incurred certain expenses. Help them pay their bills by completing the checks on the right. Write out the numbers in the blanks.

BNP BANQUE NATIONALE DE PARIS

1 100 €.

Payer contre ce chèque

______________________________ euros.

à EuropCar

Signature: ______________

BNP BANQUE NATIONALE DE PARIS

150 €.

Payer contre ce chèque

______________________________ euros.

à Locatel

Signature: ______________

BNP BANQUE NATIONALE DE PARIS

900 €.

Payer contre ce chèque

______________________________ euros.

à La Samaritaine

Signature: ______________

4. Un cadeau

(16 points: 4 per sentence)

Your aunt Brigitte, who is going to Switzerland, has promised to buy you an item of clothing of your choice while there. Write her a short note indicating what you would like.

- Name the item you would like to have, giving the material or the fabric.
- Mention your size.
- Mention your two favorite colors.
- Say which pattern you like.

Chère tante Brigitte,
Merci de ton offre généreuse.

- Peux-tu m'acheter
-
-
-

Merci encore! Je t'embrasse,

Nom ________________________________

Classe ____________________ Date ____________

Discovering FRENCH *Nouveau!*

BLANC

5. Comparaisons (16 points: 4 per sentence)

Write a short paragraph of four sentences comparing yourself to a friend or relative. You may use the following adjectives or other adjectives of your choice.

grand	**poli**
jeune	**réservé**
sportif	**gentil**
généreux	**bon en français**
paresseux	**bon en maths**
sérieux	**bon en sciences**

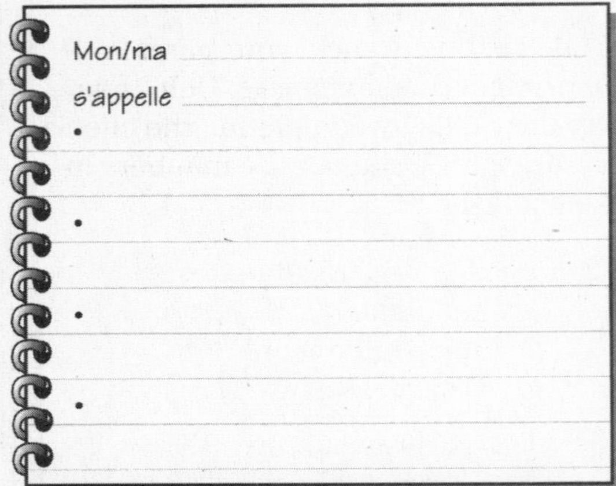

6. Composition libre (20 points: 4 points per sentence)

Choose one of the following topics and write a short paragraph of five sentences.

A The French Club has organized a costumed ball for Mardi Gras. Write a letter to your pen pal Valérie describing what you are going to wear.
(Note: **se déguiser en** = *to disguise oneself as.*)

B Your Belgian friend Thomas is going to spend a week in your city. Tell him about four of the best places in town: for example, the least and the most expensive clothing stores, the best restaurant, the most interesting place to visit, etc.

C Choose two people or two things in the same category: for instance, two actors, two athletes, two singers, two cartoon characters, or two cars. Compare them, and say which one you prefer.

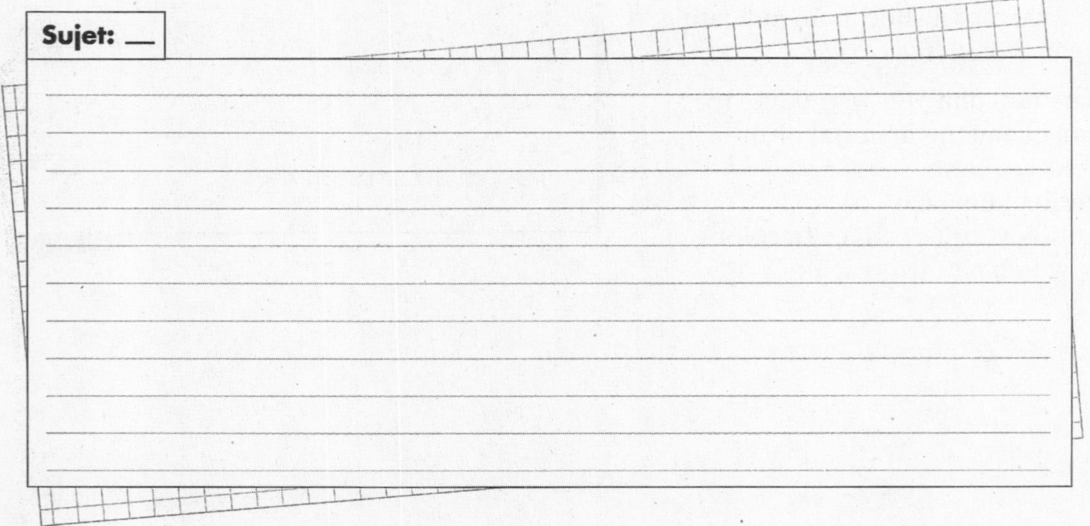

Multiple Choice Test Items

Leçon 25

1. Quand il pleut, je mets ________.
   a. un imperméable
   b. un blazer
   c. un polo

2. Pour faire du jogging, je mets ________.
   a. un tailleur
   b. un costume
   c. un survêtement

3. Alice va assister à un mariage élégant. Elle va mettre ________.
   a. un maillot
   b. une robe
   c. un pull

4. Nous allons à la plage en été. N'oublie pas de porter ton ________.
   a. maillot
   b. manteau
   c. blouson

5. Pour lire les romans à la plage, j'ai besoin des ________.
   a. boucles d'oreilles
   b. lunettes de soleil
   c. gants

6. —Où est ton argent?
   —Regarde dans mon ________.
   a. foulard
   b. ceinture
   c. portefeuille

7. Avec son costume, mon père porte toujours une ________.
   a. cravate
   b. casquette
   c. chaîne

8. Ton pantalon est trop grand! Tu as besoin d'________.
   a. un bracelet
   b. une ceinture
   c. une bague

9. Ces boucles d'oreilles sont très chères. Elles sont en ________.
   a. plastique
   b. cuir
   c. or

10. Tu aimes ces gants ________?
    a. gris
    b. noir
    c. marron

11. Ce chemisier est très élégant et cher. C'est parce qu'il est en ________.
    a. nylon
    b. toile
    c. soie

12. Sophie a acheté un tailleur ________.
    a. en caoutchouc
    b. en laine
    c. blanche

13. Mes nouvelles sandales sont en ________.
    a. cuir
    b. velours
    c. coton

14. Je n'ai pas beaucoup d'argent. Alors, j'achète mes vêtements ________.
    a. dans un grand magasin
    b. sur catalogue
    c. dans une boutique de soldes

15. —Tu aimes ces chaussures?
    —Oui, mais quelle est la ________?
    a. taille
    b. pointure
    c. solde

16. Tes nouvelles lunettes me ________.
    a. plaît
    b. plaisent
    c. plaîs

17. Ce pull n'est pas très cher. Il est assez ________.
    a. joli
    b. affreux
    c. bon marché

Nom ______________________________ Discovering FRENCH Nouveau!

Classe ______________________ Date ______________ ______________

BLANC

18. De quelle couleur sont tes bottes?
    a. bleus
    b. blancs
    c. noires
19. —Je ne peux pas trouver mon portefeuille!
    —As tu bien regardé dans ton ________ ?
    a. parapluie
    b. pull
    c. sac
20. Cette robe est beaucoup trop grande. J'ai oublié de ________ dans la boutique.
    a. le chercher
    b. le réfléchir
    c. l'essayer

Leçon 26

1. Éric a gagné la course! Il est arrivé ________.
   a. deuxième
   b. troisième
   c. premier
2. Je suis dixième dans ma classe. Pauline est après moi. Elle est ________
   a. onzième
   b. neuvième
   c. cinqième
3. Ce sac est beau! C'est un sac ________.
   a. italienne
   b. italien
   c. italiens
4. Tu as choisi un bel imper ________.
   a. anglais
   b. anglaise
   c. canadienne
5. Stéphanie a acheté des bottes ________.
   a. français
   b. canadiennes
   c. chers
6. —Ce costume est nouveau?
   —Non, c'est un ________ costume.
   a. vieil
   b. vieux
   c. vieille
7. Regarde ces ________ robes!
   a. beaux
   b. belle
   c. belles
8. J'ai besoin d'un ________ imper.
   a. nouveau
   b. nouvel
   c. nouvelle
9. Quelle ________ veste!
   a. belle
   b. beau
   c. bel
10. Où as-tu mis tes ________ vêtements?
    a. vieilles
    b. vieux
    c. vielles
11. Alice a besoin d'un ________ tailleur.
    a. nouveau
    b. nouvelle
    c. nouvel
12. Ce sont ________ vieilles chaussures.
    a. des
    b. de
    c. les
13. Paul est très sérieux. Il parle ________.
    a. sérieuxment
    b. sérieuse
    c. sérieusement
14. Ses deux filles sont polies. Elles parlent toujours ________ aux adultes.
    a. poliment
    b. poliement
    c. polie
15. Cet homme attend le bus ________.
    a. patient
    b. patietement
    c. patiemment

16. —Est-ce que les vêtements sont en soldes?
—Non, ce sont des prix ________.
   a. normaux
   b. normal
   c. normals

17. Ce sont ________ sandales italiennes.
   a. de
   b. des
   c. la

18. Ma soeur est très élégante. Elle aime s'habiller ________.
   a. élégante
   b. élégantement
   c. élégamment

19. —Tu veux une nouvelle chemise?
—Non, j'aime bien ma ________ chemise.
   a. vieille
   b. vieil
   c. vieux

20. Ce sont de ________ impers américains.
   a. bels
   b. beaux
   c. belle

Leçon 27

1. Le pantalon noir est bon, mais le pantalon gris est ________.
   a. plus bon
   b. meilleur
   c. mieux

2. Les gants coûtent 20 euros et le foulard coûte 20 euros, aussi. Le foulard est ________ les gants.
   a. moins cher que
   b. aussi cher que
   c. plus cher que

3. François est plus grand que ________.
   a. je
   b. tu
   c. moi

4. J'achète toujours des pantalons larges. Je les trouve ________ que les pantalons étroits.
   a. moins confortables
   b. plus confortables
   c. confortables

5. —Ton professeur est gentil?
—Non, il est assez ________.
   a. faible
   b. utile
   c. méchant

6. Ma voiture est très ________.
   a. rapide
   b. vite
   c. gentille

7. Sa moto va ________.
   a. rapide
   b. vite
   c. lent

8. Ton sac n'est pas léger! Il est très ________.
   a. bon marché
   b. chaud
   c. lourd

9. —Ce survêtement est bon marché.
—Oui, mais regarde ce survêtement ici. Il est ________.
   a. plus bon marché
   b. meilleur marché
   c. moins bon marché

10. Mon ami Philippe n'est pas faible. Au contraire-il est très ________.
   a. gentil
   b. méchant
   c. fort

11. Éric fait du jogging 5 fois par semaine. Susanne fait du jogging 7 fois par semaine Susanne fait du jogging ________ qu'Éric.
   a. moins souvent
   b. plus souvent
   c. aussi souvent

Nom ____

Classe ______________________________ Date ______________

Discovering FRENCH Nouveau!

BLANC

12. Je suis bon en français, mais tu es _________.
   a. plus bon
   b. mieux
   c. meilleur

13. Est-ce qu'il parle espagnol _________?
   a. bon
   b. bien
   c. meilleur

14. Mais Nathalie parle _________.
   a. mieux
   b. meilleur
   c. bon

15. Le lundi, je ne peux pas me lever tard. Je me lève assez _________.
   a. lentement
   b. tôt
   c. bien

16. La voiture va trop vite! Va plus _________, s'il te plaît.
   a. rapide
   b. tard
   c. lentement

17. Je n'ai pas beaucoup d'argent, et j'ai besoin de nouveaux vêtements. Alors, peux-tu me trouver la boutique _________?
   a. la moins chère
   b. la plus chère
   c. le moins cher

18. Lance Armstrong est _________ cycliste du Tour de France.
   a. le meilleur
   b. meilleur
   c. le mieux

19. Montrez-moi _________ plus jolie robe de la boutique!
   a. le
   b. une
   c. la

20. Ma voiture va beaucoup moins _________ que ta voiture.
   a. vite
   b. rapide
   c. lent

Leçon 28

1. J'aime beaucoup ces deux jupes. Je ne sais pas _________ je voudrais acheter.
   a. lequel
   b. laquelle
   c. lesquels

2. Il y a trop de chaussures dans ce magasin! _________ veux-tu essayer?
   a. Laquelle
   b. Lesquels
   c. Lesquelles

3. Les deux chemisiers te vont bien. _________ vas-tu choisir?
   a. Lequel
   b. Laquelle
   c. Lesquelles

4. J'aime cette ceinture noire et cette ceinture grise. _________ préfères-tu?
   a. Lequel
   b. Laquelle
   c. Lesquels

5. —Qu'est-ce que tu penses de ce tailleur? —Je préfère _________.
   a. celle-ci
   b. ceux-ci
   c. celui-ci

6. Ces lunettes ne te vont pas bien. Essaie _________.
   a. ceux-ci
   b. ceux-là
   c. celles-ci

7. —Est-ce que ce sont tes gants? —Non, ce sont _________ de mon frère.
   a. ceux
   b. celui
   c. celles

8. —J'ai vu une jolie casquette bleue et une jolie casquette rouge. —_________ préfères-tu?
   a. Lequelle
   b. Lesquels
   c. Laquelle

9. Tu vois le garçon là-bas? C'est ________ habite près de chez moi.
   a. celui que
   b. celle qui
   c. celui qui

10. —Tu aimes cette veste?
    —Je préfère ________ est en solde.
    a. celle qui
    b. celle que
    c. celui qui

11. —Tu connais cette fille?
    —Oui, c'est ________ j'ai invitée chez moi.
    a. celui qui
    b. celle qui
    c. celle que

12. —Quels vêtements préfères-tu?
    —Je préfère ________ qui sont confortables.
    a. celui
    b. celles
    c. ceux

13. —Cest ton parapluie?
    —Non, c'est celui ________ ma soeur.
    a. que
    b. de
    c. qui

14. Éric a essayé tous ces baskets! ________ veut-il acheter?
    a. Lesquels
    b. Lesquelles
    c. Laquelle

15. Voici de belles chemises. ________ veux-tu essayer d'abord?
    a. Laquelle
    b. Lequel
    c. Lesquels

16. Les deux chapeaux te vont bien. ________ choisis-tu?
    a. Laquelle
    b. Lequel
    c. Laquelles

17. Ces sandales sont assez jolies, mais je préfère ________ je porte.
    a. ceux que
    b. celles qui
    c. celles que

18. Je ne peux pas trouver mes boucles d'oreilles. Je vais porter ________ de ma soeur.
    a. celles
    b. ceux
    c. celui

19. —Quel foulard vas-tu choisir?
    —Je vais choisir ________ est le meilleur marché!
    a. celle qui
    b. celle que
    c. celui qui

20. Voici plusieurs blousons. ________ veux-tu essayer?
    a. Lequel
    b. Laquelle
    c. Lesquelles

Nom ____________________________

Classe ______________________ Date ______________

Discovering FRENCH Nouveau!

BLANC

FORM A

COMPREHENSIVE TEST 2 (Units 5, 6, 7)

Première Partie: Compréhension (30 points)

1. Cadeaux d'anniversaire (5 points)

People are shopping for birthday gifts. Listen to what they say and match each item with the appropriate part of the body where it is usually worn or carried. Then, blacken the appropriate letter—a, b, c, or d—on your answer sheet. You will hear each item twice.

Modèle: [Ma mère a besoin d'un parapluie.]
a (b) c d

1. a b c d
2. a b c d
3. a b c d
4. a b c d
5. a b c d

Nom ______________________

Classe ______________ Date ______________

Discovering FRENCH Nouveau!

BLANC

2. Chez Madame Moreau (7 points)

What's happening in Madame Moreau's neighborhood? Look at the scene below and, based on what you see in the picture, decide whether the statements you hear are true **(vrai)** or false **(faux)**. Then, blacken the corresponding letter—a or b—on your answer sheet. You will hear each item twice.

Modèle: [Deux hommes travaillent dans la rue.]
(a.) vrai b. faux

6. a. vrai b. faux
7. a. vrai b. faux
8. a. vrai b. faux
9. a. vrai b. faux
10. a. vrai b. faux
11. a. vrai b. faux
12. a. vrai b. faux

Nom ______________________________

Classe ______________________ Date ______________

3. Jeudi dernier (6 points)

A strange event took place last Thursday. Listen to the man in the café tell you what he saw. Look at the pictures below and decide which scene BEST matches each sentence you hear. Then, blacken the corresponding letter—a, b, c, d, or e—on your answer sheet. You will hear each item twice.

Modèle: [La petite dame criait: «Au voleur!»]
a (b) c d e

13. a b c d e
14. a b c d e
15. a b c d e
16. a b c d e
17. a b c d e
18. a b c d e

4. La réponse logique (12 points)

You will hear a series of questions. Listen carefully to each question and select the most logical answer from the choices below. Then, blacken the corresponding letter—a, b, or c—on your answer sheet. You will hear each question twice.

Modèle: [Ça va?]
a. Oui, je vais là-bas.
b. Oui, d'accord.
(c.) Oui, je suis en forme.

19. a. Bien sûr, je suis sportif.
b. Je fais du ski.
c. Je fais de la voile.

20. a. 20 kilomètres par semaine.
b. J'ai des cours.
c. Je ne fais pas de gymnastique.

21. a. Non, je n'ai pas mal à la tête.
b. Non, je fais du sport.
c. Oui, j'ai trop de travail.

22. a. J'ai mal aux dents.
b. J'ai mal au dos.
c. J'ai mal à la bouche.

23. a. Dans l'évier.
b. Dans la douche.
c. Dans la salle de bains.

24. a. Oui, elle est à la campagne.
b. Non, il y a un grenier.
c. Non, elle est grise.

25. a. Je vais me coucher.
b. Il y a une bonne émission.
c. Il ne marche pas très bien.

26. a. Des assiettes.
b. De la glace.
c. Des oeufs.

27. a. Oui, elle est élégante.
b. Non, elle est en soie.
c. Non, elle est à carreaux.

28. a. Je vais à la plage.
b. Je vais à une boum.
c. Je vais à un mariage.

29. a. Il est en cuir.
b. Des billets.
c. Je t'achète un portefeuille.

30. a. Je voudrais essayer ce pantalon.
b. Il me va très bien.
c. Oui, je vais chercher quelque chose d'autre.

Nom ____

Classe ______________________ Date ______________

Discovering FRENCH Nouveau!

BLANC

Deuxième Partie: Structure et Vocabulaire (30 points)

5. Une mère curieuse (5 points)

Madame Dupont is asking her son Jacques what everyone at home is doing. Read snatches of their conversation and select the word from the box that correctly completes each answer. Then, mark the corresponding letter—a, b, c, d, or e—on your answer sheet. (Note: Some items may be used more than once and others not at all.)

a. **se**	b. **y**	c. **lui**	d. **-en**	e. **le**

Madame Dupont:	**Jacques:**
31. —Thomas est dans la salle de bains?	—Oui, il _____ lave. a. ❑ b. ❑ c. ❑ d. ❑ e. ❑
32. —Suzanne va au supermarché?	—Mais oui, elle _____ va tout de suite. a. ❑ b. ❑ c. ❑ d. ❑ e. ❑
33. —Grand-mère prépare des sandwichs?	—Attends, je regarde. Oui, elle _____ fait. a. ❑ b. ❑ c. ❑ d. ❑ e. ❑
34. —Papa parle à M. Maurice?	—Il vient de (d') _____ parler. a. ❑ b. ❑ c. ❑ d. ❑ e. ❑
35. —Et toi, tu vas nettoyer le garage maintenant?	—Euh, non . . . je ne peux pas _____ nettoyer aujourd'hui. J'ai un examen à préparer! a. ❑ b. ❑ c. ❑ d. ❑ e. ❑

6. Le bon choix (7 points)

One or more words have been omitted from the sentences below. Read the items carefully and decide which choice correctly completes each sentence. Then, mark the corresponding letter—a, b, c, or d—on your answer sheet.

36. —Mesdames et messieurs, _____-vous avec ces rasoirs!
    a. rasé b. raser c. rasez d. rasons
37. Je ne me (m') _____ pas souvenu de la date.
    a. ai b. vais c. suis d. veux
38. Voilà le monument _____ nous avons visité hier.
    a. quel b. que c. qui d. lequel
39. Regarde ces _____ chaussures! Elles sont en solde.
    a. italiennes b. belles c. jaunes d. nouvelle
40. Marc est le meilleur joueur _____ lycée.
    a. du b. que le c. dans le d. au
41. Il y a deux cravates. _____ préfères-tu, la bleue ou la rouge?
    a. Laquelle b. Quelle c. Lesquelles d. Celles
42. Stéphanie court vite mais Luc est _____ rapide qu'elle.
    a. aussi b. le plus c. meilleur d. assez

7. Un événement bizarre (8 points)

A strange event took place last weekend. Read the story below and select the best completion for each item. Then, mark the appropriate letter—a or b—on your answer sheet.

43. C' _____ la nuit. a. était b. a été
44. Il _____ environ minuit. a. était b. a été
45. Philippe et Nathalie _____ du camping à la campagne. a. faisaient b. ont fait
46. Tout d'un coup, ils _____ un OVNI. a. voyaient b. ont vu
47. Puis, deux extraterrestres _____ de l'OVNI. a. descendaient b. sont descendus
48. Ils _____ des antennes! a. avaient b. ont eu
49. Philippe _____ une photo... a. prenait b. a pris
50. . . . et Nathalie _____ vers la tente à toute vitesse! a. courait b. a couru

Nom ____

Classe ______________________ Date ______________ ______________

Discovering FRENCH Nouveau!

BLANC

8. L'intrus (5 points)

Each of the following sentences can be completed with two of the suggested options. One choice does NOT fit; it is the INTRUDER. Find the intruder and mark the corresponding letter—a, b, or c—on your answer sheet.

51. Madame Moreau a trop mangé. Maintenant, elle a mal ______________.
    a. au ventre   b. à l'épaule   c. à l'estomac

52. Paul a un rhume. Il va ______________.
    a. se reposer   b. se coucher   c. s'arrêter

53. Il pleut. Je vais prendre ______________ pour aller à la plage.
    a. mon imper   b. mon parapluie   c. mon maillot de bain

54. Les assiettes sont dans ______________.
    a. la machine à laver   b. l'évier   c. le lave-vaisselle

55. Ces cravates ______________ ne sont pas bon marché.
    a. en laine   b. en argent   c. en soie

9. Catégories (5 points)

In which category do the following items belong? Look carefully at the chart below and select the appropriate category for each item. Then, mark the corresponding letter—a, b, c, d, or e—on your answer sheet. (Note: Some categories may be used more than once and others not at all.)

	a. mobilier et équipement	b. parties du corps	c. pièces	d. sports	e. vêtements et accessoires
▶ une cave			✓		
56. le bras					
57. la voile					
58. des rideaux					
59. un foulard					
60. le plafond					

Troisième Partie: Communication (10 points)

10. Les dialogues embrouillés (10 points)

Your French teacher wrote sentences on index cards and forgot to put them in order. Read each item and decide the logical order of the sentences. Then, mark the corresponding letter—a, b, c, d, or e—on your answer sheet.

Conversation A

61. [ ] a. Bien sûr. Lesquelles aimes-tu?

62. [ ] b. Elles sont très confortables et pas chères!

63. [ ] c. Celles en cuir beige.

64. [ ] d. Ah bon? Pourquoi?

65. [ ] e. Tu vois ces paires de chaussures?

Conversation B

66. [ ] a. Qu'est-ce que vous faisiez?

67. [ ] b. Ici, en train de te téléphoner!

68. [ ] c. Chez un copain.

69. [ ] d. Où étais-tu à sept heures?

70. [ ] e. Nous écoutions ses CD. Et toi, où étais-tu?

Nom ______________________________

Classe ____________________ Date ______________

Quatrième Partie: Lecture (20 points)

11. Au grand magasin (5 points)

Looking at the department store scene, read the items that follow and select the most appropriate people—the customer, the salesperson, both, or neither. Then, mark the corresponding letter—a, b, c, or d—on your answer sheet.

71. Qui est au rayon d'accessoires?
   a. ❑ b. ❑ c. ❑ d. ❑
72. Qui tient un parapluie?
   a. ❑ b. ❑ c. ❑ d. ❑
73. Qui porte un chemisier à fleurs?
   a. ❑ b. ❑ c. ❑ d. ❑
74. Qui aime acheter des bagues?
   a. ❑ b. ❑ c. ❑ d. ❑
75. Qui porte une ceinture blanche?
   a. ❑ b. ❑ c. ❑ d. ❑

a. la cliente
b. la vendeuse
c. toutes les deux *(both)*
d. ni l'une ni l'autre *(neither)*

12. À l'agence immobilière (5 points)

At the real estate agency, customers are looking for various types of housing. Read what they say and select the most appropriate ad. Then, mark the corresponding letter—a, b, c, or d—on your answer sheet.

a.
CENTRE VILLE
BEL APPARTEMENT MEUBLÉ
4 pièces + garage
(2 chambres, grand salon, cuisine avec lave-vaisselle s.d.b. moderne)
700€
☎ 734 65 12

b.
dans village
40 km de Genève
MAISON ANCIENNE
3 chambres
salle à manger + cheminée
1 salle de bains
cuisine à rénover
grand jardin
650€
☎ 733 64 35

c.
banlieue ouest
DANS IMMEUBLE MODERNE
appt non meublé
2 chambres/2 s.d.b.
salle
grande terrasse
tout confort
575€
☎ 347 15 22

d.
à 10 km de Genève
près du lac
charmante maison
2 ch, 2 s.d.b., cuisine, salon, salle à manger, petit jardin
775€
☎ 731 42 01

76. —Je préfère une vieille maison très spacieuse.
 a. ❑ b. ❑ c. ❑ d. ❑

77. —Nous cherchons un appartement mais nous ne voulons pas habiter dans le centre-ville.
 a. ❑ b. ❑ c. ❑ d. ❑

78. —Ma mère cherche un logement à proximité d'une plage.
 a. ❑ b. ❑ c. ❑ d. ❑

79. —En été, j'aime cultiver des tas de *(lots of)* légumes différents.
 a. ❑ b. ❑ c. ❑ d. ❑

80. —J'adore la vie en ville.
 a. ❑ b. ❑ c. ❑ d. ❑

Nom ______________________________

Classe ____________________ Date ______________

Discovering FRENCH Nouveau!

BLANC

13. Deux amis (6 points)

Carefully read the passage and questions which follow, selecting the best completion to each item. Then, mark the corresponding letter—a, b, or c—on your answer sheet.

À quelle heure vous levez-vous? Moi, ça dépend. Le lundi, je me lève tôt parce que j'ai un cours à huit heures. Le mercredi, je n'ai pas de cours et je me lève à dix heures. Je me lave, je me maquille, et puis je vais en ville. À midi, je rencontre Dominique. Nous nous donnons rendez-vous au Quartier Latin dans un petit restaurant. Dominique est rarement à l'heure. Quand il n'est pas à l'heure, je m'impatiente et quand il arrive, nous nous disputons. Nous nous disputons souvent, mais nos disputes ne durent jamais longtemps.

Dominique est mon fiancé. Nous nous sommes connus en juillet dernier sur la plage où il était professeur de planche à voile. Maintenant il travaille dans une banque. Nous allons nous marier au mois de mai.

81. La personne qui parle est _____.
    a. un étudiant
    b. une étudiante
    c. une employée de banque

82. Elle n'a pas de classe _____.
    a. le lundi
    b. le mercredi
    c. le vendredi

83. Dominique et sa fiancée se donnent rendez-vous _____.
    a. pour se rendre à l'université
    b. pour déjeuner
    c. pour se disputer

84. D'habitude, Dominique est _____ à leurs rendez-vous.
    a. à l'heure
    b. en retard
    c. en avance

85. Dominique et sa fiancée se connaissent depuis _____.
    a. l'été dernier
    b. deux ans
    c. longtemps

86. Le couple va se marier _____.
    a. en juillet
    b. au printemps
    c. sur la plage

14. En France (4 points)

Now read the second passage and questions which follow, selecting the best completion to each item. Then, mark the corresponding letter—a, b, or c—on your answer sheet.

> «La France a beaucoup de châteaux. Il y a ceux que les touristes connaissent comme celui de Chambord ou celui d'Amboise. Il y a aussi ceux qui tombent en ruine, ceux que personne ne visite. Ce sont ceux-ci qui inspirent mes sonnets, car ce sont eux qui sont les plus romantiques. Ce sont ceux-ci que je visite quand je vais en France.»

87. Le sujet de cette narration est ____.
    a. le tourisme français
    b. les sonnets romantiques
    c. les châteaux en France

88. À Chambord, il y a un château ____.
    a. touristique
    b. en ruine
    c. romantique

89. Le narrateur ____.
    a. habite en France
    b. visite les châteaux en ruines
    c. aime visiter Amboise

90. Peu de touristes visitent les châteaux ____.
    a. de Chambord et d'Amboise
    b. en ruine
    c. bien connus

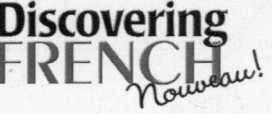

Nom ______________________________

Classe ____________________ Date ______________

Cinquième Partie: Culture (10 points)

15. Méli-mélo culturel *(cultural jumble)* (10 points)

How much do you know about the French people and their everyday life? Read each sentence below and decide whether the item is true **(vrai)** or false **(faux)**. Then, mark the corresponding letter—a or b—on your answer sheet.

91. a. vrai b. faux Les jeunes Français pratiquent souvent le judo.
92. a. vrai b. faux Les jeunes Français ne partagent pas souvent la salle de bains avec leurs frères et soeurs.
93. a. vrai b. faux Dans le centre-ville, les immeubles ont un maximum de six étages.
94. a. vrai b. faux La Finale de la Coupe de France est un grand événement sportif.
95. a. vrai b. faux Pour les jeunes Français, le style et la couleur de leurs chaussures sont importants.
96. a. vrai b. faux Le VTT est la marque d'un ordinateur français.
97. a. vrai b. faux Des milliers de Français pratiquent le ski dans le Massif Central.
98. a. vrai b. faux La salle à manger est généralement la plus grande pièce de la maison.
99. a. vrai b. faux Pour les Français, il est très important d'être bien habillé.
100. a. vrai b. faux C'est dans la cuisine qu'on prend le petit déjeuner.

Nom ______________________________

Classe ______________________ Date ______________

Discovering FRENCH Nouveau!

BLANC

COMPREHENSIVE TEST 2 (Units 5, 6, 7)

FORM B

Première Partie: Compréhension (30 points)

1. Cadeaux d'anniversaire (5 points)

People are shopping for birthday gifts. Listen to what they say and match each item with the appropriate part of the body where it is usually worn or carried. Then, blacken the appropriate letter—a, b, c, or d—on your answer sheet. You will hear each item twice.

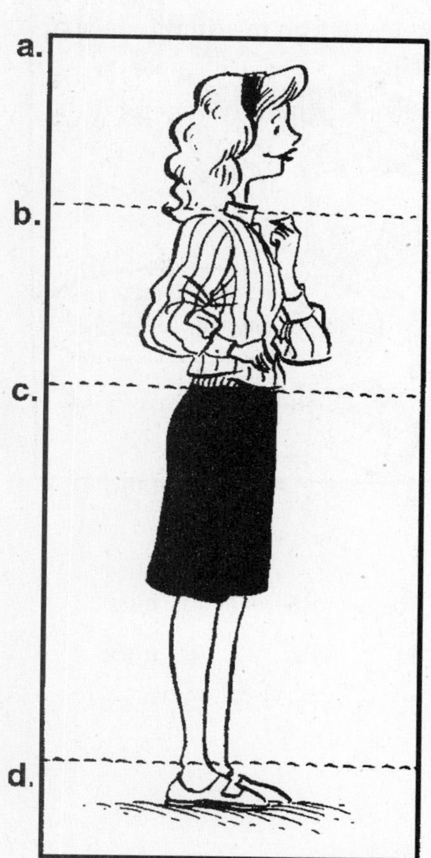

Modèle: [Ma mère a besoin d'un parapluie.]
a (b) c d

1. a b c d
2. a b c d
3. a b c d
4. a b c d
5. a b c d

Nom ______________________________

Classe ______________________ Date ______________

Discovering FRENCH Nouveau!

BLANC

2. Chez Madame Moreau (7 points)

What's happening in Madame Moreau's neighborhood? Look at the scene below and, based on what you see in the picture, decide whether the statements you hear are true **(vrai)** or false **(faux)**. Then, blacken the corresponding letter—a or b—on your answer sheet. You will hear each item twice.

Modèle: [Deux hommes travaillent dans la rue.]
(a.) vrai b. faux

6. a. vrai b. faux
7. a. vrai b. faux
8. a. vrai b. faux
9. a. vrai b. faux
10. a. vrai b. faux
11. a. vrai b. faux
12. a. vrai b. faux

3. Jeudi dernier (6 points)

A strange event took place last Thursday. Listen to the man in the café tell you what he saw. Look at the pictures below and decide which scene BEST matches each sentence you hear. Then, blacken the corresponding letter—a, b, c, d, or e—on your answer sheet. You will hear each item twice.

a.

b.

c.

d.

e.

Modèle: [La petite dame criait: «Au voleur!»]
a (b) c d e

13. a b c d e
14. a b c d e
15. a b c d e
16. a b c d e
17. a b c d e
18. a b c d e

Nom ______________________________

Classe ____________________ Date ____________

4. La réponse logique (12 points)

You will hear a series of questions. Listen carefully to each question and select the most logical answer from the choices below. Then, blacken the corresponding letter—a, b, or c—on your answer sheet. You will hear each question twice.

Modèle: [Ça va?]
a. Oui, je vais là-bas.
b. Oui, d'accord.
(c.) Oui, je suis en forme.

19. a. Non, je ne sais pas nager.
b. Oui, j'adore les chevaux.
c. Oui, j'ai des patins à roulettes.

20. a. Une promenade dans les champs.
b. De la marche à pied.
c. De la planche à voile.

21. a. Oui, j'ai un VTT.
b. Non, je n'aime pas l'aérobic.
c. Oui, je fais de la voile.

22. a. Dans mon quartier.
b. Aux oreilles.
c. Ça ne va pas.

23. a. De la planche à roulettes.
b. Du patinage.
c. De la natation.

24. a. Oui, la campagne est belle.
b. Non, nous habitons à la campagne.
c. Non, nous habitons dans un immeuble.

25. a. Un joli jardin.
b. La cave.
c. Un quartier ancien.

26. a. Au grenier.
b. Sur le toit.
c. Au rez-de-chaussée.

27. a. Oui, elle se maquille.
b. Non, elle met la table.
c. Non, elle fait la cuisine.

28. a. Je porte du 41.
b. Je ne suis pas décidé.
c. J'ai mal aux pieds.

29. a. Des chaussettes en coton.
b. Des gants en cuir.
c. Un manteau en fourrure.

30. a. Ce collier.
b. Cette ceinture.
c. Ce foulard.

Nom ____

Classe ______________________ Date ______________

Discovering FRENCH Nouveau!

BLANC

Deuxième Partie: Structure et Vocabulaire (30 points)

5. Une mère curieuse (5 points)

Madame Dupont is asking her son Jacques what everyone at home is doing. Read snatches of their conversation and select the word from the box that correctly completes each answer. Then, mark the corresponding letter—a, b, c, d, or e—on your answer sheet. (Note: Some items may be used more than once and others not at all.)

a. **se**	b. **y**	c. **lui**	d. **-en**	e. **le**

Madame Dupont:	Jacques:
31. —Suzanne est dans la cuisine?	—Oui, elle ____ travaille. a. ❑ b. ❑ c. ❑ d. ❑ e. ❑
32. —Elle fait de la salade?	—Euh, je pense qu'elle ____ prépare. a. ❑ b. ❑ c. ❑ d. ❑ e. ❑
33. —Papa est sur le sofa, je suppose?	—Dis, Maman, il est très fatigué; il ____ repose. a. ❑ b. ❑ c. ❑ d. ❑ e. ❑
34. —Est-ce que Grand-mère téléphone à	—Non, elle ne (n') ____ parle pas maintenant. a. ❑ b. ❑ c. ❑ d. ❑ e. ❑
35. —Et toi, tu as préparé ton examen?	—Pas encore, Maman. Je vais ____ préparer après le dîner. D'accord? a. ❑ b. ❑ c. ❑ d. ❑ e. ❑

Nom ____

Classe ______________________________ Date ______________

6. Le bon choix (7 points)

One or more words have been omitted from the sentences below. Read the items carefully and decide which choice correctly completes each sentence. Then, mark the corresponding letter—a, b, c, or d—on your answer sheet.

36. —Mais _____-toi les dents avec «Très-près»!
    a. brosse b. brossé c. brossais d. brosses
37. M. Aubin ne (n') _____ pas se raser ce matin.
    a. va b. est c. es d. a
38. C'est la fille _____ était à la boum de Stéphanie.
    a. qui b. qu' c. quelle d. où
39. J'adore ces pulls _____. Ils sont en pure laine.
    a. beaux b. anglais c. jolis d. bleues
40. Dominique est la meilleure étudiante _____ école.
    a. dans l' b. que l' c. à l' d. de l'
41. Quel chemisier vas-tu prendre? _____-ci?
    a. Il b. Ce c. Celui d. Lui
42. Marc est bon en français mais Sylvie est _____ que lui.
    a. aussi bon b. moins bonne c. meilleur d. la meilleure

7. Un événement bizarre (8 points)

A strange event took place last weekend. Read the story below and select the best completion for each item. Then, mark the appropriate letter—a or b—on your answer sheet.

43. C' _____ dimanche. a. était b. a été
44. Il _____ un temps splendide. a. faisait b. a fait
45. Les Dupont _____ un pique-nique à la campagne. a. faisaient b. ont fait
46. Tout à coup, un taureau _____ tout près de la famille. a. arrivait b. est arrivé
47. Le taureau _____ très faim. a. avait b. a eu
48. Les gens _____. . . a. criaient b. ont crié
49. . . . et ils _____ dans leur voiture familiale. a. montaient b. sont montés
50. Le taureau _____ tous leurs sandwichs! a. mangeait b. a mangé

8. L'intrus (5 points)

Each of the following sentences can be completed with two of the suggested options. One choice does NOT fit; it is the INTRUDER. Find the intruder and mark the corresponding letter —a, b, or c—on your answer sheet.

51. Les flûtistes jouent de leur instrument avec _____.
    a. les pieds   b. les mains   c. les doigts
52. Philippe va au lit parce qu'il est _____.
    a. fatigué   b. ponctuel   c. malade
53. S'il te plaît, assieds-toi _____.
    a. sur cette chaise   b. sur cet appareil   c. sur ce fauteuil
54. Annie, est-ce que tu peux _____ la radio?
    a. réfléchir   b. entendre   c. éteindre
55. Ces gants sont affreux. Voilà pourquoi ils sont _____.
    a. en solde   b. bon marché   c. chers

9. Catégories (5 points)

In which category do the following items belong? Look carefully at the chart below and select the appropriate category for each item. Then, mark the corresponding letter—a, b, c, d, or e—on your answer sheet. (Note: Some categories may be used more than once and others not at all.)

	a. mobilier et équipement	b. parties du corps	c. pièces	d. sports	e. vêtements et accessoires
▶ une cave			✓		
56. un collier					
57. le grenier					
58. le patinage					
59. un tableau					
60. un oeil					

Nom ______________________________

Classe ______________________ Date ______________

Discovering FRENCH Nouveau!

BLANC

Troisième Partie: Communication (10 points)

10. Les dialogues embrouillés (10 points)

Your French teacher wrote sentences on index cards and forgot to put them in order. Read each item and decide the logical order of the sentences. Then, mark the corresponding letter—a, b, c, d, or e—on your answer sheet.

Conversation A

61. ______ a. Moi, je préparais mon examen!

62. ______ b. Dans la rue.

63. ______ c. Qu'est-ce que tu faisais?

64. ______ d. Je faisais du skate. Et toi?

65. ______ e. Où étais-tu avant le dîner?

Conversation B

66. ______ a. Je la trouve trop chère!

67. ______ b. La voiture rouge? Pourquoi?

68. ______ c. Moi, je préfère celle-là.

69. ______ d. Parce qu'elle est très rapide.

70. ______ e. Regarde ces deux voitures. Laquelle préfères-tu?

Nom ______________________________

Classe ______________________ Date ______________

Discovering FRENCH Nouveau!

BLANC

Quatrième Partie: Lecture (20 points)

11. Au grand magasin (5 points)

Looking at the department store scene, read the items that follow and select the most appropriate people—the customer, the salesperson, both, or neither. Then, mark the corresponding letter—a, b, c, or d—on your answer sheet.

71. Qui porte un collier de perles?
    a. ❑ b. ❑ c. ❑ d. ❑
72. Qui a besoin d'un sac?
    a. ❑ b. ❑ c. ❑ d. ❑
73. Qui porte une jupe à fleurs?
    a. ❑ b. ❑ c. ❑ d. ❑
74. Qui est en train de réfléchir?
    a. ❑ b. ❑ c. ❑ d. ❑
75. Qui est derrière la vitrine?
    a. ❑ b. ❑ c. ❑ d. ❑

a. la cliente
b. la vendeuse
c. toutes les deux *(both)*
d. ni l'une ni l'autre *(neither)*

Nom ______________________________

Classe ____________________ Date ______________

Discovering FRENCH Nouveau!

BLANC

12. À l'agence immobilière (5 points)

At the real estate agency, customers are looking for various types of housing. Read what they say and select the most appropriate ad. Then, mark the corresponding letter—a, b, c, or d—on your answer sheet.

a.
CENTRE VILLE
BEL APPARTEMENT MEUBLÉ
4 pièces + garage
(2 chambres, grand salon, cuisine avec lave-vaisselle s.d.b. moderne)
700€
☎ 734 65 12

b.
dans village
40 km de Genève
MAISON ANCIENNE
3 chambres
salle à manger + cheminée
1 salle de bains
cuisine à rénover
grand jardin
650€
☎ 733 64 35

c.
banlieue ouest
DANS IMMEUBLE MODERNE
appt non meublé
2 chambres/2 s.d.b.
salle
grande terrasse
tout confort
575€
☎ 347 15 22

d.
à 10 km de Genève
près du lac
charmante maison
2 ch, 2 s.d.b., cuisine, salon, salle à manger, petit jardin
775€
☎ 731 42 01

76. —Je déteste laver les assiettes à la main!
   a. ❑ b. ❑ c. ❑ d. ❑

77. —Ma fille n'a pas besoin de mobilier; elle a tout le nécessaire.
   a. ❑ b. ❑ c. ❑ d. ❑

78. —Mon mari et moi, nous préférons une grande maison à la campagne.
   a. ❑ b. ❑ c. ❑ d. ❑

79. —Mais oui, j'aime planter un peu de fleurs comme tout le monde.
   a. ❑ b. ❑ c. ❑ d. ❑

80. —C'est que nous avons une grande voiture et deux vélos.
   a. ❑ b. ❑ c. ❑ d. ❑

13. Deux amis (6 points)

Carefully read the passage and questions which follow, selecting the best completion to each item. Then, mark the corresponding letter—a, b, or c—on your answer sheet.

> À quelle heure vous levez-vous? Moi, ça dépend. Le lundi, je me lève tôt parce que j'ai un cours à huit heures. Le mercredi, je n'ai pas de cours et je me lève à dix heures. Je me lave, je me maquille, et puis je vais en ville. À midi, je rencontre Dominique. Nous nous donnons rendez-vous au Quartier Latin dans un petit restaurant. Dominique est rarement à l'heure. Quand il n'est pas à l'heure, je m'impatiente et quand il arrive, nous nous disputons. Nous nous disputons souvent, mais nos disputes ne durent jamais longtemps.
>
> Dominique est mon fiancé. Nous nous sommes connus en juillet dernier sur la plage où il était professeur de planche à voile. Maintenant il travaille dans une banque. Nous allons nous marier au mois de mai.

81. Le lundi, la personne se lève _____.
    a. tard le matin
    b. à huit heures
    c. avant huit heures
82. Dominique est _____.
    a. un étudiant
    b. une étudiante
    c. un employé de banque
83. D'habitude, Dominique et sa fiancée se donnent rendez-vous _____.
    a. en ville
    b. à la plage
    c. à l'université
84. Quand Dominique et sa fiancée se disputent, c'est parce qu' _____.
    a. il est en retard
    b. elle est mal maquillée
    c. elle est rarement à l'heure
85. On peut dire que Dominique est _____.
    a. sportif
    b. paresseux
    c. ponctuel
86. La fiancée de Dominique dit qu'ils vont se marier _____.
    a. demain
    b. après leur dispute
    c. avant l'été

Nom ______________________________

Classe ______________________ Date ______________

Discovering FRENCH *Nouveau!*

BLANC

14. En France (4 points)

Now read the second passage and questions which follow, selecting the best completion to each item. Then, mark the corresponding letter—a, b, or c—on your answer sheet.

> «La France a beaucoup de châteaux. Il y a ceux que les touristes connaissent comme celui de Chambord ou celui d'Amboise. Il y a aussi ceux qui tombent en ruine, ceux que personne ne visite. Ce sont ceux-ci qui inspirent mes sonnets, car ce sont eux qui sont les plus romantiques. Ce sont ceux-ci que je visite quand je vais en France.»

87. Le narrateur est probablement _____.
    a. le propriétaire *(owner)* d'un château
    b. un guide touristique
    c. un poète

88. À Amboise, il y a _____.
    a. un château abandonné
    b. un château touristique
    c. une ruine

89. Le narrateur habite _____.
    a. à Chambord
    b. en France
    c. dans un autre pays

90. Les châteaux les plus romantiques sont ceux _____.
    a. qui tombent en ruine
    b. que les touristes aiment visiter
    c. comme Chambord et Amboise

Cinquième Partie: Culture (10 points)

15. Méli-mélo culturel *(cultural jumble)* (10 points)

How much do you know about the French people and their everyday life? Read each sentence below and decide whether the item is true **(vrai)** or false **(faux)**. Then, mark the corresponding letter—a or b—on your answer sheet.

91. a. vrai b. faux La majorité des Français habitent dans des maisons individuelles.
92. a. vrai b. faux La Finale de la Coupe de France est un championnat de tennis.
93. a. vrai b. faux Beaucoup de jeunes Français vont faire du snowboard dans les Alpes.
94. a. vrai b. faux On pratique l'escalade en hiver.
95. a. vrai b. faux **Dior** et **Chanel** sont des «grands couturiers» français.
96. a. vrai b. faux En France, les soldes ont lieu deux fois par an.
97. a. vrai b. faux Les cuisines françaises sont généralement mieux équipées que les cuisines américaines.
98. a. vrai b. faux Les maisons individuelles sont souvent entourées par un mur.
99. a. vrai b. faux En général, les salles de bains et les toilettes sont séparées.
100. a. vrai b. faux Le salon est souvent la plus grande pièce de la maison.

BLANC

Speaking Performance Test Scoring Sheet

Unit 7

Name ______________________ **Class** ______________________

PART 1: Conversations: A B C D E F (circle one)

	A	B	C	D	F	O
Question 1						
Comprehension	5	4	3	2	1	0
Oral Response	10	9	8	7	4	0
Question 2						
Comprehension	5	4	3	2	1	0
Oral Response	10	9	8	7	4	0
Question 3						
Comprehension	5	4	3	2	1	0
Oral Response	10	9	8	7	4	0
Question 4						
Comprehension	5	4	3	2	1	0
Oral Response	10	9	8	7	4	0
PART 2: Tu as la parole: A B C D E F (circle one)						
First Response	10	9	8	7	4	0
Second Response	10	9	8	7	4	0
Third Response	10	9	8	7	4	0
Fourth Response	10	9	8	7	4	0
Overall Fluency	10	9	8	7	4	0

TOTAL SCORE ______ + ______ + ______ + ______ + ______ = ______

COMMENTS:

SCORING CRITERIA

	Comprehension	*Oral Response*	*Overall Fluency*
A	answered question after hearing it once at normal speed	creative, extensive response comprehensible to native speaker	spoke easily with no hesitation
B	answered question after hearing it repeated at slower speed	appropriate response comprehensible to native speaker	spoke with some hesitation
C	answered question after having it clarified or reworded	appropriate response, but only comprehensible to native speaker accustomed to foreigners	spoke with frequent hesitations
D	answered question after two repetitions or rewordings	partially appropriate response or response that is very difficult to understand	spoke haltingly with many starts and stops
F	misunderstood question	inappropriate response	spoke only a word or two
O	did not try to understand	did not respond	did not respond

Nom ______________________________

Classe ______________________ Date ______________

Discovering FRENCH Nouveau!

BLANC

UNITÉ 7 Reading Comprehension Performance Test Answer Sheet

1. a. ___ b. ___ c. ___
2. a. ___ b. ___ c. ___
3. a. ___ b. ___ c. ___
4. a. ___ b. ___ c. ___
5. a. ___ b. ___ c. ___
6. a. ___ b. ___ c. ___
7. a. ___ b. ___ c. ___
8. a. ___ b. ___ c. ___
9. a. ___ b. ___ c. ___
10. a. ___ b. ___ c. ___

Nom ______________________________

Classe ____________________ Date ______________

Discovering FRENCH Nouveau!

BLANC

Comprehensive Test 2 (Units 5, 6, 7)

FORM A

Instructions

Please use a No. 2 pencil only. Make heavy black marks that fill the circle completely. Do not make any stray marks on this answer sheet. Make all erasures cleanly.

	A	B	C	D	E
1	1	2	3	4	5
2	1	2	3	4	5
3	1	2	3	4	5
4	1	2	3	4	5
5	1	2	3	4	5
6	1	2	3	4	5
7	1	2	3	4	5
8	1	2	3	4	5
9	1	2	3	4	5
10	1	2	3	4	5
11	1	2	3	4	5
12	1	2	3	4	5
13	1	2	3	4	5
14	1	2	3	4	5
15	1	2	3	4	5
16	1	2	3	4	5
17	1	2	3	4	5
18	1	2	3	4	5
19	1	2	3	4	5
20	1	2	3	4	5
21	1	2	3	4	5
22	1	2	3	4	5
23	1	2	3	4	5
24	1	2	3	4	5
25	1	2	3	4	5
26	1	2	3	4	5
27	1	2	3	4	5
28	1	2	3	4	5
29	1	2	3	4	5
30	1	2	3	4	5
31	1	2	3	4	5
32	1	2	3	4	5
33	1	2	3	4	5
34	1	2	3	4	5
35	1	2	3	4	5
36	1	2	3	4	5
37	1	2	3	4	5
38	1	2	3	4	5
39	1	2	3	4	5
40	1	2	3	4	5
41	1	2	3	4	5
42	1	2	3	4	5
43	1	2	3	4	5
44	1	2	3	4	5
45	1	2	3	4	5
46	1	2	3	4	5
47	1	2	3	4	5
48	1	2	3	4	5
49	1	2	3	4	5
50	1	2	3	4	5
51	1	2	3	4	5
52	1	2	3	4	5
53	1	2	3	4	5
54	1	2	3	4	5
55	1	2	3	4	5
56	1	2	3	4	5
57	1	2	3	4	5
58	1	2	3	4	5
59	1	2	3	4	5
60	1	2	3	4	5
61	1	2	3	4	5
62	1	2	3	4	5
63	1	2	3	4	5
64	1	2	3	4	5
65	1	2	3	4	5
66	1	2	3	4	5
67	1	2	3	4	5
68	1	2	3	4	5
69	1	2	3	4	5
70	1	2	3	4	5
71	1	2	3	4	5
72	1	2	3	4	5
73	1	2	3	4	5
74	1	2	3	4	5
75	1	2	3	4	5
76	1	2	3	4	5
77	1	2	3	4	5
78	1	2	3	4	5
79	1	2	3	4	5
80	1	2	3	4	5
81	1	2	3	4	5
82	1	2	3	4	5
83	1	2	3	4	5
84	1	2	3	4	5
85	1	2	3	4	5
86	1	2	3	4	5
87	1	2	3	4	5
88	1	2	3	4	5
89	1	2	3	4	5
90	1	2	3	4	5
91	1	2	3	4	5
92	1	2	3	4	5
93	1	2	3	4	5
94	1	2	3	4	5
95	1	2	3	4	5
96	1	2	3	4	5
97	1	2	3	4	5
98	1	2	3	4	5
99	1	2	3	4	5
100	1	2	3	4	5

Nom ______________________________

Classe ____________________ Date ______________

Discovering FRENCH Nouveau!

BLANC

Comprehensive Test 2 (Units 5, 6, 7)

FORM B

Instructions

Please use a No. 2 pencil only. Make heavy black marks that fill the circle completely. Do not make any stray marks on this answer sheet. Make all erasures cleanly.

A B C D E	A B C D E	A B C D E	A B C D E	A B C D E
1 ①②③④⑤	11 ①②③④⑤	21 ①②③④⑤	31 ①②③④⑤	41 ①②③④⑤
2 ①②③④⑤	12 ①②③④⑤	22 ①②③④⑤	32 ①②③④⑤	42 ①②③④⑤
3 ①②③④⑤	13 ①②③④⑤	23 ①②③④⑤	33 ①②③④⑤	43 ①②③④⑤
4 ①②③④⑤	14 ①②③④⑤	24 ①②③④⑤	34 ①②③④⑤	44 ①②③④⑤
5 ①②③④⑤	15 ①②③④⑤	25 ①②③④⑤	35 ①②③④⑤	45 ①②③④⑤
6 ①②③④⑤	16 ①②③④⑤	26 ①②③④⑤	36 ①②③④⑤	46 ①②③④⑤
7 ①②③④⑤	17 ①②③④⑤	27 ①②③④⑤	37 ①②③④⑤	47 ①②③④⑤
8 ①②③④⑤	18 ①②③④⑤	28 ①②③④⑤	38 ①②③④⑤	48 ①②③④⑤
9 ①②③④⑤	19 ①②③④⑤	29 ①②③④⑤	39 ①②③④⑤	49 ①②③④⑤
10 ①②③④⑤	20 ①②③④⑤	30 ①②③④⑤	40 ①②③④⑤	50 ①②③④⑤
51 ①②③④⑤	61 ①②③④⑤	71 ①②③④⑤	81 ①②③④⑤	91 ①②③④⑤
52 ①②③④⑤	62 ①②③④⑤	72 ①②③④⑤	82 ①②③④⑤	92 ①②③④⑤
53 ①②③④⑤	63 ①②③④⑤	73 ①②③④⑤	83 ①②③④⑤	93 ①②③④⑤
54 ①②③④⑤	64 ①②③④⑤	74 ①②③④⑤	84 ①②③④⑤	94 ①②③④⑤
55 ①②③④⑤	65 ①②③④⑤	75 ①②③④⑤	85 ①②③④⑤	95 ①②③④⑤
56 ①②③④⑤	66 ①②③④⑤	76 ①②③④⑤	86 ①②③④⑤	96 ①②③④⑤
57 ①②③④⑤	67 ①②③④⑤	77 ①②③④⑤	87 ①②③④⑤	97 ①②③④⑤
58 ①②③④⑤	68 ①②③④⑤	78 ①②③④⑤	88 ①②③④⑤	98 ①②③④⑤
59 ①②③④⑤	69 ①②③④⑤	79 ①②③④⑤	89 ①②③④⑤	99 ①②③④⑤
60 ①②③④⑤	70 ①②③④⑤	80 ①②③④⑤	90 ①②③④⑤	100 ①②③④⑤

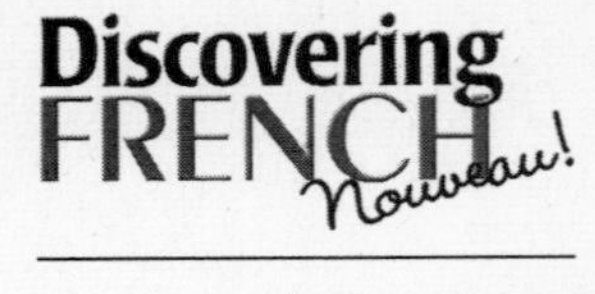

UNIT TEST 7 (Lessons 25, 26, 27, 28)

FORM A

Première Partie. Compréhension

CD 21, Track 6

1. La réponse logique (20 points)

You will hear a series of questions. Listen carefully to each question and select the most logical answer. On your test sheet, circle the corresponding letter: a, b, or c. You will hear each question twice.

Vous allez entendre une série de questions. Écoutez bien chaque question et choisissez la réponse logique à cette question. Marquez la lettre correspondante—a, b ou c—avec un cercle. Chaque question sera répétée. Écoutez le modèle.

Modèle: De quelle couleur est la veste que tu as achetée?
La réponse correcte est **"c": Jaune.**

Maintenant, commençons.

Un. Où achètes-tu tes chemises?

Deux. Vous désirez, monsieur?

Trois. Quelle est votre taille?

Quatre. Est-ce que ce pantalon vous va?

Cinq. Est-ce que ce foulard est en soie?

Six. Tu aimes cette cravate à fleurs?

Sept. Tu vas mettre ton manteau?

Huit. Qu'est-ce que Monsieur Pasquier va porter pour aller au restaurant?

Neuf. Qu'est-ce que tu vas acheter dans ce magasin de chaussures?

Dix. Quel bijou est-ce que vous préférez?

UNIT TEST 7 (Lessons 25, 26, 27, 28)

FORM B

Première Partie. Compréhension

CD 21, Track 7

1. La réponse logique (20 points)

You will hear a series of questions. Listen carefully to each question and select the most logical answer. On your test sheet, circle the corresponding letter: a, b, or c. You will hear each question twice.

Vous allez entendre une série de questions. Écoutez bien chaque question et choisissez la réponse logique à cette question. Marquez la lettre correspondante—a, b ou c—avec un cercle. Chaque question sera répétée. Écoutez le modèle.

Modèle: De quelle couleur est la veste que tu as achetée?
La réponse correcte est **"c": Jaune.**

Maintenant, commençons.

Un. Où achètes-tu tes vêtements?

Deux. Vous désirez, madame?

Trois. Quelle est votre taille?

Quatre. Est-ce que ce foulard est en soie?

Cinq. Pourquoi est-ce que tu prends ton maillot de bain?

Six. Tu vas mettre ton manteau?

Sept. Qu'est-ce que Madame Pasquier va porter pour aller au restaurant?

Huit. Qu'est-ce que tu vas acheter dans ce magasin de chaussures?

Neuf. Quel bijou est-ce que vous préférez?

Dix. Est-ce que tu as de l'argent?

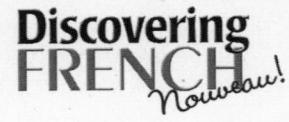

Listening Comprehension Performance Test

CD 21, Track 8

Partie A. Scènes et situations

Look at the illustrations on your test sheet. You will hear fragments of conversations related to these scenes. Listen carefully to each sentence and determine whether it is related to Scene A, B, C, or D. Then circle the corresponding letter. You will hear each sentence twice. First, listen to the example. Écoutez le modèle.

▶Voulez-vous essayer ce bracelet?

You should have circled **C**. Let's begin. Commençons.

1. Est-ce que cette bague est en argent?
2. Voulez-vous essayer cet imperméable?
3. Qu'est-ce que tu penses de ce chapeau?
4. Est-ce que tu aimes ce tissu à carreaux?
5. Il est bien, mais je préfère la casquette en cuir.
6. Ce manteau me plaît. Malheureusement il est trop cher.
7. Cette veste ne te va pas. Elle est trop longue.
8. Ces boucles d'oreilles sont en solde.

CD 21, Track 9

Partie B: Conversations

You will hear six short conversations. These conversations are incomplete. Select the most logical CONTINUATION for each conversation and circle the corresponding letter. You will hear each conversation twice. Let's begin. Écoutez.

1. Olivier et Stéphanie sont dans un grand magasin.

STÉPHANIE: Tu sais où est le rayon des vêtements de sport?
OLIVIER: Le rayon des vêtements de sport? C'est au quatrième étage.
STÉPHANIE: Allons-y.
OLIVIER: Qu'est-ce que tu veux faire là-bas?

Listen again and check your answer. Écoutez à nouveau et vérifiez votre réponse.

2. Nathalie est dans une boutique de chaussures. Le vendeur arrive.

VENDEUR: Vous désirez, mademoiselle?
NATHALIE: Je cherche des bottes en cuir.
VENDEUR: Quelle est votre pointure?
NATHALIE: Je fais du 37.
VENDEUR: Est-ce que ces bottes noires vous vont?

Écoutez à nouveau et vérifiez votre réponse.

3. Jean-François parle à sa soeur Caroline.

JEAN-FRANÇOIS: Dis, Caroline, tu vas à la boum de Mélanie samedi soir?
CAROLINE: Oui, bien sûr.
JEAN-FRANÇOIS: Quels vêtements est-ce que tu vas porter?
CAROLINE: Je vais porter ma nouvelle jupe.
JEAN-FRANÇOIS: Et qu'est-ce que tu vas mettre avec?

Écoutez à nouveau et vérifiez votre réponse.

4. Cet après-midi Philippe est allé chez sa cousine Cécile. Maintenant il va rentrer chez lui.

PHILIPPE: Dis, Cécile, quel temps fait-il?
CÉCILE: Il pleut!
PHILIPPE: Zut, j'ai laissé mon imper chez moi!

Écoutez à nouveau et vérifiez votre réponse.

5. Thomas téléphone à sa cousine Juliette. Il lui parle de sa nouvelle copine.

THOMAS: Alors, comment trouves-tu ma nouvelle copine?
JULIETTE: Hm . . .elle est mignonne . . . mais . . .
THOMAS: Mais quoi?
JULIETTE: Eh bien, . . . je préfère celle que tu avais avant.
THOMAS: Pourquoi?

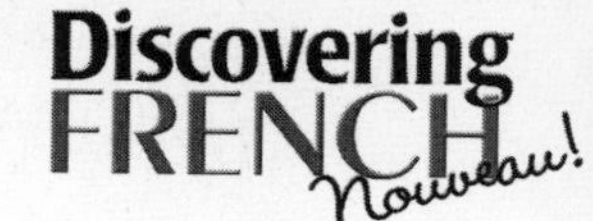

Écoutez à nouveau et vérifiez votre réponse.

6. Nicolas et Sandrine font une promenade en ville. Il est midi.

NICOLAS: Hm . . . j'ai faim!
SANDRINE: Tu veux déjeuner?
NICOLAS: Oui, je veux bien.
STÉPHANIE: Est-ce que tu veux aller chez «Lucullus»?
NICOLAS: Chez «Lucullus»? Je n'y suis jamais allé. Est-ce que c'est un bon restaurant?

Écoutez à nouveau et vérifiez votre réponse.

CD 21, Track 10

Partie C: Contexte

In France, as in the United States, people often buy items from mail order catalogues. This is called **ventes par correspondance**. You will hear a telephone conversation in which a young man is ordering an item from the catalogue of the **Galeries Modernes**. Although you may not understand every word of the conversation, you should be able to understand most of it. Écoutez.

VENDEUSE: Allô, Galeries Modernes, service des ventes par correspondance. Bonjour!
JEUNE HOMME: Bonjour, mademoiselle! Je viens de recevoir votre catalogue et j'ai noté que vous avez des soldes sur des blousons.
VENDEUSE: C'est exact . . . Tous nos blousons sont en solde. Et cette semaine, nous avons des réductions spéciales sur les blousons western.
JEUNE HOMME: Ils sont en cuir, n'est-ce pas?
VENDEUSE: Ah oui, monsieur, tous les blousons western sont garantis pur cuir.
JEUNE HOMME: Combien coûtent-ils?
VENDEUSE: Cette semaine nous les offrons au prix exceptionnel de deux cents euros.
JEUNE HOMME: Deux cents euros! Hm . . . c'est pas cher! En quelles couleurs les avez-vous?
VENDEUSE: En noir, en marron et en bleu foncé.
JEUNE HOMME: Bien, je vais acheter un blouson marron.
VENDEUSE: En quelle taille, monsieur.
JEUNE HOMME: Je fais du quatre.
VENDEUSE: Pardon, vous avez dit trois ou quatre?
JEUNE HOMME: Quatre, mademoiselle. C'est ma taille.
VENDEUSE: Très bien, je vais prendre votre nom et votre adresse.
JEUNE HOMME: Je m'appelle Olivier Papin, P-A-P-I-N. Et j'habite 145, rue de l'Hermitage à Tours, 37000 *(trente-sept, zéro, zéro, zéro)*.
VENDEUSE: Olivier Papin, 145, rue de l'Hermitage. Tours, trente-sept. . . . Très bien, monsieur. J'ai noté.
Vous allez recevoir votre blouson dans les quinze jours.
JEUNE HOMME: Merci, mademoiselle.
VENDEUSE: Au revoir, monsieur.
JEUNE HOMME: Au revoir.

Now imagine that you are the employee at the **Galeries Modernes** who is taking Olivier's telephone order. As you listen to the dialogue a second time, complete the order form—**le bon de commande**. Écoutez et écrivez.

Now listen one last time to check what you have written. Écoutez une dernière fois.

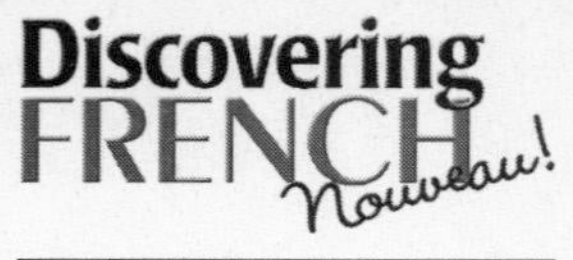

BLANC

COMPREHENSIVE TEST 2 (Units 5, 6, 7) FORM A

Première Partie. Compréhension (30 points)

CD 21, Track 11

1. Cadeaux d'anniversaire (5 points)

People are shopping for birthday gifts. Listen to what they say and match each object with the appropriate part of the body where it is usually worn or carried. Then, blacken the appropriate letter—a, b, c, or d—on your answer sheet. You will hear each item twice. First, listen to the model.

Modèle: —Ma mère a besoin d'un parapluie.
You should have blackened the letter **"b."**

Let's begin. Maintenant, commençons.

Un. —Je cherche un beau collier pour ma copine.

Deux. —Je voudrais acheter des gants pour Grand-père.

Trois. —Nathalie adore les boucles d'oreilles. Celles-ci sont en argent.

Quatre. —Pour Mathieu, je vais acheter cette casquette.

Cinq. —Ces baskets sont en solde pour 23 euros.

CD 21, Track 12

2. Chez Madame Moreau (7 points)

What's happening in Madame Moreau's neighborhood? Look at the scene below and, based on what you see in the picture, decide whether the statements you hear are true **(vrai)** or false **(faux)**. Then, blacken the corresponding letter—a or b—on your answer sheet. You will hear each item twice. First, listen to the model.

Modèle: Deux hommes travaillent dans la rue.
You should have blackened the letter **"a": vrai.**

Let's begin. Maintenant, commençons.

Six. Le lit est dans la rue.

Sept. Madame Moreau habite dans une maison individuelle.

Huit. Il y a encore trois meubles dans le camion.

Neuf. L'homme à droite n'a rien dans les mains.

Dix. Le fauteuil est devant la porte d'entrée.

Onze. Les hommes vont monter les meubles dans l'ascenseur.

Douze. Madame Moreau n'a pas d'étagère.

CD 21, Track 13

3. Jeudi dernier (6 points)

A strange event took place last Thursday. Listen to the man in the café tell you what he saw. Look at the pictures below and decide which scene best matches each sentence you hear. Then, blacken the corresponding letter—a, b, c, d, or e—on your answer sheet. You will hear each item twice. First, listen to the model.

Modèle: —La petite dame criait: «Au voleur!»
You should have blackened the letter **"b."**

Let's begin. Maintenant, commençons.

Treize. —Deux policiers sont descendus de la camionnette.

Quatorze. —Un policier a tiré en l'air avec son revolver.

Quinze. —Tout à coup, j'ai vu un homme qui courait.

Seize. —Une petite dame courait après l'homme.

Dix-sept. —Une camionnette de police venait de la direction opposée.

Dix-huit. —Le bandit s'est levé.

CD 21, Track 14

4. La réponse logique (12 points)

You will hear a series of questions. Listen carefully to each question and select the most logical answer from the choices below. Then, blacken the corresponding letter—a, b, or c—on your answer sheet. You will hear each question twice. First, listen to the model.

Modèle: Ça va?
You should have blackened the letter **"c": Oui, je suis en forme.**

Let's begin. Maintenant, commençons.

Dix-neuf. Quels sports d'été est-ce que tu pratiques?

Vingt. Est-ce que tu cours souvent?

Vingt et un. Tu as l'air fatigué!

Vingt-deux. Pourquoi allez-vous chez le docteur?

Vingt-trois. Où laves-tu les légumes?

Vingt-quatre. Est-ce que ta maison est grande?

Vingt-cinq. Pourquoi est-ce que tu allumes la télé?

Vingt-six. Qu'est-ce qu'il y a dans les placards?

Vingt-sept. Est-ce que cette cravate est en laine?

Vingt-huit. Pourquoi est-ce que tu portes un costume?

Vingt-neuf. Qu'est-ce qu'il y a dans ton portefeuille?

Trente. Vous désirez, monsieur?

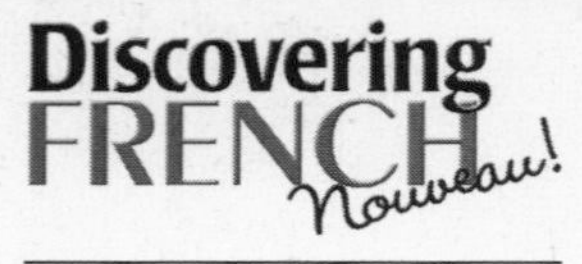

BLANC

COMPREHENSIVE TEST 2 (Units 5, 6, 7) FORM B

Première Partie. Compréhension (30 points)

CD 21, Track 15

1. Cadeaux d'anniversaire (5 points)

People are shopping for birthday gifts. Listen to what they say and match each object with the appropriate part of the body where it is usually worn or carried. Then, blacken the appropriate letter—a, b, c, or d—on your answer sheet. You will hear each item twice. First, listen to the model.

Modèle: —Ma mère a besoin d'un parapluie.
You should have blackened the letter **"b."**

Let's begin. Maintenant, commençons.

Un. —Pour ma copine, je vais acheter un nouveau jean.

Deux. —Nicolas a besoin d'une nouvelle ceinture en cuir.

Trois. —Je veux acheter ce sac pour ma mère. Tu le trouves joli?

Quatre. —Je pense que ces foulards sont très à la mode!

Cinq. —Regarde! Cette bague est en or!

CD 21, Track 16

2. Chez Madame Moreau (7 points)

What's happening in Madame Moreau's neighborhood? Look at the scene below and, based on what you see in the picture, decide whether the statements you hear are true **(vrai)** or false **(faux)**. Then, blacken the corresponding letter—a or b—on your answer sheet. You will hear each item twice. First, listen to the model.

Modèle: Deux hommes travaillent dans la rue.
You should have blackened the letter **"a": vrai.**

Let's begin. Maintenant, commençons.

Six. La dame habite dans un immeuble.

Sept. Madame Moreau habite au troisième étage.

Huit. Le réfrigérateur est dans le camion.

Neuf. L'homme à droite porte une boîte.

Dix. Il y a un café au sous-sol.

Onze. La dame vit dans un quartier de la ville.

Douze. Les hommes doivent monter les meubles dans l'escalier.

CD 21, Track 17

3. Jeudi dernier (6 points)

A strange event took place last Thursday. Listen to the man in the café tell you what he saw. Look at the pictures below and decide which scene BEST matches each sentence you hear. Then, blacken the corresponding letter—a, b, c, or d—on your answer sheet. You will hear each item twice. First, listen to the model.

Modèle: —La petite dame criait: «Au voleur!»
You should have blackened the letter **"b."**

Let's begin. Maintenant, commençons.

Treize. —L'homme a serré la main du policier.

Quatorze. —La petite dame a l'air furieuse.

Quinze. —La camionnette de police est arrivée.

Seize. —Le voleur est tombé dans la rue.

Dix-sept. —Tout à coup, j'ai vu un homme qui avait un sac à la main.

Dix-huit. —Le bandit a enlevé ses lunettes de soleil.

CD 21, Track 18

4. La réponse logique (12 points)

You will hear a series of questions. Listen carefully to each question and select the most logical answer from the choices below. Then, blacken the corresponding letter—a, b, or c—on your answer sheet. You will hear each question twice. First, listen to the model.

Modèle: Ça va?
You should have blackened the letter **"c": Oui, je suis en forme.**

Let's begin. Maintenant, commençons.

Dix-neuf. Tu fais de l'équitation?

Vingt. Qu'est-ce que tu vas faire à la montagne?

Vingt et un. Tu fais du vélo?

Vingt-deux. Où est-ce que tu as mal?

Vingt-trois. Qu'est-ce que tu vas faire au centre sportif?

Vingt-quatre. Est-ce que vous habitez dans la banlieue?

Vingt-cinq. Qu'est-ce qu'il y a au sous-sol?

Vingt-six. À quel étage est le living?

Vingt-sept. Nathalie est dans la salle à manger?

Vingt-huit. Quelle est votre pointure?

Vingt-neuf. Qu'est-ce que tu vas acheter au rayon d'accessoires?

Trente. Quel bijou est-ce que tu préfères?

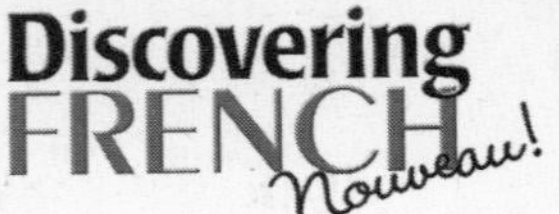

BLANC

UNITÉ 7 ANSWER KEY

Video Activities

Leçon 25

Le français pratique: Achetons des vêtements! (Pages 25–28)

Activité 1. Anticipe un peu!
Answers will vary.

Activité 2. Vérifie!
1. c.
2. c.
3. b.
4. a.
5. c.

Activité 3. Qui porte quoi?
1. chemise, cravate
2. tailleur, chaussures
3. jean, baskets
4. collants, pull
5. survêtement, baskets
6. short, tee-shirt

Activité 4. Ça va où?
1. c
2. a
3. c
4. d
5. b
6. a
7. b
8. b
9. a/b
10. c
11. a
12. d

Activité 5. Vrai ou faux?
1. F
2. F
3. F
4. V
5. F
6. V

Activité 6. La réponse logique
1. a
2. a
3. b
4. a
5. b
6. b
7. b
8. a
9. a

Activité 7. Sondage
Answers will vary.

Activité 8. Une petite lettre.
Answers will vary.

Leçon 26

Armelle compte son argent (Pages 65–70)

Activité 1. Anticipe un peu!
Answers will vary.

Activité 2. Vérifie!
Students should circle A.

Activité 3. Que cherche Armelle?
1. b.
2. a.
3. c
4. b.
5. c
6. a.

Enrichis ton vocabulaire

Avant-hier

Expression pour la conversation

A. "something original"
B. "quelque chose de pas cher"

Activité 4. Quelque chose d'original
Answers will vary.

Activité 5. Une chaîne d'événements
a. 8
b. 2
c. 5
d. 4
e. 7
f. 1
g. 6
h. 3

Activité 6. Un message à Pierre
Sample answer:
Pierre,
Puisque tu as organisé une grande soirée, Armelle veut acheter une nouvelle robe. Elle a compté son argent, mais elle a seulement trois cent trente francs. Corinne lui a dit qu'elle connaissait une boutique qui a souvent des soldes, et elles y sont allées.

Activité 7. À la soirée!
Answers will vary.

Leçon 27

Corinne a une idée (Pages 99–103)

Activité 1. Tu te rappelles?
1. spécial
2. soirée
3. original
4. cher
5. soldes
6. boutique

Activité 2. Vérifie!
1. spécial
2. soirée
3. original
4. cher
5. soldes
6. boutique

Activité 3. Dans la boutique
1. faux
2. faux
3. vrai
4. vrai
5. vrai
6. faux
7. vrai
8. faux

Tu as bien compris?

Students should circle a.

Expression pour la conversation

A. "I bet (that) it's the most expensive dress in the store!"
B. "Je pense (crois) que . . ."

Activité 4. Je parie que...
Answers will vary. Sample answer:
Je parie que nous allons écouter une cassette française.
Il/elle parie que Sandra va répondre en espagnol.
Nous parions que le professeur va parler de Gérard Depardieu.

Activité 5. En français, s'il te plaît!
1. Qu'est-ce que tu penses de cette robe et de cette veste?
2. C'est pas mal . . . mais ce n'est pas très original.
3. Regarde cette robe! Elle est plus jolie?
4. Oui, tu as raison. Elle est beaucoup plus jolie!
5. Mais elle est aussi beaucoup plus chère! Regarde le prix!
6. Oh là là! Je parie que c'est la robe la plus chère du magasin!

Activité 6. Une présentation de modèles
Answers will vary.

Leçon 28

Les vieilles robes de Mamie
(Pages 131–136)

Activité 1. Tu te rappelles?
Answers will vary. Sample Answers:
1. Dans la boutique, Armelle a trouvé seulement des robes trop chères ou des jupes et des vestes pas originales. Elle n'a rien acheté.
2. Corinne propose à Armelle d'aller chez sa grand-mère.
3. Parce que sa grand-mère a des tas de robes anciennes très chouettes.

Activité 2. Vérifie!
Answers will vary. Sample answers:
1. Dans la boutique, Armelle a trouvé seulement des robes trop chères ou des jupes et des vestes pas originales. Elle n'a rien acheté.
2. Corinne propose à Armelle d'aller chez sa grand-mère.
3. Parce que sa grand-mère a des tas de robes anciennes très chouettes.

Activité 3. Chez Mamie
1. a.
2. b.
3. b.
4. a.
5. b.

Activité 4. Dans le grenier
1. A
2. B
3. A
4. B
5. B

Activité 5. La réaction de Pierre
1. c
2. b.

Enrichis ton vocabulaire
A. Sample answer: Grandma, Grandpa
B. "Mami," "Papi"
C. "Pépé"

Activité 6. Les vieilles robes de Mamie
1. contente
2. vieilles
3. amuse
4. tas
5. Laquelle
6. celle
7. chapeau
8. Celui
9. essaie
10. robes

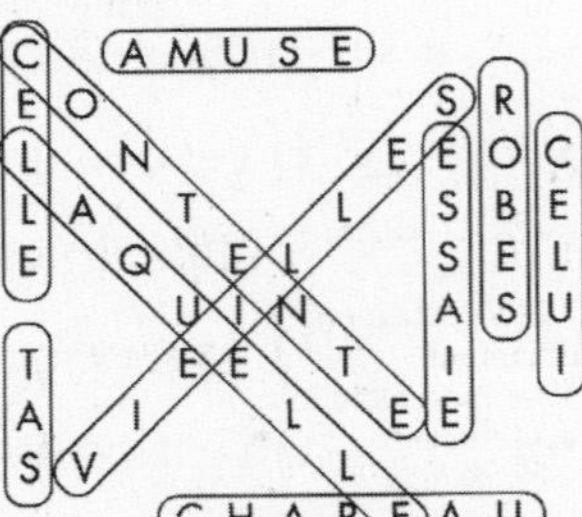

Activité 7. Pierre est curieux!
Answers will vary. Sample answer:
. . . Sa grand-mère a beaucoup de robes anciennes. Alors elles sont allées chez sa grandmère. Elles sont montées au grenier. Elles ont essayé beaucoup de robes, et aussi des chapeaux. Elles ont choisi des robes géniales!

Activité 8. Un sketch
Answers will vary.

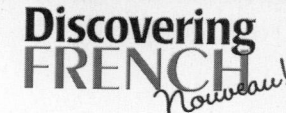

Lesson Quizzes

Quiz 25

Part I: Listening

A. Conversations (30 points: 5 points each)

1. c
2. a.
3. c
4. a.
5. b.
6. c

Part II: Writing

B. Qu'est-ce qu'ils portent? (45 points: 3 points each)

1. un foulard / des boucles d'oreilles / un collier
2. un survêtement / des tennis / une casquette
3. *Three of the following:* un maillot de bain / des sandales / des lunettes de soleil / un sac
4. *Three of the following:* une veste / une chemise / une cravate / un chapeau
5. un imper(méable) / des bottes / un parapluie

C. Expression personnelle (25 points: 5 points each)

Answers will vary. Sample answers:

Ma couleur préférée c'est le bleu...
J'aime les chemises unies (à rayures, à carreaux, à fleurs, à pois).
Je porte un short, un tee-shirt et des sandales.
Je porte un manteau, des bottes et une casquette.
Je porte une bague et une chaîne.

Quiz 26

Part I: Listening

A. Les soldes (24 points: 3 points each)

le chapeau: 110 / le blouson: 275 / la chemise à carreaux: 85 / la chemise unie: 60 / le manteau: 850 / le costume: 1 100 / le survêtement: 130 / l'imper: 325

B. La course (16 points: 2 points each)

1. 20
2. 10
3. 42
4. 17
5. 21
6. 11
7. 60
8. 3

Part II: Writing

C. Shopping (16 points: 2 points each)

1. vieille / vieilles / vieil
2. beaux / belles
3. nouvelle / nouvel / nouveaux

D. Adjectifs et adverbes (24 points: 2 points each)

1. active / activement
2. généreux / généreusement
3. calme / calmement
4. première / premièrement
5. patiente / patiemment
6. élégante / élégamment

E. Expression personnelle (20 points: 5 points each)

Answers will vary. Sample answers:

Un nouveau réfrigérateur va coûter huit cents dollars.
De nouveaux rideaux vont coûter deux cents dollars.
Une nouvelle étagère vont coûter trois cents dollars.
Un nouveau sofa va coûter six cents dollars.

Quiz 27

Part I: Listening

A. Conversations (30 points: 5 points each)

1. c
2. a.
3. c
4. c
5. c
6. a.

Part II: Writing

B. Le contraire (30 points: 3 points each)

1. chaude
2. facile
3. léger
4. bon marché
5. lent
6. méchant
7. faible
8. inutile
9. tôt
10. lentement

C. La course (20 points: 4 points each)

1. plus rapide qu'
2. moins rapide que
3. aussi rapide qu'
4. la plus rapide
5. la moins rapide

D. Expression personnelle (20 points: 5 points each)

Answers will vary. Sample answers:

suis plus (moins, aussi) âgé(e)
Je suis plus (moins, aussi) grand(e)
Je suis un(e) moins (aussi) bon (bonne) élève. / Je suis un(e) meilleur(e) élève.
Je suis moins (aussi) bon (bonne) en sport. / Je suis meilleur(e) en sport.

Quiz 28

Part I: Listening

A. Conversations (30 points: 5 points each)

1. c
2. b.
3. c
4. a.
5. c
6. b.

Part II: Writing

B. Dans un grand magasin (30 points: 3 points each)

1. Laquelle / celle-ci
2. Lesquelles / celles-ci
3. Lesquels / Ceux-ci
4. celle-ci / Laquelle
5. Celui-ci / celle-ci

C. Dialogues (20 points: 4 points each)

1. celui de
2. celles que
3. ceux qui
4. celle que
5. Ceux qui

D. Expression personnelle (20 points: 5 points each)

Answers will vary. Sample answers:

Je vais emprunter celles de . . .
Je vais emprunter celui de . . .
Je vais emprunter ceux de . . .
Je vais emprunter celle de . . .

Communipak

Interviews

Answers will vary. Sample answers:

Interview 1

Mon pantalon est bleu.
Ma chemise est blanche et verte.
Mes chaussures sont noires.
Ma couleur favorite est le vert.

Interview 2

Je porte un polo.
Il est beige.
Il est en coton.
Non, le dessin n'est pas uni. Il est à rayures.

Interview 3

Je vais lui acheter un pull.
Je vais lui acheter un bracelet.
Je vais lui acheter des boucles d'oreilles.
Je vais lui acheter une cravate.

Interview 4

Je vais mettre un short.
Je vais mettre des tennis.
Je vais prendre ma casquette.
Je vais prendre aussi des lunettes de soleil et un maillot de bain.

Interview 5

Je vais prendre trois chemises.
Je vais prendre des tennis et des bottes.
Je vais prendre un jean, un pantalon, six tee-shirts, un maillot de bain, un pull et un blouson.
Je vais acheter un blouson et des lunettes de soleil.

Interview 6

Il s'appelle «La Mode».
Il est assez cher.
On vend des jeans, des chemises, des pulls et des blousons.
On vend aussi des casquettes.

Interview 7

Le plus haut monument est le «Soldier's Monument».
Le plus grand centre commercial est «Kingstown Mall».
Le plus joli quartier est «Longmeadow».
La chose la plus intéressante à voir est le stade.

Interview 8

Le plus grand supermarché est «AAA Supermarket».
La plus grande boutique de disques est «Music Town».
Le meilleur restaurant est «Ashley's Place».
La boutique de vêtements la moins chère est «Discount City».

Tu as la parole

Tu as la parole 1

Answers will vary. Sample answers:

Je vais prendre des bottes, des gants, un pull et un blouson.

Tu as la parole 2

Prends un parapluie.
N'oublie pas tes bottes.
Mets un chapeau.
Prends un imperméable.

Tu as la parole 3

Answers will vary. Sample answers:

Pour Charles, je vais acheter une ceinture en cuir.
Pour Sophie, je vais acheter une chaîne en argent.
Pour ma mère, je vais acheter des boucles d'oreilles en or.
Pour mon père, je vais acheter une cravate en soie.

Tu as la parole 4

La veste me va bien.
Elle me plaît.
Elle est bon marché.
Je vais réfléchir.

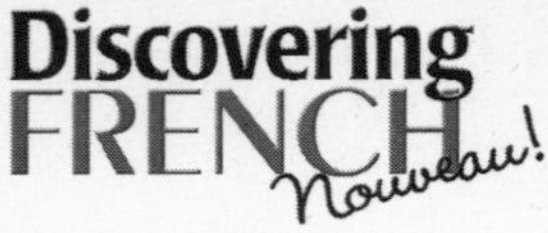

BLANC

Tu as la parole 5

Answers will vary. Sample answers:
Quelle sorte de chaussures est-ce que vous cherchez . . . de sandales, de tennis, de bottes?
Quelle est votre pointure?
Quelles chaussures est-ce que vous voudriez essayer?
Les chaussures là-bas sont en solde.

Tu as la parole 6

Answers will vary. Sample answers:
Je cherche un pantalon.
Je fais du 30.
Où est-ce que je peux l'essayer?
Ce pantalon est un peu cher et je vais chercher quelque chose d'autre.

Conversations

Answers will vary. Sample answers:

Conversation 1

Questions:
Est-ce que tu as un maillot de bain?
Est-ce que tu as des lunettes de soleil?
Est-ce que tu as un grand chapeau?
Answers:
Oui, j'ai un maillot de bain.
Oui, j'ai des lunettes de soleil.
Non, je n'ai pas de grand chapeau.

Conversation 2

Questions:
Est-ce que tu vas porter un short ou un pantalon?
Est-ce que tu vas porter des bottes ou des tennis?
Est-ce que tu vas prendre un imperméable?
Answers:
Je vais porter un pantalon.
Je vais porter des tennis.
Non, je ne vais pas prendre d'imperméable.

Conversation 3

Questions:
Combien de chemises est-ce que tu as achetés?
De quelles couleurs sont-elles?
Sont-elles en laine ou en coton?
Combien as-tu payé?
Answers:
J'ai acheté trois chemises.
Une chemise est grise, une est bleu foncé et l'autre est verte.
Une est en laine et les deux autres sont en coton.

Conversation 4

Questions:
De quelle couleur est ton portefeuille?
Est-il en cuir ou en plastique?
Combien d'argent est-ce qu'il y a dans le portefeuille?
Answers:
Il est marron.
Il est en cuir.
Il y a dix dollars dans le portefeuille.

Conversation 5

Questions:
Est-ce que je peux essayer la veste?
Est-elle en solde?
Combien coûte-t-elle?
Answers:
Oui, tu peux l'essayer.
Non, elle n'est pas en solde.
Elle coûte cent dix dollars.

Conversation 6

Questions:
Qu'est-ce que tu as acheté pour ta grande soeur?
Qu'est-ce que tu as acheté pour ton frère?
Qu'est-ce que tu as acheté pour ton copain/ta copine?
Answers:
Je lui ai acheté un collier.
Je lui ai acheté une ceinture.
Je lui ai acheté une chaîne avec une medaille.

Conversation 7

Questions:
Qu'est-ce que tu vas porter s'il fait chaud demain?
Qu'est-ce que tu vas porter s'il fait froid?
Qu'est-ce que tu vas porter s'il neige?
Answers:
Je vais porter un jean et un tee-shirt.
Je vais porter un survêtement.
Je vais porter un jean, un pull et un manteau.

Conversation 8

Questions:
Comment s'appelle-t-il/elle?
Est-il/elle plus grand(e) que toi?
Est-il/elle plus jeune ou plus âgé(e)?
Est-il/elle sympathique?
Answers:
Il/Elle s'appelle Chris.
Non, il/elle n'est pas plus grand(e) que moi.
Il/Elle est plus jeune.
Oui, il/elle est très sympathique.

Échanges

Échanges 1

Answers will vary.

Échanges 2

Answers will vary.

Échanges 3

Answers will vary.

Tête À Tête

Activité 1 Un grand magasin

Élève A
a. Combien coûte la ceinture? / 25€
Combien coûte le parapluie? / 30€
Combien coûte le blouson? / 150€
Combien coûte le portefeuille? / 35€
Combien coûtent les chaussettes? / 6€
Combien coûte la bague? / 2000€
b. Elles coûtent trois cents euros.
Elles coûtent deux cents euros.
Il coûte mille cent euros.
Il coûte mille deux cents cinquante euros.
Il coûte quatre cents euros.
Elle coûte quinze euros.

Élève B
a. Elle coûte vingt-cinq euros.
Il coûte trente euros.
Il coûte cent cinquante euros.
Il coûte trente-cinq euros.
Elles coûtent six euros.
Elle coûte deux mille euros
b. Combien coûtent les boucles d'oreilles? / 300€
Combien coûtent les bottes? / 200€
Combien coûte le collier? / 1 100€
Combien coûte le manteau? / 250€
Combien coûte l'imperméable? / 400€
Combien coûte la casquette? / 15€

Activité 2 Cravates et foulards

Answers will vary. Sample answers:
Élève A
a. La cravate de Monsieur Thomas est à fleurs.
La cravate de Monsieur Bertrand est à pois.
La cravate de Monsieur Lavoie est à rayures.
La cravate de Monsieur Moreau est à carreaux.
b. Drawings may vary, but should follow the descriptions given by Student B.

Élève B
a. Drawings may vary, but should follow the descriptions given by Student A.
b. Le foulard de Madame Dupont est à pois.
Le foulard de Madame Charron est à carreaux.
Le foulard de Madame Boutron est à rayures.
Le foulard de Madame Laval est à fleurs.

Activité 3 Portraits

Élève A
a. Elles sont plus chères que le collier.
Il est plus large que la veste.
Elle est moins longue que la robe.
Elle est plus rapide que la voiture.
Il est plus fort que Christophe.
Elle est aussi grande qu'Hélène.
b. Est-ce que Madame Simon est plus ou moins élégante que Madame Carré? / -
Est-ce que Monsieur Lambert est plus ou moins jeune que Monsieur Thomas? / -
Est-ce que le portefeuille est plus ou moins cher que la ceinture? / =
Est-ce que le chien est plus ou moins fort que le chat? / -
Est-ce que la voiture blanche est plus ou moins grande que la voiture noire? / -
Est-ce que le paquet est plus ou moins lourd que le sac? / +

Élève B
a. Est-ce que les boucles d'oreilles sont plus ou moins chères que le collier? / +
Est-ce que le pantalon est plus ou moins large que la veste? / +
Est-ce que la jupe est plus ou moins longue que la robe? / -
Est-ce que la moto est plus ou moins rapide que la voiture? / +
Est-ce que Jean-Pierre est plus ou moins fort que Christophe? / +
Est-ce qu'Alice est plus ou moins grande qu'Hélène? / =
b. Elle est moins élégante que Madame Carré.
Il est moins jeune que Monsieur Thomas.
Il est aussi cher que la ceinture.
Il est moins fort que le chat.
Elle est moins grande que la voiture noire.
Il est plus lourd que le sac.

Unit Test Lessons 25, 26, 27, 28

Form A

Première Partie: Compréhension

1. La réponse logique (20 points)

1. c	6. a.
2. c	7. a.
3. b.	8. a.
4. c	9. c
5. c	10. a.

Deuxième Partie: Vocabulaire et structure

2. L'intrus (8 points)

1. étroit
2. fourrure
3. cuir
4. lunettes
5. portefeuille
6. ceinture
7. costume
8. tailleur

3. Le bon mot (12 points)

1. a.
2. c
3. c
4. a.
5. b.
6. a.
7. a.
8. a.
9. c
10. a.
11. b.
12. a.

4. Le contraire (10 points)

1. longue
2. vieux
3. belle/jolie
4. difficile
5. étroite

5. Comparaisons (12 points)

1. Le paquet est plus lourd que la lettre.
2. Paul est aussi grand qu'Éric.
3. La jupe est moins longue que la robe.
4. Stéphanie est meilleure en maths que Caroline.

6. La bonne forme (8 points)

1. belle
2. nouvel
3. vieilles
4. beaux

7. Contextes et dialogues (10 points)

A. Laquelle; Celle-ci; plus; meilleur; élégamment
B. la plus; celle qui; plus; facilement; possible

Troisième Partie: Expression personnelle

8. Comparaisons personnelles (20 points)
Answers will vary.

Form B

Première Partie: Compréhension

1. La réponse logique (20 points)

1. c
2. a.
3. b.
4. c
5. b.
6. b.
7. c.
8. c
9. a.
10. c

Deuxième Partie: Vocabulaire et structure

2. L'intrus (8 points)

1. moche
2. fourrure
3. soie
4. chaussettes
5. parapluie
6. foulard
7. costume
8. collants

3. Le bon mot (12 points)

1. c
2. a.
3. b.
4. a.
5. a.
6. a.
7. c
8. a.
9. a.
10. a.
11. a.
12. b.

4. Le contraire (10 points)

1. facile
2. cher
3. chaude
4. large
5. lourd

5. Comparaisons (12 points)

1. La moto est plus rapide que la voiture.
2. Le pantalon est aussi cher que la veste.
3. Jean-Paul est moins rapide que Claire.
4. Le tee-shirt est meilleur marché que la chemise.

6. La bonne forme (8 points)

1. belle
2. nouvelles
3. vieil
4. vieilles

7. Contextes et dialogues (10 points)

A. cette; Laquelle; Celle qui; la plus; la plus; vraiment
B. simplement; nouvelle; Celle; élégamment

Troisième Partie: Expression personnelle

8. Comparaisons personnelles (20 points)
Answers will vary.

Listening Comprehension Performance Test

A: Scènes et situations (40 points: 5 points per item)

1. C
2. D
3. A
4. B
5. A
6. D
7. B
8. C

B: Conversations (30 points: 5 points per question)

1. b
2. c
3. c
4. b.
5. c
6. b.

C: Contexte (30 points: 6 points per item of information)

Article: blouson
Taille: 4
Textile/Matière: cuir
Prix: 200 euros
Couleur: marron

Reading Comprehension Performance Test

1. c
2. b.
3. a.
4. b.
5. b.
6. b.
7. c
8. c
9. a.
10. b.

Writing Performance Test

Please note that the answers provided are suggestions only. Student responses will vary.

1. Au café (20 points: 2 per item)

Le garçon portait . . .
(Any five of the following:)
une casquette
des lunettes de soleil
un foulard
un blouson
un pantalon
une ceinture
des tennis

La fille portait . . .
(Any five of the following:)
un collier
des boucles d'oreilles
un polo
des bracelets
une jupe
des bottes
un sac

2. Achats (16 points: 4 per item)

un polo en coton
des bottes en cuir
un bracelet en argent
un foulard en soie
un maillot de bain en polyester
des baskets en toile
une bague en or
une casquette en toile

3. Les chèques (12 points: 4 per check)

1100€, mille cent, EuropCar
150€, cent cinquante, Locatel
900€, neuf cents, La Samaritaine

4. Un cadeau (16 points: 4 per sentence)

Chère tante Brigitte, Merci de ton offre généreuse.
Peux-tu m'acheter un pantalon en toile?
Ma taille est 34. (Je fais du 34.)
Mes couleurs préférées sont le marron et le bleu foncé.
Comme dessin, je préfère un tissu à carreaux.
Merci encore! Je te'ambrasse,

5. Comparaisons
(16 points: 4 per sentence)

Mon/ma copine
s'appelle Pauline
Elle est plus sérieuse que moi.
Je suis moins sportif (sportive) qu'elle.
Je suis meilleur(e) en maths qu'elle.
Elle est aussi optimiste que moi.

6. Composition libre
(20 points: 4 points per sentence)

A Ma chère Valérie,
Je vais aller au bal de Mardi Gras organisé par le Club Français.
Pour cette occasion, je vais être déguisé(e) en pirate.
Je vais porter un pantalon bleu avec une ceinture de tissu rouge et une chemise rouge à carreaux.
Sur la tête, je vais porter un foulard noir.
Et, bien sûr, je vais mettre de grandes boucles d'oreille.

B Mon cher Thomas,
Dans notre ville il y a beaucoup de bons restaurants, mais celui que je préfère s'appelle La Cantina. Ce restaurant a les meilleurs spaghetti et la meilleure pizza de la ville.
Pour les vêtements, la boutique la plus chère est Mullins; on y trouve les costumes et les robes les plus élégants. Mais normalement je fais mes achats à Bee-Jay, qui est le magasin le moins cher. Bee-Jay a des pulls, des tee-shirts et des pantalons aussi chouettes que Mullins.
Quand tu vas être ici, tu dois absolument visiter notre cathédrale, qui est la plus vieille de toute la région.

C Le dimanche, je lis Calvin and Hobbes et Peanuts dans les bandes dessinées du journal.
À mon avis Charlie Brown, dans Peanuts, est plus intéressant que Calvin.
Je pense que Calvin est quelquefois plus drôle et plus imaginatif que Charlie Brown. Charlie Brown est plus sérieux et plus gentil que Calvin.
Mais la bande dessinée de Calvin and Hobbes est en général plus drôle que la bande dessinée de Peanuts.

Comprehensive Test 2
(Units 5, 6, 7)

Form A

Première Partie: Compréhension

1. Cadeaux d'anniversaire (5 points)

1. a.
2. b.
3. a.
4. a.
5. d

2. Chez Madame Moreau (7 points)

6. b.
7. b.
8. a.
9. a.
10. b.
11. b.
12. b.

3. Jeudi dernier (6 points)
13. c
14. d
15. a.
16. b.
17. c
18. e

4. La réponse logique (12 points)
19. c
20. a.
21. c
22. b.
23. a.
24. a.
25. b.
26. a.
27. b.
28. c
29. b.
30. a.

Deuxième Partie: Structure et vocabulaire

5. Une mère curieuse (5 points)
31. a.
32. b.
33. d
34. c
35. e

6. Le bon choix (7 points)
36. c
37. c
38. b.
39. b.
40. a.
41. a.
42. a.

7. Un événement bizarre (8 points)
43. a.
44. a.
45. a.
46. b.
47. b.
48. a.
49. b.
50. b.

8. L'intrus (5 points)
51. b.
52. c
53. c
54. a.
55. b.

9. Catégories (5 points)
56. b.
57. d
58. a.
59. e
60. c

Troisième Partie: Communication

10. Les dialogues embrouillés (10 points)
61. e
62. a.
63. c
64. d
65. b.
66. d
67. c
68. a.
69. e
70. b.

Quatrième Partie: Lecture

11. Au grand magasin (5 points)
71. c
72. a.
73. a.
74. b.
75. d

12. À l'agence immobilière (5 points)
76. b.
77. c
78. d
79. b.
80. a.

13. Deux amis (6 points)
81. b.
82. b.
83. b.
84. b.
85. a.
86. b.

14. En France (4 points)
87. c
88. a
89. b
90. b

Cinquième Partie: Culture

15. Méli-mélo culturel (10 points)
91. a.
92. b.
93. a.
94. a.
95. a.
96. b.
97. b.
98. b.
99. a.
100. a.

Form B

Première Partie: Compréhension

1. Cadeaux d'anniversaire (5 points)
1. c
2. b.
3. b.
4. a.
5. b.

2. Chez Madame Moreau (7 points)
6. a.
7. a.
8. b.
9. b.
10. b.
11. a.
12. a.

3. Jeudi dernier (6 points)
13. e
14. b.
15. c
16. d
17. a.
18. e

4. La réponse logique (12 points)
19. b.
20. b.
21. a.
22. b.
23. c
24. b.
25. b.
26. c
27. c
28. a.
29. b.
30. a.

Deuxième Partie: Structure et Vocabulaire

5. Une mère curieuse (5 points)
31. b.
32. d
33. a.
34. c
35. e

6. Le bon choix (7 points)
36. a.
37. a.
38. a.
39. b.
40. d
41. c
42. b.

7. Un événement bizarre (8 points)
43. a.
44. a.
45. a.
46. b.
47. a.
48. b.
49. b.
50. b.

8. L'intrus (5 points)
51. a.
52. b.
53. b.
54. a.
55. c

9. Catégories (5 points)
56. e
57. c
58. d
59. a.
60. b.

Troisième Partie: Communication

10. Les dialogues embrouillés (10 points)
61. e
62. b.
63. c
65. d
65. a.
66. e
67. c
68. b.
69. d
70. a.

Quatrième Partie: Lecture

11. Au grand magasin (5 points)
71. c
72. a.
73. d
74. a.
75. b.

12. À l'agence immobilière (5 points)
76. a.
77. c
78. b.
79. d
80. a.

13. Deux amis (6 points)
81. c
82. c
83. a.
84. a.
85. a.
86. c

14. En France (4 points)
87. c
88. b.
89. c
90. a.

Cinquième Partie: Culture

15. Méli-mélo culturel (10 points)
91. a
92. b
93. a
94. b
95. a
96. a
97. b
98. b
99. a
100. a.

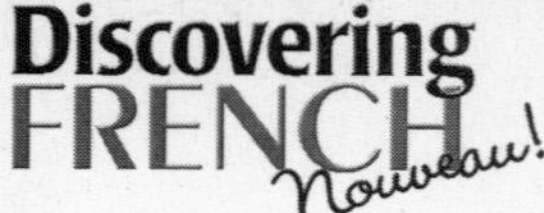

BLANC

Multiple Choice Test Items

Leçon 25

1. a. un imperméable
2. c. un survêtement
3. b. une robe
4. a. maillot
5. b. lunettes de soleil
6. c. portefeuille
7. a. cravate
8. b. une ceinture
9. c. or
10. c. marron
11. c. soie
12. b. en laine
13. a. cuir
14. c. dans une boutique de soldes
15. b. pointure
16. b. plaisent
17. c. b.on marché
18. c. noires
19. c. sac
20. c. l'essayer

Leçon 26

1. c. premier
2. a. onzième
3. b. italien
4. a. a.nglais
5. b. canadiennes
6. b. vieux
7. c. b.elles
8. b. nouvel
9. a. b.elle
10. b. vieux
11. a. nouveau
12. b. de
13. c. sérieusement
14. a. poliment
15. c. patiemment
16. a. normaux
17. b. des
18. c. élégamment
19. a. vieille
20. b. b.eaux

Leçon 27

1. b. meilleur
2. b. a.ussi cher que
3. c. moi
4. b. plus confortables
5. c. méchant
6. a. rapide
7. b. vite
8. c. lourd
9. b. meilleur marché
10. c. fort
11. b. plus souvent
12. c. meilleur
13. b. b.ien
14. a. mieux
15. b. tôt
16. c. lentement
17. a. la moins chère
18. a. le meilleur
19. c. la
20. a. vite

Leçon 28

1. b. laquelle
2. c. Lesquelles
3. a. Lequel
4. b. Laquelle
5. c. celui-ci
6. c. celles-ci
7. a. ceux
8. c. laquelle
9. c. celui qui
10. a. celle qui
11. c. celle que
12. c. ceux
13. b. de
14. a. Lesquels
15. a. Laquelle
16. b. Lequel
17. c. celles que
18. a. celles
19. c. celui qui
20. a. Lequel